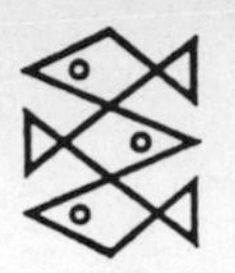

KU-156-244

Um das Ausloten »der tiefsten Welt ihres Wesens« geht es Franz Werfel bei nahezu allen Gestalten seiner Erzählungen dieses chronologisch geordneten Bandes, der die Jahre 1920 bis 1927 umfaßt. In den ersten, Fragment gebliebenen Texten zeigt er teils durch Ironisierung des Erfolgstrebens, die Vergötzung des Maskulinen und durch Karikierung der Gesellschaft der jungen österreichischen Republik, teils durch den Spiegel »einer Art von wollüstiger Galanterie« oder aber durch das Gefühl von Fremdheit in der Gemeinschaft die Fragwürdigkeit dieser Zeit auf. Immer mehr zu der Überzeugung gelangt, daß für sie »nicht der hochstehende Mensch symbolisch« sei, »sondern der mittlere«, wandte er sich Mitte der zwanziger Jahre vor allem den kleinen Verhältnissen und den Kleinbürgern, den Alltagsmenschen und den Desorientierten sowie den Außenseitern zu. Konzentriert und präzise ist die Schilderung des Erzählgeschehens bei gleichzeitiger Beachtung und Wahrung des Atmosphärischen, selbst dort, wo es ins Dämmerlicht einer Welt, gelegentlich ins Mystische fällt. Leitideen dieses durchaus nicht »kunterbunten, disparaten Mosaiks« (Franz Brunner) sind die »Grundfragen von Schuld und Menschlichkeit« (Fritz Martini).

Am 10. September 1890 wird Franz Werfel in Prag geboren; als Schüler schreibt er Gedichte und entwirft Dramen. Karl Kraus veröffentlicht später in seiner Zeitschrift ›Die Fackel‹ Gedichte von ihm. 1914 wird Werfel zum Militärdienst eingezogen; 1915 lernt er im Garnisonsspital in Prag Gertrud Spirk kennen, will sie heiraten – doch 1917 begegnet er Alma Mahler-Gropius, mit der er bis zu seinem Lebensende verbunden bleibt; er siedelt nach Wien über. Zu dieser Zeit sind bereits mehrere Gedichtbände von ihm erschienen, hat er kritische, pazifistische Aufsätze veröffentlicht. 1919 erscheint seine erste große Erzählung ›Nicht der Mörder, der Ermordete ist schuldig‹, 1921 wird sein Drama ›Spiegelmensch‹ an mehreren deutschen Bühnen aufgeführt. In den nächsten Jahren entstehen die berühmten Novellen wie ›Der Tod des Kleinbürgers‹ und ›Kleine Verhältnisse‹, die Romane ›Der Abituriententag‹ und ›Die Geschwister von Neapel‹. Dazwischen veröffentlicht er immer wieder Gedichte. 1929 heiratet er Alma Mahler. 1933 erscheinen ›Die vierzig Tage des Musa Dagh‹ – eine Mahnung an die Menschlichkeit; im gleichen Jahr werden seine Bücher in Deutschland verbrannt. 1938, als Hitlers Truppen in Österreich einmarschieren, hält sich Werfel in Capri auf – seine Emigration beginnt. 1940 wird Werfel in Paris an die Spitze der Auslieferungsliste der Deutschen gesetzt. Mit Alma und einigen Freunden, darunter Golo Mann, flüchtet er zu Fuß über die Pyrenäen nach Spanien. ›Das Lied von Bernadette‹ schreibt er als Dank für seine Errettung. Von Lissabon bringt sie ein Schiff nach New York. Die letzten Jahre verlebt Werfel in Los Angeles, Kalifornien. Am 26. August 1945 erliegt er seinem schweren Herzleiden.

Franz Werfel

Gesammelte Werke in Einzelbänden

Herausgegeben von Knut Beck

Die Erzählungen

1
Die schwarze Messe

2
Die tanzenden Derwische

3
Die Entfremdung

4
Weißenstein, der Weltverbesserer

Franz Werfel

Die tanzenden Derwische

Erzählungen

Fischer
Taschenbuch
Verlag

Veröffentlicht im Fischer Taschenbuch Verlag GmbH,
Frankfurt am Main, Oktober 1989

Lizenzausgabe mit freundlicher Genehmigung
der S. Fischer Verlags GmbH, Frankfurt am Main
Für diese Zusammenstellung:

Umschlagentwurf: Buchholz / Hinsch / Hensinger
unter Verwendung eines Gemäldes von Gustav Klimt
›Damenbildnis en face‹ (Ausschnitt)
Gesamtherstellung: Clausen & Bosse, Leck
Printed in Germany
ISBN 3-596-29451-7

Inhalt

Erfolg

I

Man einigt sich, zuvor ins Café Nazionale zu gehen. Die Gesellschaft hat Erfrischung und Imbiß nötig. Und dann, wer weiß, ob es bei ihnen was zu essen geben wird. Diese Generalprobe hat richtig fünf Stunden gedauert, und überdies lagen die Plätze soweit auseinander, daß keiner mit dem andern auch nur einen Blick hätte tauschen können.

Ehe aber noch der Kellner abgefertigt ist, hat man sich über den Wert der Oper dieses Giacomo Quadra verständigt. Sie soll in Paris gefallen haben. Unbegreiflich. Allerdings das Sujet! Halbnackte Sklavinnen, Christenverfolgung, Untergang der Antike, ein Leutnant der Imperatorenarmee am Ende als Heiliger, der bucklige Bariton nietzscheanische Ketzereien in wagneristischen Phrasen singend! Wie abgeschmackt. In Paris und Venedig, auch in Deutschland wird dieser Quadra als Stern und Erlöser behandelt. Mögen sie. Wir sind Gott sei Dank in Italien.

»Übrigens ist Quadra einer der reizendsten Kerle, die ich kenne«, behauptet der Verfasser der gestern berühmten Odi Umani und stürzt sein Glas Orangeade hinunter.

Der namhafte Musiker, ein Halbdeutscher, wird wütend: »Sagen Sie gleich: Netter Kerl! Wie ich dieses ›Netter Kerl‹ hasse. Diese Bezeichnung ist ein Urteil, das immer aus Feigheit kommt. Im übrigen habe ich vorgestern mit ihm innige Freundschaft geschlossen. Heute habe ich das Gefühl, ich kann nicht mehr mit ihm verkehren. Diese Oper ist einfach ein Schmutz.«

Der Odendichter sendet einen Blick zur Contessa. Sie sagt: »In dieser Musik gibt es nur Lüsternheit und keine Liebe.«

»Ich verstehe nicht viel von Musik«, meint er, »aber mir scheint, es ist ungeheuer viel Können in dieser Partitur, Arbeit, viele Nächte, viel Glauben...«

Der namhafte Musiker fährt dazwischen.

»Dieses Können, das ich übrigens leugne, ist ja gerade der infame Schwindel! Es ist Schmutz, es ist energischer Ehrgeiz, Phantasielosigkeit, Verstellung, kurz, Herrgott...«

Der Dichter muß sich eine Stunde erinnern, in der jener Musiker ihm ein Werk von sich auf dem Klavier vorführte. Hat der Mensch damals gezappelt und geschwitzt – denkt er.

Die Contessa gerät mit seinen Gedanken in Kontakt und lächelt.

Die gütige, nicht mehr frische Weltdame, die noch mit von der Gesellschaft ist, will vermitteln, wie es so ihre Art ist. »Vielleicht verstehn wir hier diese Musik nicht!« »Nicht verstehn!?« Der Wüterich ist jetzt ganz außer Rand und Band. »Ihr Konventionsmenschen! Nicht verstehn! Mir ist die Kunst heilig! Das aber ist unsauber, unrein, unrein, und das ist das rettungslos Verbrecherische.«

Diesem Ansturm wird nun allgemein zugestimmt. Man wirft in gesteigerter Lust brillanter Formulierungen dem armen Quadra Stillosigkeit, falsche Tiefe, Unwirklichkeit, gymnasiastenhafte Sexualität und vieles noch Schärfere vor. Der Verfasser der Odi Umani stellt den Satz auf: »Es gibt eine Unbildung, zu der einer geboren wird, und die nichts mit Armut, bedrückter Kindheit u.s.w. zu tun hat, eine Art biologische Niveaulosigkeit, nicht zu verwechseln mit der herrlichen ruvidezza eines Verdi. Diese bleibt sich treu, jene aber schielt nach den Kultursnobismen und bringt Scheußlichkeiten hervor, wie in diesem Fall!«

»Gott sei Dank, daß auch Sie endlich Farbe bekennen«, schreit der Musiker, »Sie Dichter mit Ihrer Menschlichkeit.«

Der Dichter, der gestern berühmt war, wird verlegen.

»Hören Sie, meine Herrschaften, Maestro Quadra ist doch sozusagen unser Freund, und wir alle wollen in einer halben Stunde in seiner Wohnung den Erfolg mit ihm feiern. Ich muß gestehen, ich bin bedrückt.«

Die Contessa, schön und hell, findet es selbstverständlich, daß man dem Premierentäufling nur alles Liebe sagt. Der Dichter wird noch deprimierter: »Es ist schrecklich, so zu lügen. Ich werde es gar nicht können.«

Dabei weiß er genau, daß er sich nur vor den anderen schämen wird zu lügen. Unter vier Augen würde es ihm gar nicht schwerfallen, Quadra die schönsten Elogen zu machen.

»Lügen«, ruft nun der Aufgeregte, »ich lüge nie und werde heute auch nicht lügen. Ihr werdet sehen. Ich hebe mein Glas und sage einfach: Prost. Und das wird alles sein!«

Die Contessa: »Ach, so kalt und böse sind Sie ja gar nicht!«

Die Weltdame findet einen Ausweg: »Man muß halt sehr viel von der Aufführung sprechen. Und Scotti war ja wirklich herrlich.«

»Ja, Scotti war herrlich!« Das gibt selbst der unerbittliche Musiker zu.

Die beiden Damen und Herren sitzen im Auto. Während der Chauffeur ankurbelt, sagt der Verfasser der Odi Umani zum Musiker: »Hören Sie! Wir Schriftsteller sind, wenigstens öffentlich, toleranter gegeneinander.«

2

Es ist eine Wohnung von vier oder fünf Zimmern im dritten Stock. Das Buffetzimmer, in dem sich schon einige Gäste befinden, ist sehr groß, das daneben befindliche Musikzimmer, in dem der Hausherr den mächtigen Kritiker Mosso leidenschaftlich angestikuliert, ist erheblich kleiner. Im Buffetzimmer hängen keine Stiche und Reproduktionen an der Wand, dagegen eine Legion Photographien von Sängern, Sängerinnen und schönen Damen, die großzügige Widmungen wie Gürtel und Feldbinden um die Büste tragen. Im Musikzimmer hingegen fehlt Mona Lisa und das Spiel der Wellen nicht. Der Flügel ist braunfarben und von keiner ersten Firma, was etwas Rührendes hat. Das Buffet ist überaus beladen, und auf den ersten Blick ist es klar, daß die Gesellschaft von vorhin nicht nur in ihrem ästhetischen Urteil boshaft war. Sie wird bei Quadra mehr denn genug zu essen finden, ganz zu schweigen von den sieben Flaschen Heidsieck, die in drei großen Kühlkübeln stehn. Der Champagner allerdings ist von einem Ehepaar gespendet, das außerhalb der Kunstwelt lebt. Es sind die beiden, um die sich niemand kümmert; er im Frack, sie in ausgeschnittener Abendtoilette, bilden sie schon dadurch zu der Saloppheit der anderen Figuren einen komischen Gegensatz. Diesen Gegensatz quittieren sie durch eine Art impertinentes Schweigen, gewolltes Fremdsein, wozu sie teils durch ihren Anzug gezwungen sind, teils auch ihre Betretenheit maskieren. Ihr Über-der-Sache-Stehn wird nur noch von den beiden Kritikern übertroffen, von dem mächtigen Kritiker Mosso und dem schmächtigen Kritiker Troppo.

Der Witz: »meno mosso« und »ma non troppo« feiert in diesem Jahr gerade sein zwanzigstes Jubiläum. Mosso, der mächtige Kritiker des Corriere, starrt, während der Komponist ihn auf den Bau eines seiner Themen aufmerksam macht, intensiv auf seine Zigarre. Er genießt dieses seltene Aroma.

Troppo, der schmächtige Kritiker der Idea hingegen, ist einer der konsequentesten Wagnerianer Italiens. Er war sein Lebtag Bayreuthpilger, und hat zu einer Zeit, als es schon (wie er ausdrücklich betont) geradezu antimodern war, eine Schrift verfaßt: ›Die Mystik der Weltschöpfung und die Tetralogie‹. Sein Aussehn steht zu diesem Titel in keinem Widerspruch. Dieses langsame Leidensgesicht scheint einem Theosophen anzugehören, oder einem zur Liebe erlösten Alberich, der überdies unter der Gralsritterschaft Aufnahme gefunden hat. Troppo spricht mit zwei Damen. Eine davon, eine großknochige Sängerin, ist seine Frau. Er hat sowohl in seinem Satzbau als auch in der Bewegung seiner Hände eine unendliche Behutsamkeit für sie, die einem Manne, der gleich dem fliegenden Holländer Erlösung durch die Treue des Weibes sucht, wohl ansteht; Unbefangene allerdings meinen, der ungeschlachten Person gebühre andere Behandlung.

Wie anders ist doch Mosso. Ein gesetzter Genießer, lachend, frank, ohne das blendend falsche Gebiß des Troppo. Man muß immer denken: Rossini! Denn er versteht sich auf Saucen, ja auf viel mehr noch, auf ein ganz respektables Repertoire von Irdischkeiten.

Eben packt ihn Quadra bei der Hand. »Ist Ihnen die dreifache Teilung der Primgeigen nicht entgangen, wenn Scotti zum zweitenmal die Melodie des Lebensgenusses bringt:

Hinweg, du quälende Scheu, du Schmerz!
Ohne Grenzen will ich mich weihen,
Dem Taumel, der Entzückung und ach dem Genuß.«

Quadras Frau kommt und nimmt ihn zur Seite. Der Kritiker flüchtet ins Buffetzimmer und öffnet verstohlen ein Paket, das er mitgebracht hat. Erleichtert sieht man ihn einige Brötchen, dick beschmiert mit Gänseleberpastete, verzehren.

Quadra muß den Kopf etwas herabbeugen, denn seine Frau ist ziemlich klein. Wenn man diesen breiten zusammengedrängten und zugleich auseinandergepreßten Musikerkopf sieht, hat man das Gefühl: Dieses Mannes Freund hätte ich gewesen sein wollen, als wir beide dreizehn Jahre alt waren. Auch er hat gewiß den kleinen Hügel vor der Stadt für die Rocky Mountains gehalten. Das gefällt uns, das verbindet uns. Es gibt ja andre Künstlerphysiognomien, sehr feine, sehr zarte – aber – weiß der Teufel, wir haben den Verdacht, daß diese Physiognomien in der Schule sehr wohlerzogen waren und mit fünfzehn Jahren ihren Klassenlehrer durch Aufsätze über ›Dante‹ oder ›Die Ferien‹ so entzückt haben, daß er diese Schriften vom Katheder herab vorlas.

Quadra hat gewiß sehr schlechte Aufsätze geschrieben. Trotzdem ist es aber zu einer Freundschaft mit ihm schon zu spät. In irgend einer Komödie fragt Napoleon ein Weltkind: »Und Sie haben keinen verzehrenden Teufel in sich, der Tag und Nacht mit Taten und Siegen gefüttert werden muß, der sich zehn Minuten des Genusses mit Wochen von Herkulesarbeit bezahlen läßt...?« Quadra hatte diesen Teufel schon so sehr in sich, daß er niemals ohne die Pariser Kritiken in der Brieftasche ausgeht. Wer will diese Schwäche einem Manne verdenken, der die Herkulesarbeit leistet, alle zwei Jahre sechshundertdreißigsystemige Seiten einer Partitur zu füllen, um endlich mit dem vierzigsten Jahr die ersten großen Erfolge davonzutragen.

Nun geht es ihm schon in jeder Beziehung leidlich.

Der Schauspieler
[Fragment]

I. Kapitel

Daß der Hofschauspieler Thassilo von Seipotz zur Opposition in unserer Stadt gehörte, wird niemanden verwundern, der diesen wirklich herrlichen Heldenspieler alter Schule auf den großen Bühnen von Berlin, Wien, München zu sehn Gelegenheit hatte. Nicht so sehr war es Fülle und Höhe seiner Gestalt, nicht so sehr das erhabene Komödiantenprofil, wie es unsere Zeit der Filmzuhälterei gar nicht mehr hervorbringt, nicht so sehr die rührend angegraute Locke, klarer Augenstrahl und raumfüllender Schritt, als dieses einzigartige Organ, oder besser dies besessen klangtrunkene Modulieren des gesprochenen Wortes, das Seipotz zum Typus des adeligen, des gehätschelten Revolutionärs erhob.

Wollust am Wort, am szenischen wie am privaten, riß immer und überall diesen Fünfzigjährigen von ewiger Jugend hin, die elektrisierendsten Melodien gegen alles Zwanghafte, Gebundene, Mustergültige, Geordnete, Schritt für Schrittmäßige, Systematische zu schleudern, und eine anarchische Freiheit, ein schönes trunkenes Gefühlsdurcheinander zu verherrlichen.

Seipotzens Stimme war jederzeit drauf und dran, in die böhmischen Wälder zu gehen. Die Sinnlichkeit dieses Mannes war aber so bestrickend, daß die Gesinnung, die sie umkleidete, niemals ein ernstes Karrierehindernis sein konnte. Die bürgerliche Welt im Zuschauerraum und in den Räumen des gesellschaftlichen Lebens entzückte sich an dem dionysischen Unband, dessen Atheismus, Aufruhrseligkeit und Extravaganz ihr nur eine Steigerung des Genusses bedeutete.

In seiner Jugend hatte Thassilo von Seipotz (der allerdings zu keiner Zeit auf das »von« zwischen Vor- und Zunamen verzichten mochte) den öffentlichen Mächten manches Ärgernis gegeben. Von einem ehemaligen kleinern Souverän zur Tafel gezogen, war er während des Mahles angesichts von zehn Generalen plötzlich aufgesprungen und hatte mit jener Stimme, deren Reiz magisch keine Unterbrechung duldete, eine immer wieder in Jamben fallende Philippika gegen den Militarismus gehalten.

Zu einer Zeit, wo derartiges noch nicht Klischee der zeitgenössischen Literatur war, pries er in Vorträgen, ja sogar als Redner auf öffentlichen Plätzen die Dirne und hob sie in seinen Tiraden hoch über das weibliche Haustier.

Einmal entkleidete er sich, es war in Weimar, auf dem Hauptplatz gänzlich, und zwar zur Stunde, da gerade recht viele Exzellenzen von Goethe mit rückengefalteten Händen vorbeigingen. Angesichts so vieler Würde ließ er sich es nicht nehmen, nackt, kein Härchen auf dem Leib, eine stattliche Kreuzung zwischen Antinous und dem farnesischen Herkules auf das Pflaster vor dem Elefanten niederzuknien, und die Sonne anzubeten, die auch diese Kulturstätte nicht verschmäht.

Das kostete ihn allerdings zwei Monate Gefängnis. Aber er fuhr, seine Strafe anzutreten, vierspännig vor, mit einem gemieteten Heiducken neben dem Kutscher, er selbst als Apoll, angetan in einem Chiton, den er würdevoll gegen die eigens geforderte Sträflingskleidung vertauschte.

Wenn der Staat von ihm die Ausfüllung eines Nationales verlangte, so schrieb er sich in die Rubrik, wo nach der Religion gefragt wird, immer mit »Sonnenanbeter« ein; dahinter aber steckte mehr als ein Witz oder das übliche Pathos.

Trotz all dieser Streiche, trotzdem Seipotz sich zeitlebens Anarchist und Republikaner nannte, wurde ihm der Titel »Hofschauspieler« verliehen, allerdings erst, nachdem die betreffende Behörde sich vergewissert hatte, daß die Verleihung keine skandalöse Ablehnung erfahren würde.

Nach kurzem Seelenkampf nahm der Gefeierte diese Würde an. Es geschah das gerade in seinem vierzigsten Lebensjahr, da das Höchstmaß des Ruhmes und der Anbetung, die ihm die Welt zollte, auch noch weit größere Widersprüche gerechtfertigt hätte.

Die Schilderung dieses Menschen wäre aber im tiefsten falsch, wenn irgend jemand nach all den aufgezählten Zügen in Seipotz nichts anderes sehen würde als die etwas übertriebene Mischung aus Ehrgeiz und Exhibitionismus, wie sie die Rampe unvermeidlich zu Stande bringt. Kollegen Thassilos werden mir aufs Wort beistimmen, wenn ich sage, daß es niemals, besonders in der Zeit seines Anfangs nicht, einen Schauspieler gab, der weniger süchtig nach Rollen, weniger heißhungrig, an jedem Abend den Bühnenrahmen zu sprengen, weniger egoistisch, kämpferisch, weniger kleinlich und dumm gewesen wäre. Die höchste Raison des kleinen Menschen ist es, mit seiner zappelnden Kampflust stündlich das Schicksal kommandieren zu wollen, heute das Übermorgen vorzubereiten, in der Frühe schon die Fallen und Schlingen zu legen, darein die Ziele des Abends gehen werden, und immer mit der dürstigen Unruhe des Nichts nur zu wünschen und zu wünschen. Das große Naturell ist durch seltsame Willenlosigkeit ausgezeichnet, oder durch die tragische Art des irrenden Willens.

Willenlosigkeit ist die Voraussetzung der Gnade und in einem tiefer stehenden Sinne auch die Voraussetzung menschlichen Erfolges.

Es geht uns allen so wie dem Bettler aus den Upanishads, der, so lange er heischend an die Türen pochte, von den Leuten fortgewiesen wurde; als er aber seinen Hunger abgetötet hatte und wunschlos selig auf dem Hügel vor dem Dorfe saß, da strömten die Menschen zu dem Überwinder empor und brachten ihm all die Speisen und Gaben dar, die er nicht mehr brauchte.

Nun, Thassilo war alles eher als ein Überwinder und er bedurfte heiß all der Speisen und Gaben des Beifalls, des Geliebtseins, der Verehrung, aber das Geheimnis seiner Kraft war, er rief nichts herbei, er baute seinen Erfolg nicht auf, er war sich selber unübersichtlich, er tat nichts anderes als in den Stunden von sieben bis zehn Uhr nachts in einer merkwürdig süßen Benommenheit dem tausendfach aus seinem Wesen aufsteigenden Unerwarteten mit den wunderbaren Mitteln seines Körpers und seiner Stimme Gestalt zu geben.

Allerdings, damit seine Kräfte erweckt würden, brauchte er

Menschen, gespannte Augen, Gesehenwerden, mochte es nun das Auditorium des Theaters sein, der Stammtisch, oder der Bekannte, den man auf der Straße anspricht. Er müsse Menschen haben, pflegte er selbst zu sagen, damit er zu sich komme. Und wirklich behauptet man, Thassilo hätte es in seinem ganzen Leben nur ein einziges Mal ausgehalten, einige Stunden allein zu sein.

Das war so. – Es hatte ihm jemand, bevor er eine wichtige neue Rolle spielen sollte, den Gedanken eingegeben, für eine Woche in eine schöne Bergortschaft zu fahren, um dort die in jener Zeit etwas zerstreuten Geister seiner Kunst in asketischer Einsamkeit zu sammeln und unerhört zu kräftigen. Dieser Plan leuchtete sehr ein. Früh morgens war er abgereist, doch am Abend schon sahen ihn die Herren seines Stammtisches mit ganz verstörten Augen wieder in ihre Runde rückkehren. Die dreistündige Eisenbahnfahrt in einem zufällig ganz leeren Waggon hatte ihn außer sich gebracht und er war von der maßlosesten Sehnsucht nach Menschen, die ihn kennen, verzehrt, mit dem nächsten Zuge wieder zurückgefahren. Die Stunden der Reise und des Wartens am Perron, das waren die längsten Einsamkeiten seines Lebens.

Es gab jedoch zwei Personen, die ihn in diesem Sinne nicht anregten, wie alle anderen, in deren Gegenwart sein Witz, sein Einfall, seine tönende Geste selten hervorbrach. Das waren seine Frau Karoline und seine Tochter Allegra. Karoline, die Tochter eines höheren Polizeibeamten, war mit dem damals fünfundzwanzigjährigen Komödianten durchgegangen. Das scheint aber die einzige unrationelle Handlung ihres Lebens gewesen zu sein, denn sie war die Nüchternheit selbst, die leibhaftige Muse des Unmusischen. Das Glück dieser Ehe bedeutete für den Beobachter ein nicht geringes Geheimnis. In ihrer Jugend war Karoline nicht gerade das gewesen, was man häßlich nennt, aber ein heimlicher Haß gegen alle Musik, Schönheit und Verführung hatte sie gezwungen, ihr Äußeres mit einer so kantigen Akkuratesse und Farblosigkeit herzurichten, daß sie zeitlebens einer strengen Bürgerschullehrerin glich. Dazu kam, daß die

Schlankheit ihrer Mädchenfigur in ihrem achtundzwanzigsten Jahr zur Dürre ausgeartet war, daß die raschen Bewegungen jungfräulichen Fliehens sich nur allzubald in unsymmetrische Fahrigkeit verwandelt hatten, und ein leichter Augenfehler der Jugend mit der Zeit zu unzweifelhaftem Schielen gedieh.

Ihr Geist, wo es sich um Sachliches, um Organisation, Lebenseinteilung, Geldfragen usw. drehte, war von einer fast wissenschaftlichen Schlagkraft, doch auch ihr Kunsturteil hatte ein solch feines unkorruptes Gefühl für Wahrheit in sich, daß die Leistungen ihres Gatten ohne sie gewiß jene Höhe nicht erreicht haben würden, vor allem Seipotz nicht imstande gewesen wäre, gewisse Rollen zu spielen, die mehr fordern, als Genialität der Mittel.

Karoline schöpfte ihre Kraft aus einer angeboren puritanischen Moralität, die in vielen Menschen jene Stelle einnimmt, die von der Musik verlassen ward. Jene Kraft kam aber dann zur höchsten Entfaltung, wenn es irgendwo zu helfen gab. Bei einem Eisenbahnunglück, wo die meisten der heilgebliebenen Männer und Frauen sinnlos vor Verwirrung durcheinanderliefen und schrien, war es Frau Seipotz allein, die Beistand leistete, die Verwundeten verband, die Toten betten half und alle Arbeiten dirigierte. – Das Glück leuchtete ihr bei dieser Katastrophe aus dem Auge, sie war auf ihrem Platz, Blut und Schauder erschreckten sie nicht, sie nahm in ihrer harten und nervenlosen Tätigkeit gleichsam Rache an jener trägen Scheinwelt, in die sie geraten war.

Daß diese Ehe der Gegensätze so gut verlaufen konnte, daran trug das Hauptverdienst die Liebe der Frau und die Bequemlichkeit des Mannes, die ihrerseits auch eine Art Liebe aus Geborgenheitsgefühl war.

Die Liebe Karolinens glich einer schweren Vergiftung, die ihr trockenes hartes Wesen lebenslänglich berauschte, und sie einen Weg führen mußte, der nicht der ihre war, der sie weit weg riß in einen fremden Erdteil, wo sie nur die Rolle der demütigen Zugewanderten spielen durfte. Sie gab sich mit den periodischen Untreuen Thassilos zufrieden, sie murrte nicht (Schweigsamkeit war ihre unwandelbare Eigenschaft), wenn er ganze Wochen lang nicht nach Hause kam, sie wußte, er würde zurückkehren, und das war genug.

Da die Seelen der Beiden einander aber nie und nimmer erreichen konnten, ja im tiefsten sich die Feindeszähne zeigen mußten, war das gemeinsame Leben und Auskommen auf eine seltsame und leidenschaftliche Übereinkunft aufgebaut.

Man könnte dieses Kompromiß am besten nennen: einen rasenden Kult des männlichen Körpers, an dem der Gatte nicht minder als das Weib teilnahm. Und auch Allegra, die schöne hohe neunzehnjährige Blondine, in Gesicht und Statur des Vaters Abbild, war seit ihrer Kindheit ebenfalls wenigstens zum Teil in diesen Kult eingeweiht, der das Leben der beiden Frauen ausfüllte.

Kam der Schauspieler mittags nach der Probe heim, so hatte Karoline schon das Kautschukfußbad hergerichtet und Allegra eilte in die Küche, das vorbereitete warme Wasser zu holen. Die Zeremonie der Fußwaschung in Gegenwart der beiden jungen Damen dauerte eine halbe Stunde. Entzückte Ausrufe über die schönen Beine und Füße des Heldendarstellers fielen täglich und der Mann schwieg zu diesem Lobduett keineswegs. Mutter und Tochter wetteiferten um die Ehre, diese klassischen Füße pediküren zu dürfen. Dann legte der Held Sandalen an und warf sich in einen seidenen Kimono oder in ein anderes fließendes Gewand, deren zwei Kästen vollhingen, ganz zu schweigen von seinen anderen Garderobestücken, während es selbstverständlich war, daß sich die Mutter und Allegra mit einem Schrank begnügten.

Die delikate Beziehung zwischen Mann und Frau war noch eigenartiger. Sie erschöpfte sich in einer einseitigen Phallusanbetung beider Teile, wobei Thassilos Verehrung für seine Männlichkeit der Karolinens nicht nachstand.

Auch Allegra liebte ihren Vater mit einer beträchtlich anderen Liebe, als es die Kindesliebe ist. Er war für sie niemals Respektperson gewesen, dazu hatte sie allzuoft Gelegenheit gehabt, seine reizausströmende Körperlichkeit zu sehen. – Außerdem verstand sie aus der Fülle der Musik, die in ihr selbst schlief, die Musik des Vaters mit einer heißen Hingezogenheit und Verwandtschaft. – Und zu alledem die kindliche Unbekümmertheit, Verschwendungssucht, Unvernunft, Plötzlichkeit des Künstlers erweckten im Gemüt der Tochter heiße mütterliche Ströme für den Vater.

Der Liebe, von der Thassilo umgeben war, tat es in späteren Jahren keinen Abbruch, daß sein vor jedem Fremden und auf der Bühne noch immer unverwandelt, ja oft gesteigert jugendliches Temperament daheim besorgniserregend nachließ, er hypochondrisch über tausend Beschwerden jammerte und mit Wärmeflaschen, Kompressen, Purgantien und Hausmitteln behandelt und verwöhnt werden mußte. – So schlug selbst das Nachlassen der Spannkraft diesem Glückskind zum Guten aus, denn wenn er von Karoline und Allegra gepflegt und umsorgt unter seiner Decke behaglich stöhnen durfte, so gehörte das zu den schönsten Empfindungen des Lebens.

In seinem dreiundfünfzigsten Jahr, als der theatralisch-dekorative Stil auf den Bühnen der Hauptstadt von der neuen Richtung zu Falle gebracht worden war, und die Kritik hinter jedem schöngewachsenen Kerl von Schauspieler, der noch dazu eine Stimme besaß, den deklamierenden Antichrist sah, hingegen eine Horde krumm- und schiefgewachsener Kalfakter in den Vordergrund schob, die den neuen Typ des ›geistigen‹ Mimen darstellen sollten, in dieser Phase verließ Thassilo von Seipotz die sichtbarste Bühne des Reichs und zog sich in unsere Provinz, seine Heimatstadt, zurück.

Er war entschlossen, nicht mehr ein festes Engagement einzugehen, und nur auf Gastspielreisen sich selbst zur Lust sein Repertoire zu spielen, ohne allmonatlich in die undankbare Erregung einer Premiere gespannt zu werden.

Dem Intendanten unseres Stadttheaters war es gelungen, den berühmten Künstler zu bewegen, eine dreimonatige Verpflichtung an die hiesige Bühne zu unterschreiben, was der Sensationslust und dem Lokalpatriotismus der Bürger angenehm schmeichelte. Da durch den Umsturz der gesellschaftlichen

Rangordnung der Augenaufschlag nach oben kein feudales und kein sporenklirrendes Objekt mehr fand, war er zufrieden, daß ein Genie, ein Künstler ihm in den Blick trat. Was die Verehrung noch vermehrte, war der Ruhm der fabelhaften Honorare, die in vergangenen Jahren Seipotz an den Bühnen der Metropolen und auf seinen großen Gastspielreisen in Amerika, in Holland usw. geerntet hatte. So konnte man nicht nur einen großen Mann, sondern auch einen teuren Mann sein nennen, um den sich die Welt riß.

Auch für Thassilo hatte diese Heimkehr ihren geheimen Reiz. Er kam als König in die Stadt zurück, von der er als Mißratener, als Ausgestoßener, als Landstreicher ausgegangen war. Noch hing über jeder Straße ein mißbilligender Nebel, noch immer zwinkerten die Häuser und alten Läden, an denen das Kind vorübergelaufen war, scheel wie mißtrauische Besserwisser. Jeder kennt diese Empfindung, der einmal kein Prophet im Vaterland gewesen ist, und wer weiß, ob nicht auch Napoleon seine größten Schlachten insgeheim mit dem Wunsch geschlagen hat, einem spöttelnden alten Verwandten in Ajaccio zu imponieren.

Seipotz erlebte einige vollkommene Triumphe über seine Kindheit. Die Schwester des Vaters, jene Tante, die am meisten gegen ihn immer gehetzt und ihm in der ganzen Stadt den Ruf eines verkommenen kretinhaften Nichtstuers verschafft hatte, kam, eine gänzlich verarmte Greisin, zu dem großen Neffen betteln. Als sie übermäßig beschenkt zur Türe schlich, drehte sie sich noch einmal um und wiederholte immer in einer Art Selbstgespräch: »Ich hab's ja immer gesagt, du bist so ein Guter, so ein Guter bist.«

Diese Bestätigung seines Charakters wog im Herzen des Schauspielers eine Handvoll Kritikhymnen auf, obgleich die innerste Stimme der Vettel mißtraute.

Ein andermal traf Thassilo auf der Straße einen wohl neunzigjährigen Mann, der einen grünen Augenschirm trug und sich an den Wänden weiterschleppte. Der halbblinde Griechischlehrer aus dem Gymnasium erkannte das Gesicht, von dem alle illustrierten Zeitungen und Ansichtskartenläden wimmelten, und sprach mit zahnlos freudebewegten Lauten seinen ehemaligen Zögling an. Beim Abschied hielt er mit triefenden Augen die Hand des Schauspielers endlos zwischen seinen gelbbespannten Skelettfingern und verkündete bebend: »Mein bester Schüler waren Sie, Seipotz Thassilo, Herr – Herr – Hofschauspieler, mein bester Gräzist, allewege mein bester.«

Thassilo vergaß im Nu, daß dieser Professor Söhse ihn zweimal hatte im Griechischen durchfallen lassen, was der Grund war, daß ihn der Vater jählings der humanistischen Karriere entriß und in die Lehre gab.

Wenn er als Knabe in seinem schlechten Anzug, mit dem Gefühl der ewigen Niedrigkeit in der Seele an einer Straßenecke gestanden war, dem Schritt einer unerreichbaren Göttin nachzustarren oder vom höchsten Stehplatz des Theaters aus zitternd erleben durfte, wie sich die grandiosen Flammen der Schauspieler weit über Menschenmaß spreizten, jetzt, jetzt war er selbst der Gesuchte, Ersehnte, Umworbene, Herbeigezitterte..., aber niemals auf seinen Triumphreisen hatte ihn diese Trunkenheit so überwältigt wie in dieser lächerlichen Kleinstadt.

Daß Seipotz hier eine umfänglichere Rolle spielen mußte als die eines vergötterten Stars, ist nur selbstverständlich, dazu war er zu viel, ganz abgesehen von seinem unaufhörlichen Hang, immer unter Menschen zu sein, und diese Menschen sekündlich zu verblüffen, aufzuregen und zu stacheln.

Eine seiner Eigenheiten bestand darin, daß er allwöchentlich ein Testament schrieb und allwöchentlich wieder umstieß. In diesen Testamenten waren die Legate und ihre Anordnung keineswegs die Hauptsache, sondern die allgemeine Einleitung, die in den üblichen Vermächtnissen mit einigen Worten abgetan wird. Seipotzens Testamente begannen mit seitenlangen Ergüssen, in denen ein Riesenaufwand von Pathos, Weltanschauung und Lebensbetrachtung getrieben wurde; alles erschien in einer merkwürdigen Sentimentalität zu seinem Tode in Beziehung gesetzt. Anders kann kein scheidender Gott seine Heilsbotschaft der Welt hinterlassen.

In all diesen Testamenten kehrte, wenn auch in verschiedenen

Wendungen, ein Passus doch immer wieder: »Ist die Verwesung nicht die entsetzlichste Vorstellung des Lebens? Daß dieser mein Leib, dem Ihr, du meine Frau Karoline, und du meine Tochter Allegra, so zugetan gewesen seid, wie meiner Seele, daß der Leib, die durch tausend Operngläser immer wieder gemessene Erscheinung des Schauspielers (so vielen eine Freude), daß diese wohlgepflegten Glieder in einem Erdloch verfaulen sollen, inmitten einer Armee von anderen Faulenden, ist das zu denken erträglich? Ihr meine lieben Begleiter durchs Leben, würdet Ihr die Vision aushalten, mein schwarzgewordenes Gesicht, das in einer Pfütze von Grundwasser liegt, platzen zu sehen und unter den Fetzen und Rissen des Leibes Euch vorstellen können das Gewimmel und Geschlängel der langen weißen Maden, wie sie das Fleisch bevölkern, das man hat verderben lassen? Würdet Ihr wirklich so wenig Phantasie haben, mit Kränzen und Blumen an mein Grab zu pilgern, ohne des gräßlichen Geruchs zu gedenken, den ein kleines unter Eurem Fuß der Mensch verströmt, der Euch in allen Lagen und Verrichtungen traut war? Nein! Ihr müßtet schreckensbleich entfliehn. Ich verfüge deshalb, daß mein Leichnam verbrannt werde. Wahrlich, auch dieser Gedanke ist nicht leicht, mein Selbst durch die Flamme zerstört zu wissen, aber ich ziehe diese durch den Brauch der Alten geheiligte Zerstörung, weil sie schneller und gründlicher ist, jener der anderen vor.

Ferner ist es mein Wille, daß meine Asche nicht gesammelt und aufbewahrt, sondern in alle Winde verstreut werde. Es ist mir ein tröstliches Gefühl, daß keine unreine Spur von mir übrigbleibt und die Atome meines Herzens dem All gehören dürfen.«

Die Feuerbestattung war dem unermüdlichen Verfasser dieser Testamente die idée fixe. Überall unter Menschen, auf der Probe, in Gesellschaft, im Gasthaus, auf der Straße, im Bühnenklub sprach er von diesen Dingen und ein feines Ohr mußte hinter der einzigen Tonfülle seines Organs eine unruhvolle Gequältheit vernehmen.

Die Reden des Schauspielers fielen auf fruchtbaren Boden.

Alle Welt war plötzlich begeisterte Anhängerin der Leichenverbrennung. Im Augenblick entstand ein Verein ›Flamme‹, zu dessen Obmann Thassilo gewählt wurde. Die Sache zog weitere Kreise. Im Stadtrat wurde ein Antrag gestellt: »Erbauung eines Krematoriums. Vergebung des Plans an den ersten Architekten Deutschlands und die künstlerische Ausschmückung des Innenraumes an drei der stärksten Talente unter den jungen Malern.«

Dieser Antrag ward zum wildumstrittenen Politikum und zur Gesinnungsprobe. Seinen Inhalt (das Los aller Politik) vergaß man über dem Kampf. Die Konservativen, die Reaktionären und das Zentrum schossen mit Gott und Gift dagegen, die Linksparteien von den Kommunisten bis zu den Demokraten machten mit ihren Gründen Tumult. – Es kam soweit, daß die Kommunisten die Streikparole ausgaben, aber wäre wirklich ein Streik ausgebrochen, hätte er weniger Wirkung gehabt, als der einzige mit Rezitationen seltsam vermischte Vortrag, den Seipotz im großen Saal der ›Freundschaft‹ hielt.

Am Tage nach diesem Vortrag geschah das Unerwartete. Das Krematorium drang mit einer Mehrheit von drei Stimmen durch, der Bau wurde an den genialen Architekten vergeben, und die Maler gebeten, Skizzen einzusenden.

Es war für Thassilo ein überwältigender Sieg. Aus dem Darsteller kämpfender Helden war über Nacht selbst ein Held geworden, ein Künstlermensch mit einem Schwerpunkt auch jenseits der Bühne. Alle, die lebensbeflissen, neugierig, gläubig, strebend, jung waren, alle, die mit der Zeit gehn, die nicht zurückbleiben wollten, schlossen sich an Seipotz, an seine Frau und Allegra an, und es kam niemandem der Gedanke, daß ein von auch noch so kubistischem Maler ausgestattetes Krematorium ein etwas melancholisches Objekt zur Befähigung freudigen Entwicklungsglaubens sei.

Der Bau schritt rasch vor. Man hatte als Grund nicht den üblichen Friedhofskomplex gewählt, sondern den Hügel, der unsere Stadt beherrscht, und der bisher zur Erlangung einer romantischen Silhouette gegen den Nachthimmel von einer unsäglich künstlichen Ruine gekrönt war. Je mehr des Krematoriums wuchtiger neuartig polygonaler Turm hinanstieg, um so stolzer wurden die Bürger. Das Leichenverbrennungsinstitut schien für unsere Stadt das werden zu wollen, was das Kastell d'Elmo für Neapel, was die Akropolis für Athen, was der Hradschin für Prag ist.

Es verging kaum ein Jahr und auf dem Hügel stand das vollendete Gebäude aus strahlend weißem, fast durchsichtigem Material erschaffen, mit dem Turm, der einem fremdartig schönen Kristall glich. Die Spießer lachten nicht, als sie statt ihrer Ruine diesen Tempel sahen, der jauchzend unendliche Massen der Mittagssonne schluckte. Dieser verdutzte Ernst soll uns aber nicht mißtrauisch gegen das Werk stimmen. Am ersten Mai wurde der letzte Strich an der großen Freske im Kuppelsaal getan. Am vierten sollte die feierliche Eröffnung und Übergabe stattfinden, bei der Seipotz die Festrede zu halten hatte.

Dieser vierte Mai drohte für ihn ein heißer Tag zu werden. Nach der anstrengenden Weiherede mußte er noch auf die Probe und am Abend war im Stadttheater ›Kean‹ angesetzt. Er wollte wieder einmal seine Lieblingsrolle spielen.

Seine Frau und Allegra sahen solchen aufreibenden Tagen, deren es für den doch nicht mehr jungen Mann im Jahr viele gab, immer mit einer heimlichen Besorgnis entgegen.

II. Kapitel

Einige unter den Stadtvätern waren der Meinung, ein Krematorium müsse mit einer feierlichen Einäscherung eröffnet werden. Es starben in der Stadt auch täglich ein, zwei oder mehrere Menschen, so daß Leichen genug zur Verfügung gewesen wären, wobei wir gar nicht an jene Namenlosen und Armen denken wollen, deren Kadaver das Futter der anatomischen Institute bildet.

Aber sei es, daß die meisten es vorzogen, auf dem Friedhof zu liegen, und so wenig wie ihre irdische Reputation einen haltbaren goldgravierten Marmorgrabstein missen wollten, sei es, daß es keinesfalls anging die kostbare Stätte mit der Verbrennung eines Erstbesten einzuweihen –, man wartete nicht erst auf einen würdigen Leichnam und begnügte sich gleichsam mit einer blinden Feier.

Als Allegra und ihre Mutter ins Zimmer traten, war Thassilo gerade mit seinem Anzug fertig geworden. Er hatte einen langen, fast priesterlichen Rock angelegt, dazu eine gebauschte, in einen ungewöhnlichen Kragen seltsam geschlungene schwarze Krawatte, und das graue ziemlich lange Haar aus der Stirn gestrichen, so daß von seiner Erscheinung alles Provokante des Schauspielers gewichen war, um dem Ausdruck edler geistiger Durchlebtheit Platz zu machen.

Wer hätte sagen dürfen, daß Seipotz nicht mehr als Maske gemacht habe, angesichts dieser lichtaussehenden Stirne, der blickerfüllten Augen und ruhigen Beseelung jeder Falte in seinem Gesicht? Wieviel Abbilder des Lebens, von denen sie nichts wußte, mußten in dieser Seele schlummern, wie viel geheimnisvolle Matrizen?

Denn es ist nicht wahr, Leere und Hohlheit kann nicht den Ausdruck von Erfülltheit annehmen, im Nachahmenden muß in irgend einer Form das Nachgeahmte vorhanden sein, wenn auch nur in der Sehnsucht und Einbildung.

Als Allegra ihren Vater so vornehm rührend, so priesterlich vergeistigt sah, konnte sie das Weinen nicht zurückhalten und warf sich ihm erschüttert in die Arme. Karoline mußte, wie immer, sich Zwang antun, die Stimmung nicht zu morden. Es war nicht so sehr Eifersucht gegen die Person der Tochter, als gegen dieses Einverständnis, diese Verschwörung der Fremdartigen, der Gefühlsreichen und Weichen, der klingenden Naturen, vor denen sie für ewig sich abgeschieden fühlte.

Allegra war überdies fast so groß wie ihr Vater und bei aller Schlankheit von der freudreichen Fülle aller weißhäutig wohlwollenden Frauen, Karoline hingegen viel kleiner als die Beiden, immer emsig und tätig, dürr, verunziert durch die scharfe Hautspannung der immer nur Charaktervollen, litt ununterbrochen am Gefühl des Gegensatzes.

Sie hatte schon das täppische materielle Wort auf den Lippen, mit dem sie derartigen Szenen, von denen sie selbst ausgeschlossen war, gewöhnlich ein Ende machte, aber in dieser Stunde überwältigte sie der seltsam gesteigerte Schmerz und sie selbst brach in Tränen aus. Seipotz, der keinem Sentiment jemals Widerstand leisten konnte, hatte sogleich auch Wasser in den Augen und konnte oder wollte ein lautes Aufschluchzen nicht zurückdrängen. Eine unsagbare Rührung, freudige Wehmut und süßes Mitleid mit sich selbst durchströmte balsamisch sein Wesen.

Ein für das kleine Zimmer allzu deutlich ausfallendes Schulterzucken und die Frage: »Was habt Ihr nur Kinder?« brach die allgemeine Empfindsamkeit ab.

Man setzte sich in Bewegung.

Im großen Kuppelsaal des Krematoriums waren die achtzig oder hundert Festteilnehmer schon versammelt. Der Bürgermeister, die Stadtväter mit ihren Damen, Mitglieder des Vereins ›Flamme‹, die unvermeidlichen eingeborenen Künstler älteren Datums, zwei fortgeschrittene Mittelschullehrer, ein Professor der Biologie und Vorsitzender des Mitteldeutschen Freidenkerbunds, ein Gewerkschaftsführer, der Architekt und die Maler, das Personal der Anstalt, die Journalisten, ein nicht übermäßig siegreicher General, der während des Krieges schon kaltgestellt, sich in die Armee der Revolution geworfen hatte, dazu einige weiter nicht bedeutsame Herren und Damen, das war die Gesellschaft, die zu dieser Stunde die Hälse reckte, um das große Rund- und Deckenbild zu mustern.

In einem unendlich dichten, abstrakt eckigen Farben- und Formen-Ineinander war die Verfolgung dargestellt, welche die irdischen Wesen zu erleiden haben von den Mächten der Schwere, der Materie, der untersten Ordnung, des »Reiches«, wie's die Kabbalah nennt. Aus der umlaufenden Täfelung fuhren in schweren Farben sonderbare Gebilde empor: Berge, Kohlenhaufen, Fäuste, geometrische Formen, Maßstäbe, Geräte, Maschinen, Särge (all das ist nur beiläufig und auf unkünstlerische Art zu erraten) und störten als tausendfache Darstellungen und Verwandlungen der Todesmacht das Leben der Menschen, das sich in einer höheren farbenleichteren Schichte vollzog. Dieses Leben, wenngleich ebenfalls nicht in bestimmbaren Gestalten, war als eine riesige Prozession rund um den Saal gebildet, von Gestalten, die straucheln, tot liegenbleiben, mühsam wieder aufstehn, sich in Krämpfen wälzen, verzückt aufwärts blikken, sich predigend und weissagend umkehren und immer in der schrecklichen Monotonie ihres Kreislaufes wandern und wandern, während sich die Formen des tiefern Reiches mit Fäusten, Hebeln, Hacken, Schatten, Qualm und Kreuzen zwischen sie drängen.

Die rhythmische Achse dieses Zuges ist die unerbittliche Horizontale, die auch die vielfach aufgereckten Arme nicht verwirren können. Mit der Prozession, oder vielleicht im entgegengesetzten Sinne an ihr vorbei, bewegt sich in der Tiefe des Gemäldes ein Heer schmaler nach oben strebender Formen, die aber alle an ihrer Spitze geknickt sind. Es mögen Kirchtürme, Antennen, Mastbäume, Schlote, Leitern, Säulen, Bäume sein! Pfeilrichtung empor, geheimnisvoll gebrochen!

Auf diesen, in fast durchsichtig leisen Farben gehaltenen Pfeilern ruht eine dritte drückende Welt. Geschöpfe, großen Vögeln ähnlich, Adlern, Kondoren, flügelspreitenden Störchen, lasten als eine durchbrochene Wolkenbank über dem Leben. Aber sie vermögen die unendlich reinen und zarten Gebilde, das Od, nicht aufzuhalten, das aus den gebeugten Häuptern des Lebens aufsteigt. Das sind zuerst in der niederen Sphäre freifliegende Flammen, den Zungen ähnlich, wie sie auf den alten Darstellungen der »Ausgießung« gemalt wurden. Diese Flammen gehn aber in den höheren Feldern, in den leichten Welten der Regenbogen, in ganz freie Ornamente über, und entfliegen zuletzt als unzählige Sonnenkreise und Ringe in die bläßlichen Sonnenaufgangsfarben der Kuppel.

Die Freske fand eine sehr geteilte Kritik. Die gesetzten Leute, denen man das Gedankliche erklären mußte, hätten gewünscht, das Ganze wirklich ausgeführt zu sehen, den Snobs war die Malerei zu intellektuell, ein Kompromiß zwischen erregt pathetischem Naturalismus und reiner Ungegenständlichkeit.

Der heimische uralte Maler von Tierstücken und Genrebildchen, ging ganz begeistert von einem zum andern mit dem Ausruf: »Michelangelesk, Michelangelesk!« Er hatte die Augen voll Tränen, als er dem noch immer arbeitsbetäubten Schöpfer des Werkes, minutenlang, als kondoliere er ihm zum schwersten Verlust, die Hand schüttelte: »Michelangelesk!«

Das Erscheinen Thassilos und der beiden Frauen (der Schauspieler kam wie ein König zuletzt) lenkte die Aufmerksamkeit der Versammlung sofort vom Bilde ab. Ein geschmeicheltes Raunen durchlief den Raum, als verflössen all die Leute zu einem erwartenden Weib, das den Mann wittert. Die Mitglieder der ›Flamme‹ liefen erregt durcheinander, obgleich sie doch gar kein Amt und keine Aufgabe hatten; unsichtbare Komiteeschleifen und Ordnerbänder hingen an ihnen herab.

Professor Rammer, so hieß der Biologe und Freidenker, umarmte Seipotz nachdrücklichst. Der hatte für den wunderbaren alten Waldteufel mit den aggressiven Basedow-Augen ebenfalls die größten Sympathien. Rammer war ein Typus wie man ihn auf den deutschen Hochschulen, die ja von der niedrigsten Art von Servilismus, Antiproduktivität und Lebensfeindschaft beherrscht werden, selten findet. Mutig, unvorsichtig und querulantisch bis zum Exzeß hatte er sich millionenmal das Maul verbrannt, war ebensooft gemaßregelt worden, behauptete sich aber kraft seiner faunischen Lebensfülle, immer wieder. – Wütender Atheist, bewies er in der Betrachtung der Natur, in der Liebe zu jedem Geschöpfchen, in der Art, wie er ein Insekt in der hohlen Hand hielt, eine namenlose Frömmigkeit; er tat stündlich Gutes, mit höchster Aufopferung bei Tag und Nacht, vor allem an Kindern, wenn er aber das Wort Ethik hörte, spie er aus und nannte alle Güte und ähnliche hochtrabende Begriffe: »Vergesellschaftlichenden Trieb.«

Thassilo liebte ihn zumeist wegen seiner nackten prasselnden Stimme, die den Stimmen der Unsterblichen glich, wie sie Homer beschreibt.

(Schluß)

Man brachte die Leiche von Seipotz in die Wohnung, wo sie aufgebahrt wurde, Besuch empfing (Aufzählung) und nach Recht und Billigkeit umweint wurde. So kam nach zwei Nächten der Tag des Begräbnisses oder besser der Verbrennung heran. Die Zeremonie war auf 3 Uhr nachmittag angesetzt. Der Sarg sollte um 2 ½ Uhr vom Trauerhaus abgeholt werden. Das Programm des Zuges war genau ausgearbeitet. Der Bürgermeister selbst hatte es sich nicht nehmen lassen, den Plan genau zu kontrollieren, hie und da zu verbessern, und mit dem Theaterdirektor, dem gleichsam die Regie oblag, lange Konferenzen gepflogen. Unsere Stadt strafte ihren Ruhm als Kunst- und Theaternest keinesfalls Lügen. Die Bürgerschaft drängte sich geradezu zur Leichenfeier. Es hatten sich folgende Vereine gemeldet, mit Bannern und in Parade den verewigten Seipotz zu Grabe zu geleiten: Freiwillige Feuerwehr, die drei Gesangvereine, selbstverständlich ›Die Flamme‹, der Verband der alten Abonnenten des Stadt- und Nationaltheaters zu Schmühlen. Es wollten ferner korporativ ausrücken etliche Studentenverbindungen, die Schauspiel- und Opernschule der Frau Tamerlichen [?], das gesamte Theaterpersonal. Ein Doppelvokalquartett von Herren und Damen der Oper probte schon etwas Mendelssohnsches, das an einem offenen Grab gut zu klingen pflegt, und die Holz- und Blechbläser des philharmonischen Stadtorchesters, verstärkt um einige Posaunen und Pistons der Militärmusik, waren geworben, von der Terrasse des Theatergebäudes dem vorüberwallenden Begängnis die schwarzen Akkorde des Siegfried-Trauermarsches nachzuwälzen. Daß die Journalistik in Feuilletons, Lokal- und je einem Leitartikel des ›Anzeigers‹ und der ›Nachrichten‹ zwei Tage vorher schon aufs nachdrücklichste am Werke war, die letzte Fahrt des großen Sohnes der schönen Heimatstadt, wie es hieß, zu einer »ehrenvollen und weithin sichtbaren« zu gestalten, das wird keinen Einsichtigen in Erstaunen versetzen. Die Herzen schlugen (ich zitiere nur den lokalen Teil) dem 7ten [!] Mai trotz wahrer Trauer in der Tat höher entgegen.

Die Empire-Putzuhr auf dem Pseudokamin, die zwei wadenschwellende Elfenbeinsäulen und einen besessen pendelnden arabischen Reiter im Nobelspiegel verdoppelte, schlug 12 Uhr. Niemand leistete gerade im Aufbahrungszimmer dem Toten Gesellschaft, so daß eine große Schmeißfliege gute Gelegenheit fand, in dem vom Theaterfriseur morgens auf Seipotzens Wangen zwei Millimeter dick aufgestrichenen Schminkfett einige Eier mit betulichem Muttergesumm abzulagern [?]. Die Stimme der Frau Seipotz fragte irgendwo mehr als scharf, ob die schwarzen Schleier schon von der Modistin gekommen wären. Allegra hielt ein Stück Chokolade im Munde, ohne es zu beißen. Sie starrte in schwerem inneren Kampf auf ein Tapetenmuster. Schuldbewußtsein quälte sie, daß sie Gier und Vergnügen an Süßigkeiten zu solcher Stunde empfinden konnte. Im Zweifel, ob sie den Bissen schnell ausspucken oder verschlingen sollte, entschied sie sich unter Tränen zu letzterem.

Eine sommerlich gereifte Mittagssonne drang durchs Fenster, weckte überall Ringe, Kreise, Punkte, Flecken, Ornamente, farbenbewegte Polygone an den Wänden auf, all die tanzenden und kreiselnden Figuren, die dem geheimnisoffenen und wehmutsgetrübten Kinderauge so vertraut sind.

Die dicke Fliegenmutter hatte ihr Summen abgebrochen. Eine muskulöse Säule von Sonnenstrahl drückte das sublim linierte Totengesicht des Schauspielers auf die Bahre zurück, von der reichlich die Pompe funèbre-Spitzen herabhingen, die so sehr an das hervorstehende oder überhängende Tortenpapier des Zuckerbäckers erinnern. Die Schminke auf Seipotzens rechter Wange begann unter dem Ansturm der Sonne zu schmelzen, so daß der Verewigte zu schwitzen schien. Die Flammen der recht herabgebrannten Totenkerzen waren im auftrumpfenden Tageslicht ein unsichtbarer Spott.

Plötzlich (der mechanische Grund war ohne weiteres nicht ersichtlich), schwankte eine dieser dicken Kirchenkerzen in ihrem Leuchter und fiel mit einem scharfen Lärm zu Boden.

In diesem Augenblick geschah es, daß ...

Die Bestattung des Beins

Novelle [Fragment]

Nicht wenig Orden trug die Brust jenes Mannes, der an der Spitze eines bunten Gefolges durch die weiten Zucker-, Mais- und Tabakplantagen seiner Hazienda bei Chalco ritt. Dieser Vater des Vaters des Vaterlandes hatte es trotz seiner Jugend schon verstanden, dem zerfetzten, blutbesudelten Mexiko einen Kaiser, den armen Iturbide, zu geben und durch die Kugeln einer Exekutionskompagnie wieder zu nehmen. Er hatte es verstanden, in wenigen Jahren demselben Mexiko, das einem durch Schmerz wahnsinnig gewordenen Büffel glich, drei Staatspräsidenten und Diktatoren zu geben, allemal in seiner eigenen Person. Er hatte es ferner verstanden, Generalissimus zu werden, den Krieg gegen ein spanisches Invasionskorps ruhmreich zu gewinnen, und den Krieg gegen Nordamerika um den Besitz von Texas gründlich zu verlieren. Nicht zuletzt hatte er es verstanden, als echter Sohn einer gerissenen Kreolenfamilie, auf dem Broadway von New York drei Häuser zu erwerben, bei Rothschild ein Kapital von drei Millionen Dollar zu besitzen, und hier in Chalco, einige Meilen weit von Mexikos Hauptstadt, in Yucatan und Habanna Grundherr von Schlössern, Plantagen, Fabriken und unermeßlichen Ländereien zu sein.

Was aber die dreiundzwanzig Orden betrifft, die im wilden Anprall der zentralamerikanischen Sonne loderten und im Luftzug des Trabes klirrten, verhält es sich so:

General Antonio Lopez de Santa Anna unterhielt an den großen und kleinen Höfen der alten Welt eine eigene Diplomatie. Wohlgemerkt, eine e i g e n e Diplomatie, denn die offizielle Diplomatie des mexikanischen Staates verwendete er nur fallweise für seine Zwecke. Man kann nicht immer Präsident und Staatsoberhaupt sein, und gar in Mexiko nicht. Die politische Taktik gebot in diesem Lande eine eigenartige und komplizierte Geschmeidigkeit. Wenn man zum Beispiel durch einen Erfolg die

Stimmung der Nation gewonnen hatte, war es nicht gut, diese Stimmung sogleich für sich zu verwenden. Der Kluge schob lieber eine unbedeutende und weiche Person vor, deren Regiment binnen weniger Wochen Unzufriedenheit erregen mußte. Dieser Vorhalt erhob in der Volksmeinung den Erfolgreichen zum Erlöser, und wenn er sich dann schwankend entschloß, die Macht zu ergreifen, war er einer fanatischen und zahllosen Anhängerschaft gewiß. Ebenso wenig war es eines feinen Spieles würdig, immer zu siegen. Gewiß, an dem ultramontanen Katholizismus und an der unbeugsamen Privilegienstarrheit des Generals sollte kein Mensch zweifeln. Doch war es von Zeit zu Zeit gut, die Liberalen und roten Demokraten regieren zu lassen. Denn erstens darf man keiner politischen und gar einer feindlichen Partei die Gelegenheit zur Blamage nehmen und sie allzu lange in der vorteilhaften Stellung der Opposition dulden. Und ferner gibt es keine bessere Gewähr für Sympathie und Popularität als einige gutverteilte Mißerfolge. Die Menschen nämlich lieben die nicht, denen alles gelingt.

Bei den schwankenden Verhältnissen der Verwaltung fand es General Santa Anna also für gut, in Europa einige ihm allein verpflichtete Agenten zu halten. Die erste Hälfte des neunzehnten Jahrhunderts war die Zeit der eleganten Patrioten im Exil. Polen, Griechen, Italiener vergossen in den Ballsälen, Vergnügungslokalen und Theaterfoyers von Paris bittere Tränen um ihr aufgeopfertes Vaterland. Später gesellten sich zu diesen Märtyrern im Frack die noch um einen Grad fragwürdigeren Gestalten der mexikanischen Emigration. Unter diesen Figuren hatte Santa Anna mehr als genug Geschäftsträger gefunden, die für Geld, Beförderungshoffnung, Protektion und wieder Geld den Dienst dieses sagenhaften Mannes nahmen, der im romantischen Europa den Ruhm eines dekorativen Bandenchefs genoß.

Wenn diese Herren keine anderen Geschäfte zu vermitteln hatten, warfen sie sich mit Feuereifer auf eines, von dem sie wußten, daß es mehr als alles andere das Lob ihres Meisters brachte. Die regierenden Häuser von Modena, Sonderburg, Sachsen-Weimar, Coburg-Gotha, Parma und noch mächtigere

Souveräne mußten an den Feuereifer dieser kleinen Mexikaner glauben, die nichtige Geschenke überbrachten, unklare Anbote machten, den Schein auszubeuten, den Gold- und Silberminen flammen ließen, um endlich Stern, Schwerter, Krone, Groß-, Offiziers-, Ritter-, Komturkreuz des Löwen-, Adler-Ordens, Sonnen-Ordens des betreffenden Hauses als Auszeichnung für ihren Herren davonzutragen.

Die schönste Kollektion dieser Orden war es, die auf der hellblauen Waffentunika Santa Annas im Rhythmus des frischen Rittes tanzte. Die kleine und magere Gestalt des Generals schien von einem unendlichen Vergnügen gestrafft. Geschmeidig fing sie den Stoß des Pferdes auf und richtete sich bei jedem Stoß mit einer weichen Art von wollüstiger Galanterie in den prunkvollen Steigbügeln empor, während sie dennoch wie angeschmiedet im hochgeschwungenen mexikanischen Sattel sitzenblieb.

Der Sombrero des Helden mit goldener Schnur und Quaste war ein wenig zur Seite gerutscht, die kleinen, ganz naheliegenden Augen unter dem zusammengewachsenen Strich der Brauen machten vor der südlich verzückten Welt des mexikanischen Frühjahrs keinen Gebrauch. Sie waren ganz erfüllt von der listigen Freude eines gelungenen Coups. Ja, es war ein unendliches Herrschvergnügen, mit dem Santa Anna, das spielende Pferd zwischen den Schenkeln, in scharfem englischen Trab sein Land in Besitz nahm.

Die tanzenden Derwische

Verloren sind jene, welche die Begegnung mit Allah leugnen...
Koran, VI. Sure, 31. Vers

In einer Vorstadt Kairos. Wir gehen durch eine Reihe von winkligen Durchhäusern. Unser Weg führt über viele Stufen, die von halbzerstörten Mauern flankiert sind, zu einem kleinen abschüssigen Platz hinab. Eine verfallene Moschee mit sehr schadhaftem Minarett schließt ihn auf der unteren Seite sackgassenartig ab. Links treten wir in einen hölzernen Bau, der von außen wie ein sehr großer Holzpavillon aussieht. Im Innern erschließt sich ein hoher Raum mit einer ornamentbemalten Moscheekuppel, von der aber das morsche Bildwerk abbröckelt. In der Höhe läuft eine leichte Galerie rings um den Saal...

Vor wenigen Tagen habe ich die großen Moscheen ›Mohammed Ali‹ und ›Sultan Hassan‹ gesehen. Ungeheure Räume, aufschwebende Prachtkuppeln. Die gewaltigen Flächen sind mit brennenden Teppichen belegt, an unzähligen Ketten und Goldschnüren hängen die Glaskugeln der elektrischen Beleuchtung herab. Das sind nicht Tempel, dachte ich mir, sondern Hofburgen, Serails, Paläste des Paschas aller Padischahs, der Allah gerufen wird. Mohammed, der sein Prophet ist, war ein Junker, sein Lehensherr und General. Der Islam ist eine Religionsstiftung von oben. Ihm fehlt jedes Sehnsuchtselement, Geheimnis, Schatten, unglückliche Liebe und somit Mystik. Der Tag des Moslems ist von einem Gott ausgefüllt, der im Kernpunkt eines allmächtigen Zeremoniells waltet, das befolgt werden muß. Ich verstand angesichts dieser farbengrellen und leeren Moscheen die Kraft nicht, die den Frommen zum Derwisch, zum rasenden Kämpfer gemacht hat, der einst die halbe Welt sich unterwarf...

Hier soll ich diese Kraft nun besser verstehen lernen.

Der Raum, in dem wir stehen, hat kein glänzendes und kein

heiliges Gepräge. Er macht den Eindruck einer verdächtigen Stätte, eines scheuen, verrufenen Ortes, wo Verschwörungen oder Orgien stattfinden. In der Mitte, von einem Geländer umzäunt, ist ein fast kreisförmig polygonaler Tanzboden ausgeschnitten. Das erinnert an Zirkus, an europäische Ballokale und Tanzvarietés. Dieser Boden ist mit einem gut gehaltenen Bretterspiegel belegt, während wir Zuschauer ringsumher auf gestampfter Erde stehen. Es sind unser nicht viel: ein englischer Reverend, ein paar Araber und laute Kinder. Später kamen noch einige Fremde dazu.

Alles wartet ruhig und ohne die geringste Ungeduld, trotzdem schon Dreiviertel einer Stunde über die angekündigte Zeit verstrichen ist.

Da kommen ein paar armselige Gestalten aus dem grellen Tag in die Dämmerung. Keiner beachtet sie. Alte Leute! Müde, verbrauchte Gesichter! Weißbärte! Sie tragen hohe braungelbe Kappen, lange, weiße Unterkleider, die um die Taille festgegürtet sind, schwarze Mantelumhänge und ausgetretene Pantoffeln an nackten Füßen.

Hassan, mein Führer, erklärt, diese Derwische seien keine Araber, sondern zumeist Perser. Ich entnehme seiner wenig vertrauenswürdigen Wissenschaft, daß es sich um eine vorderasiatische Derwischsekte handelt, die auf einen Gründer namens Sultan Mohammed Achmed zurückgeht, der vor vierhundert Jahren gelebt haben soll. Ich nehme die Belehrung hin. Hat aber nicht der größte, der Herr aller Derwische, der große Mahdi des Sudan auch Mohammed Achmed geheißen?

Immer mehr von diesen alten Leuten kommen. Alle sehen sie krank und schwach aus. Daß diese Elendsgestalten tanzen oder gar in Ekstase verfallen könnten, ist vollkommen undenkbar.

Nur zwei jüngere Männer bemerkte ich unter ihnen. Einen Vierzigjährigen von ausgesprochen persischem Typus mit ruhig-ernstem Ausdruck. Recht selten sieht man in den Muski solche stillen, bescheidenen Kaufmannsgesichter, die ohne Gier den Fremden vorbeigehen lassen und ihn nicht anrufen. Der andere ist ein hübscher, sympathischer Mensch von zwanzig Jahren.

Die Derwische scheinen nun vollzählig zu sein. Fast mürrisch, ohne irgendeine Erwartung oder Erregung zu zeigen, streifen sie außerhalb des Geländers ihre Pantoffel ab und treten in den heiligen Tanzring. Wir können sie nun zählen. Es sind dreizehn. Sie hocken sich sogleich in einer langen Reihe auf der schmalen Matte nieder, die den Rand des Kreises entlangläuft. Nun sitzen sie ruhig auf ihren gekreuzten Beinen da, ohne Spannung, ohne die Zuschauer zu beobachten, ohne die Würde von Priestern zum Besten zu geben. Keiner spricht mit seinem Nachbarn. Aber auch dies scheint mehr Gleichmütigkeit als eine Regel zu sein. Die meisten, nein, alle sind einfache Leute der niederen Stände. Außer dem Perser in gutem Mannesalter und dem schlanken Benjamin dürften sie durchwegs hoch in die Fünfzig, ja, Sechzig sein. Ihre Gesichtsfarbe ist durchwegs gelb und grau. Ich sehe tatsächlich keine afrikanischen Farben unter ihnen.

Inzwischen haben sieben oder acht Männer in den gleichen Gewändern die Galerie bestiegen und nehmen auf einer Art Chor, genau im Südosten des Raumes, Platz. Dies sind die Surensänger und Musikanten. Am inneren Rande des Tanzrings, scharf gegenüber von diesem Chor und somit von Mekka, ist ein kleiner Gebetteppich hingebreitet, zu dem die Derwische respektvollen Abstand halten.

Ohne daß eine Bewegung in die Reihe der Hockenden gekommen wäre, stehen plötzlich zwei neue Menschen im Tanzkreis. Der eine ist ein schöner Mann von adligster Würde. Auch er trägt die gelbe Kappe, die Tekia der Derwische. Aber ihn zeichnet das weiße Tarbuschtuch aus, das um sie geschlungen ist, und der weite blaue Mantel. Unter diesem Mantel gucken eine schwarze Soutane, unter dieser Soutane europäische Beinkleider und feine Halbstiefel hervor. Es ist der Scheich der Derwische. Rang und Titel kann mir Hassan nicht nennen. Doch jedes Kind fühlt, daß dies eine verehrte und hervorragende Person ist. Weißhäutig ist das bleiche Gesicht mit seinen breiten, religiösen Backenknochen, den sanft-strengen Augen, die sich zu keinem Blick auf irgendwen und irgendwas herablassen.

Ein weicher brauner Bart vollendet all die Schönheit. Hinter dem Scheich ist das letzte Glied der Versammlung im Ring erschienen: ein Siebzigjähriger, der sich in der Kleidung nicht von den anderen Derwischen unterscheidet, nur daß auch um seine Tekia das Tarbuschtuch geschlungen ist.

Ich ahne sogleich, daß dieser Greis eine noch wichtigere Persönlichkeit sein mag als der entrückte Oberpriester, der nach Rang, Bildung und Klasse so hoch über diesen armen Menschen steht. Der Alte hat das dunkelste Gesicht von allen. Er hat das harte und böse Gesicht eines Meisters, der seine Kunst ein Leben lang getrieben und erschöpft hat; nun aber muß er mit müder Verachtung, mit gelangweilter (doch unnachsichtlicher) Pflichttreue der Stümperei eines schwächlichen Nachwuchses vorstehen. Ich habe diesen Ausdruck an bedeutenden alten Schauspielern, an verschiedenen großen Virtuosen aller Arten und aller Künste beobachten können. Dieser alte Gottestanzmeister hier ist von ihrem Geschlecht.

Der Scheich der Derwische hat sich auf dem Gebetteppich niedergelassen. Er senkt die Augen. Seine Stirn ist starr nach der Stadt des Propheten gerichtet. Der Älteste hockt am Kopf der Derwischreihe, die das linke Halbrund einnimmt.

Eine lange Zeit vergeht. Man sieht in den schärfer werdenden Zügen des Priesters die Anstrengung der Gebetskonzentration. Plötzlich läßt er seinen Oberkörper auf den Teppich fallen und berührt mit den Handflächen den Boden. Die Derwische folgen im exakten Chorus. Nach dieser Verbeugung nehmen alle wieder ihre frühere Stellung ein, der Scheich hebt die Handflächen gegen sein Antlitz, wie man Spielkarten vor die Augen hält und beginnt mit gleichgültig-wohltönender Baßstimme (der gedämpften Stimme eines Herrschers) sein Gebet zu rezitieren. Bald aber bricht er ab, ohne Kadenz, als wäre er mitten im Satz von einem unsichtbaren Einfluß unterbrochen worden. Die entfalteten Hände, aus denen er zu lesen scheint, und die starken Lippen bewegen sich nicht.

Auf der Galerie ist ein Mann an die Brüstung getreten, der ein Buch aufschlägt. (»Sultan Achmeds eigener Koran, heilig, vierhundert Jahre alt, mein Herr«, schwärmt Hassan.) Der Vorsänger rezitiert eine endlose Sure. Der Vortrag gleicht dem Kirchen- oder besser Synagogal-Gesang. Fiorituren, lange Triller, Pralltriller, Doppelschläge, Sequenzen, Triolenketten. Nichts, was wir nicht kannten.

Kurz respondiert der Oberpriester.

Dann ertönen einige kurze Trommelschläge und eine schnelle Figur auf irgendeinem Flöteninstrument, das wie ein Dudelsack klingt. Auf diese Trommelschläge hin erheben sich die Derwische wie ein Mann, scharf und durchzuckt. Es ist ein sehr erregender Anblick. Die fanatische Entschlossenheit von Glaubenskriegern strahlt im Blick des von der Trommel Aufgerufenen. Auch der Scheich steht da. Ich habe nicht bemerkt, wie er sich aufrichtet. Nun schweigt die Trommel wieder. Und erst nach einer langen Introduktion der klagenden Hirtenpfeife beginnen die Trommel und ein Schelleninstrument einen langsamen Marschrhythmus zu skandieren. Die Peife und eine Geige, die ihr assistiert, kümmern sich wenig darum.

Der Scheich macht drei Schritte im Kreis voran, wendet sich nach der starken Derwischreihe um und grüßt mit tiefer Verbeugung den Ältesten, der an der Spitze seiner Gefährten steht. Gleichzeitig erwidert dieser die Verbeugung. Der Scheich schreitet nun Aug' in Aug' mit dem Alten rückwärts, der ihm in gemessenem Abstand folgt. Dann, im Weiterschreiten, kehrt sich der Priester schreitend nach vorn, während der Greis sich gegen den nächsten wendet, um sich vor dem genau so zu verbeugen, wie sich der Scheich vor ihm selbst verbeugt hat. Jeder von den Derwischen, einer nach dem andern, vollführt gegen jeden nun die gleiche Zeremonie. Zum Viervierteltakt des Schlagwerks und zum regellosen Singsang der Flöte wird sie in dreimaligem Umgang wiederholt.

Dann aber wird die Musik ein wenig lebhafter. Der Scheich und der Älteste treten mit neuer Verbeugung einander gegenüber. Sie bilden nun ein Tor, durch das jeder Derwisch wandeln muß. Ehe er aber durch dieses Tor geht, küßt er die Hände der beiden Pfosten. Doch hat er es verlassen, löst er sich vom Rande des Kreises los und beginnt sich langsam zu drehen.

Flöte und Geige sind nicht mehr allein. Heisere Greisenstimmen oben verstärken die wirren Melodien.

Ein Derwisch nach dem andern ist, die Arme um die Schultern gekreuzt, durch das strenge Tor getreten. Jenseits davon atmet er tief auf und schließt sogleich die Augen. Die rechte Hand hebt er mit hohlem, segenempfangendem Teller zu Allah empor, die linke biegt er mit ausgestreckten Fingern wie einen Weiser zur Erde. Der Blitz fährt ein und aus und haftet nicht. Also durchfährt uns das himmlische Leben und die göttliche Gnade. Was die rechte, durstig geöffnete Hand empfängt, muß die linke, abwärts gerichtet, dem Tode bezahlen. Das ekstatische Ich ist nichts als ein guter Stromleiter der Gottheit.

Die Derwische drehen sich noch sehr zaghaft. Als kreisten sie auf einer rotierenden Scheibe, suchen sie vergeblich die Mitte. Es ist ein Wechsel-Walzer-Schritt, den sie mit möglichst zusammengehaltenen Füßen vollführen. In immer engeren Kreisen strebt jeder tanzend dem Zentrum zu. Die weißen Unterkleider blähen sich in ruhigem Schwung und werden zu glockenförmig gebauschten Ballettröcken. In ihrem weißen Gewand tanzt jede Seele wie ein Stern um die beiden Achsen des Universums, um sich selbst und um die unbekannte Mitte. Die Hieroglyphe der aufwärts und abwärts weisenden Arme bleibt unbewegt. Nur der Schwung der Gewänder bauscht sich immer höher. Darunter wird der arbeitende Mechanismus der erbarmungswürdig hageren Beine sichtbar. Es liegt in diesem Kreisen um sich selbst der Versuch, alles Körperliche als etwas Fremdkörperliches abzustreifen und durch gleichmäßige Bewegung ganz Ich zu werden.

Ich sehe die Gesichter, wo dieser Versuch zu gelingen scheint, wo der innerste Charakter offenbar wird:

Ein untersetzter Graukopf mit einem feisten Bauch schwebt geradezu in sonderbarem Widerspruch zu seiner Korpulenz. Die rechte empfangende Hand nähert sich seinem Kopf, die Miene spiegelt eine große Seligkeit, eine ganz verklärte Wollust. Dieser alte Mann gleicht einem Bauernburschen, der dem ersten Tanz mit seiner Geliebten sich hingibt.

Ein anderer Alter, ein kleiner, verwachsener Kerl, muß sich bei jeder Umdrehung erst einen angestrengten Ruck geben. Das rührende Wesen eines Verstoßenen kommt zutage, der hartnäkkig und hoffnungslos um das Unerreichbare wirbt.

Der vierzigjährige Perser, ebenfalls ein fetter Mann, gleitet schwerlos um sich selbst. Seine innerste Natur tritt als träumerische Zufriedenheit und Harmonie hervor. All diese primitiven Wesen aber genießen etwas, was der schöpferischen Wonne gleicht, die ja auch nichts anderes ist als ein Augenblick des Zusichkommens, der Selbstwerdung.

Der Älteste, der harte, stolze Tanzmeister, schreitet zwischen den Tänzern hindurch, ohne sich um sie zu kümmern. Er hat seinen schwarzen Mantel anbehalten. Das überirdische Glück des Tanzes liegt hinter ihm. Er ist ein Invalide Allahs. Aber die Meisterschaft des Kults liegt noch als Verachtungsfalte um seinen Mund. Plötzlich beleben sich seine perlmuttertrüben Augen. Der Zwanzigjährige kreist vorbei. Seine Drehungen sind schneller als die der anderen, wenn auch etwas läppisch und nicht ganz taktsicher. Die Fersen des Jünglings streben ungeduldig vom Boden weg, der Kopf ist zurückgebogen, der Mund mit dem kleinen Schnurrbärtchen steht offen. Der Meister verkneift mit nachsichtigem Hohn die Lider. Dann folgt er dem jungen Derwisch eine ganze Runde lang. Mit scharfer Sachlichkeit sieht er nichts als die wirbelnden Beine des Tänzers. Als er wieder an uns vorbeikommt, ist seiner steinernen Strenge ein Zug von boshafter Väterlichkeit beigemischt. Das ausrangierte Genie hat ein Talent entdeckt.

Während des ganzen Aktes steht der Scheich der Derwische steif vor dem Gebetteppich. Die Musik ändert ihr Tempo nicht. Die Trommel begnügt sich mit ein paar wechselnden Akzentuierungen ihres Rhythmus.

Nach sieben Minuten etwa stampft der Tanzmeister kurz auf den Boden. Sofort halten all die kreiselnden Gestalten ein. Auf keinem Gesicht steht ein Schweißtropfen, nirgends eine Erschöpfungsspur. – Jeder Europäer würde nach der ersten Minute, von furchtbarem Schwindel erfaßt, umgefallen sein. Die

Derwische aber treten ruhig in ihre Einteilung zurück. Die Rückkehr aus der tiefsten Welt ihres Wesens in die Konvention verwirrt sie nicht.

Wiederum Verbeugung und Umgang. Wieder bilden der Scheich und der Tanzmeister ein Tor, durch das die Jünger schreiten. Aber die Musik ist anders. Sie verwandelt sich in einen starken Dreivierteltakt. Die rauhen Stimmen oben greifen plärrender ein. Der Tanz ist jetzt um einige Grade geschwinder, die Hypnose der Tänzer tiefer. Der älteste Derwisch hat nur mehr Augen für den jungen Menschen. Seine Gleichgültigkeit ist fort. Ein scharf wechselnder Ausdruck von Erstaunen, Kritik, Befriedigung, Enttäuschung, Interesse beherrscht seine grausame Stummheit. Der Scheich steht starr. Ein einziges Mal bemerke ich eine kurze, rätselhafte Bewegung, die diesen festen und feinen Körper durchläuft. Der Tanzwart stampft nach etwas kürzerer Frist als vorhin ab.

Zum drittenmal beginnt jetzt der heilige Akt des Grußes und Wandels. Nun aber gibt die Musik dort oben alles her, was sie hat. Geige und Pfeife jammern in wüsten Triolen, die Greise heulen die langen Töne und glucksen ihre weinenden Vorschläge, Trommel und Schelle schlägt rasend einen neuen Takt.

Die Lippen der Tänzer sind nun fest aufeinandergepreßt, die Nüstern krampfhaft gebläht. Die Gebärde der Arme ist zum Starrkrampf geworden. Sie gleichen nicht mehr Lebendigen, sondern riesigen Puppen, die an unsichtbaren Drähten und Stiften umeinandergewirbelt werden. Der Tanzmeister ist aus dem Raum der Kreisenden getreten, die jetzt in wilden Runden die Mitte umbuhlen. Wie weggeschleudert steht nun der Alte am Rande des Lebens, das er mit eherner Kenntnis betrachtet. Nun sind die Gesichter keine Abbilder mehr von Wollust, Harmonie, Vergeblichkeit, sondern grau-erstarrt ein Spiegel dessen, was nicht mehr Person ist. Eine einzige Leidenschaft scheint diese Puppen zu bewegen: »Zur Mitte!!« Aber eine geheimnisvolle Kraft verwehrt sie ihnen, so sehr auch die Musik lockt und peitscht. Wie bei Blinden sind die Augenlider nach innen gewölbt. Aber kein einziger unter diesen alten Männern zeigt

Atemlosigkeit oder Herzermüdung. Der Tanzleiter hat kein Erbarmen. Fachmännisch eisig betrachtet er die Ekstase, ohne das Zeichen der Erlösung zu geben. Möchten sie doch alle tot hinfallen, die überlebenden Nebenbuhler und die neuen Adepten! Er wartet...

Und da geschieht etwas Herrliches!

Die erhabene Gestalt des Scheichs der Derwische im blauen Mantel wird von einem Krampf gepackt. Wir hören ihn scharf atmen. Sein Körper windet sich wie unter einem Griff, der ihn wegreißen will. Und plötzlich gleitet der Scheich mit einer unsagbar heiligen Grazie von seinem Standort davon.

Was die Weißen niemals erreichen können, mit drei Tempi wie im Spiel hat der Blaue die Mitte gewonnen. Auf und nieder taucht er nun, als trügen ihn nicht Bretter, sondern die Wellen eines Zaubermeeres. Er kreist um den heiligen Punkt, ehe er sich mit ihm ganz vereint. Seine Bewegungen sind von höchster Schönheit, schnell, geschmeidig. Er muß sich nicht anstrengen, nicht gegen seinen Körper kämpfen wie die anderen, die jetzt Mitleid erwecken. Alles an ihm ist Levitation. So tanzt der Prophet über die Wasserfläche und durch die Luft.

Während die Musik ihre schwachen Lungen zum Platzen aufbläst, hat er den Mittelpunkt betreten. Und ohne auch nur einen Fußbreit vom Orte zu weichen, dreht er sich schwingend um die Achse, die Zenith und Hades miteinander verbindet. Im azurblauen Mantel, mit gekreuzten Armen, ganz in sich geschlossen, tanzt die Mitte der Welt. In weißen Leinengewändern, zu immer weiteren Abständen verurteilt, kreisen die Seelen, die mit der rechten Hand die Gnade empfangen und mit der linken die Schuld bezahlen müssen.

Die Ehe jenseits des Todes

[Erzählung Fragment]

I. Kurze Philosophie der Ehe (als Vorwort)

Erst was zwanzig Jahre gewährt hat, darf auf den Namen »Ehe« Anspruch erheben, denn erst mit zwanzig Jahren Dauer ist die Paßhöhe menschlicher Ewigkeit erklommen. Und dieses Wort Ehe, es bedeutet ja nichts anderes als »Ewe« oder »Ewa«, was soviel heißt wie Ewigkeit. Es gibt Forscher, die, noch feiner unterscheidend, die Vokabel auf das lateinische »aequum aeternum« zurückführen, als da ist »das ewig gleiche«. Nun, dieses »aequum aeternum«, aus hundert Elementen zusammengesetzt, zwei Jahrzehnte lastet es auf den Menschen als Behagen und Unbehagen, als Haß, Sentimentalität, Lüge, Angst, Sorge, Verheimlichung, Fluchttrieb; doch insolange es noch lastet und fühlbar bleibt, ist es noch widerruflich, schließt es die Hoffnung auf Befreiung ein, die sich im Anfang oft mächtig aufbäumt, allmählich immer schwächer und leiser wimmert, um dann als gleichgültiger Hauch zu verlöschen. Und dies ist der Augenblick, in dem die wahre Ewe oder Ehe einsetzt, ein mächtiges Ding, das auf sein Eigenleben pocht und sich um die Leute wenig kümmert, von denen es sich tragen läßt. Und Mann oder Frau, wer nur die gesetzte Frist an der Seite des andern durchgehalten hat, ohne im letzten Augenblick noch auszubrechen, er wird die Macht des Ewig-Gleichen an sich erfahren! Welche Maske der Lebenslüge er auch trägt, ob er als Philister einhergeht oder als Zigeuner, als Hausfrau, Emanzipierte, Sportweib oder Luder, als Staatserhalter, Sektierer, Anarchist, Radikalbold oder Ästhet, – ist die Grenze einmal überschritten, – so verfällt er dem Ewig-Gleichen. Denn eine echte Ewigkeit, wenn auch eine der bescheidensten Art, schert sich nicht um Gesinnungen, welche die Menschen vor die Blößen ihres Selbstbewußtseins binden. Diese Ewigkeit nun gar ist recht hartgesotten, denn die körperlichen Heimlichkeiten haben sie gefördert, jene fesselnden Tatsachen, die sich der allesverwandelnden Eitelkeit entziehen und nicht weglügen lassen: Essen, Trinken, Schlaf, Erwachen, Atem, Anzug, Entkleidung, Geruch! Bilden diese Heimlichkeiten vorerst auch den listigen Reiz, mittels welchen die Natur das Ungeheure vollbringt, zwei menschliche Körper aneinander zu spannen, so kommt doch früh genug der Augenblick der Erweckung, wo sich mit unerträglicher Schärfe die Unsinnigkeit dessen offenbart, daß die legeren Körper schamlos zusammenhausen, damit zwei umkrustete, streitsüchtige Charaktere ihre allstündlichen Feindseligkeiten austauschen dürfen. Augenblick der Erweckung? Nein, es sind ganze Epochen der Erweckung, schmerzliche Zeitabschnitte, die der ersten Gemeinschaft folgen, der Trennungsversuche, der Befreiungskämpfe, je nach Kraft und Leidenschaft der betreffenden Persönlichkeiten wild oder zahm, deutlich oder halbbewußt! Geldumstände, Arbeitsverhältnisse, Trägheit, Kindersegen, geschlechtliche Kompromisse ersticken zumeist diese Befreiungsversuche im Keime, die Haßausbrüche werden seltener, bewußter und hoffnungsloser, die Paare sind bereit, die nächste Stufe des Zusammenlebens zu betreten. Jetzt verschwinden nach und nach die Anwandlungen des Widerwillens, von denen der Mann geplagt war, wenn er die Frau in ihrer häuslichen Vernachlässigung erblicken mußte, und umgekehrt die Enttäuschung der Frau, wenn sie Zeugin der rohen oder pedantischen Gewohnheiten ihres Mannes wurde. Dieser Widerwille, diese Enttäuschung, sie waren ja noch das traurige Nachläuten des Eros, die letzten Zuckungen der körperlichen Zuneigung. Jetzt sind sie dahin. Die Gesichter werden wesenlos. Der Mann sieht die Frau nicht, die Frau nicht den Mann. Sie sehen nicht, aber sie *durchschauen* einander. Eh eines den Mund auftut, weiß das andere schon: Jetzt kommt zum hundertsten Mal diese und diese Melodie. Jede Wendung, jeder Blick, jede Ansicht, jede Regung ist beiden bis zum Ekel bekannt. Sie sind ein und derselben Komödie Schauspieler und Habitués zugleich, die sie einander ein paar

Stunden alltäglich vorspielen, ohne das Theater verlassen zu dürfen. Sitzen sie allein beisammen, so nimmt ihr Gesicht sogleich jene resignierte Unaufmerksamkeit an, die man beim unerwünschten Hören eines immer wiederholten Gassenhauers zeigt. Dieser Zustand der schwermütigen Windstille, in dessen dumpfer Luft der Verrat blüht, währt sehr, sehr lange. Er scheint aber nur zu währen (man hat sich ja recht und gut damit eingerichtet), dennoch wie alles Irdische, Zeitliche schreitet er unaufhaltsam und gesetzmäßig fort. Das Paar kennt sich bis in die feinsten Verästelungen der Schuld und des Verbrechens. Kein Kriminalist bewiese eine schärfere Spürnase für das männliche Lügengewebe als die Frau, kein Säulenheiliger eine reinere Abscheu vor des Weibes ichhaft sündiger Weltverdrehung als der Mann. Und doch, eines Abends kommt dieser Mann nach Hause und ist totenblaß. Die Frau, die gestern noch keinem seiner Worte glaubte, jetzt zittert sie um ihn, und nimmt an seinen Verdrießlichkeiten leidenden Anteil. Ein andermal erkrankt sie. Er, wie von Sinnen, stürzt aus dem Haus, keucht durch die Straßen und angesichts irgend einer Kirche legt er trotz seiner Gottesgleichgültigkeit ein Gelübde ab für ihre Genesung. In solchen Augenblicken ist es nicht nur die Angst und eine Gewohnheit, die sich offenbart, es ist aufgewühlte Rührung, süßes Erbarmen zweier verschmolzener Wesen. Die abgedroschene Melodie ist unentbehrlich geworden. Die Anzeichen mehren sich und langsam beginnt die Ehe aus einer provisorischen »Ewe«, aus einer Kandidatin der Ewigkeit sich in ihre wahre und endgültige Form zu verwandeln. Bis dahin standen zwei Wesen in Konjunktion, wie die Astronomen sagen würden; eine Anzahl von Schwerkräften band sie aneinander. In ihnen beiden aber zitterte mit größerer oder geringerer Kraft ein heftiges Widerstreben, denn darin beweisen sich ja Stern und Persönlichkeit, daß sie ohne Abstand nicht leben können, daß sie Einsamkeit suchen, daß sie sich distanzieren müssen. Doch siehe, dieses Widerstreben erschlafft, die Eigenpersönlichkeiten ermatten, eine neue geheimnisvolle Macht entwickelt sich, die über dem Paar wie eine unsichtbare Glorie schweben bleibt. Die Lehre vom

Sakrament der Ehe ist mehr als ein frömmelndes Pfaffenmärchen, wenn man den Begriff der Ehe in seiner Tiefe erfaßt. Legalisierte Liebesverhältnisse oder Zweckkonkubinate sind noch lange keine Ehen, sie sind nur mögliche Zeugungen der Ehe, mit der jedes Paar sehr lange schwanger gehen muß, ohne daß eine Niederkunft die Regel ist. Ja, in der schmerzhaften Einheit von Mann und Weib wächst die Ehe wie ein Embryo, bis ihr Tag kommt. Wenn wir behauptet haben, daß die Schwangerschaft etwa zwei Jahrzehnte währt, so ist diese Ziffer nur mit großer Vorsicht aufzunehmen. Erstens sind alle zahlenmäßigen Abgrenzungen auf Erden sehr verhältnismäßig, der eine Mensch ist zum Beispiel mit sechzig Jahren kaum vierzigjährig, der andere im Vierzigsten siebzig Jahre alt. Ferner treten im Falle der Ehe hundert Bedingungen, Einflüsse, Zufälle auf, die ihr heimliches Werden beschleunigen und verlangsamen. Zwanzig Jahre, dies ist schon eine recht hohe Ziffer, die nur für Exemplare Geltung haben dürfte, deren Abwehr- und Freiheitsinstinkte überaus kräftig geraten sind. Für die durchschnittliche Bürgerlichkeit werden vielleicht etwa fünfzehn Jahre genügen; gewiß aber hat jeder Fall sein eigenes Gesetz. Und die fördernden oder hemmenden Bedingungen? Ganz gewiß wird eine Ehe schneller und sicherer reifen, wenn sich das betreffende Paar in altertümlicher Art einer gemeinsamen Schlafstätte befleißigt. So hatte es das Ehepaar Bruckner immer gehalten. Die Existenz von Kindern –, dies muß den schnurgeraden Moralisten der Fortpflanzung ins Gesicht gesagt werden, – begünstigt das Aufkommen der wahren Ehe nicht allzusehr. Im Falle Bruckner hatte die Kinderlosigkeit gerade ihre bindende Kraft bewährt. Für alle Menschen aber gilt es gleich, daß der stärkste Verbündete aller »Ewen« das Alter ist, das Sinken der Begehrlichkeit, das Ausscheiden der verführenden Kräfte und Möglichkeiten. Als man die Frau eines berühmten Sängers fragte, wann endlich ihr Mann vom Laster lassen würde, erwiderte sie, ich warte, bis das Laster von ihm läßt. Diese Antwort ist mehr als ein Scherz, sie ist der allmächtige Glaube an die Ehe, vor der alles andere hinschmilzt. Es kommt der Tag, wo Büro, Werkstatt, Sitzungen,

Konferenzen an Wichtigkeit verlieren, wo die Lockung der Wirtshäuser, Hotels oder Festsäle nachläßt, der Tag, wo man unruhig die Stube sucht, um zusammenzuhocken. Man ist ja noch nicht alt. Mehr Interessen denn jemals wirft das Leben wie Schlingen uns über den Kopf. Und doch, auf dem Grunde jeder Minute zittert das Bild der Heimkehr. Die Ehe ist geboren, sie hat die Feuer- und Wasserproben bestanden. Immer tiefer entschlummern die Persönlichkeiten, denn eine wahrhaft sakramentalische Kraft hat sich ihrer bemächtigt. Und diese sakramentalische Kraft will es, daß sehr alte Eheleute einander nachsterben. Sie will es auch, daß Eheleute, die im Begriff sind alt zu werden, gemeinsam Patiencen legen. Oh, welche Vokabel fügte sich besser zum Aequum aeternum, dem Ewig-Gleichen, als Patientia, die Geduld?! Das Ehepaar Bruckner konnte 37 Geduldspiele.

I. Kapitel
Der Präsident

Leopold, Ritter von Bruckner, galt bis zu seinem Tode als schöner Mann. Diese Schönheit allerdings entsprach einem geschichtlichen Abschnitt, in dem die Bezeichnung »Ritter von« weder abgeschafft war, noch einen Beigeschmack von Komik besaß. Wie schnell wird doch unsere Lebensform zum Kostüm. (Wartet nur, es vergeht kein Atemzug der Erde, und auch eure moderne Sportelegance, eure dürre Bewegungs-Schönheit, eure nachwestliche Muskel-, Knappheits- und Rekordanbetung wird zum Fundus der großen Maskenleihanstalt gehören!) Mit dieser modernen Elegance hatte das Äußere Leopold Bruckners selbstverständlich nichts gemein. Er war ja tief in der zweiten Hälfte des vorigen Jahrhunderts geboren und so trug auch seine Erscheinung das Merkmal dieser hochbürgerlichen Zeit: Eine großgewachsene und leichtausgepolsterte Repräsentation. Solche lebensvollen und würdigen Gestalten wie Bruckner zeigen immerdar festliche Übereinstimmung mit ihrem Porträt, das im Salon zu hängen pflegt. Im Salon Frau Lydia Bruckners hing übrigens ein gutes Porträt von Künstlerhand, das den jungen Ehemann im Feierkleide darstellte und zugleich bewies, daß die Zeit der rotbäckig lächelnden Frische des Abgebildeten nichts angehabt hatte, es sei denn die leichte Verfärbung des blonden Haares.

Angesichts dieser körperlichen Vorzüge, seines wohlklingenden Organs und einer heiteren Gemütsverfassung, war es kein Wunder, daß Frau von Bruckner ihren Mann geliebt hatte; wobei noch ins Gewicht fällt, daß sie selber in ihrer Jugend keinerlei Schönheit vorstellte. Trotz stetiger Neigung mußte aber auch ihre Ehe alle gesetzmäßigen Phasen durchlaufen und die Zeit des streithaften Widerstrebens blieb auch ihr nicht erspart. Im Ablauf der Dinge hatte es ein schweres Jahr gegeben, das Lydia ihrem Gatten und sich selber durch Anfälle eines unbegründeten Mißtrauens vergällt hatte. Wie sehr sie auch dieses lasterhafte Gefühl bekämpfte, sie erlag immer wieder, denn ihr Mißtrauen war, – wenn man es so nennen darf, – nicht unabhängig, es war das Spiegelbild, das Bruckners eigene Undurchdringlichkeit in Lydias Seele hervorrief. Ihr eigenes Leben lag für ihren Gatten klar zu Tage. Sie wollte gerne (leider wurde es nicht verlangt) über jede Stunde Rechenschaft geben: Hausführung! Besorgungen! Besuche! Schneiderin! Modistin! Begegnungen! Ganz anders aber war es mit Leopolds Leben bestellt. Am Morgen verließ er das Haus, um mittags, täglich seine Verspätung bedauernd, zurückzukehren. Nach Tisch eilte er fort und kam erst abends wieder, wenn nicht gerade ein gehetzter Telefonanruf sein Fortbleiben bis Mitternacht entschuldigte. Arbeit, Verpflichtungen, Geschäfte, Aufstieg rechtfertigten restlos dieses atemlose Dasein. Lydia wußte es; dennoch brütete sie über finsteren Phantasien, wenn sie des unsichtbaren Trubels gedachte, in dem ihr Mann sich rührte, ohne sie teilnehmen zu lassen. Sie machte einige ungeschickte Versuche, Leopolds Eifersucht zu erregen. Er bemerkte nicht das Geringste.

Im übrigen war Bruckners Undurchdringlichkeit eine seiner stärksten Eigenschaften, mittels welcher er auch auf die weitere Umgebung nicht geringe Wirkung ausübte. Er galt als schwerreicher Mann; doch niemand wußte, woher dieser wachsende Reichtum stammte. Er galt als fleißiger Arbeitsmensch, doch niemand wußte, womit er seinen Fleiß beschäftigte. Nur so viel stand fest, daß er zu Südemund in einem Kompagnieverhältnis stand. »Südemund und Hund«, so rief man den bescheidenen Mann, einer jener lebenslänglichen Greise, die ihre unterernährte Gestalt, zwei krumme Beine und einen asthmatischen Dackel durchs Leben führen. Zugleich aber stellte Südemund und Hund eine Firma vor, die sich mit Grundstückspekulation, Land-, Güterverkauf und Warenvermittlung befaßte. Kein Wunder, daß Südemund, der kleine, schwächliche Junggeselle, zu seinem stillen Gesellschafter Bruckner bewundernd emporblickte, ihm neidlos die Sonnenseite des Lebens überlassend. Er selber nannte ihn niemals anders als Herr Präsident und gab ihm, obgleich älter, immer und überall den Vortritt.

Auch der Präsidententitel Leopold von Bruckners besaß seine Seltsamkeiten. Wenn man annimmt, daß Lydias Gatte mindestens siebenfacher Präsident war, ist das nicht allzu hoch gegriffen. Diese Rangerhöhung war zumeist eine Folge seines Wohltätigkeitstriebes. Die verschiedenartigsten Gesellschaften hatten den Vorsitz diesem stattlichsten ihrer Mitglieder erteilt. Eine Sitzung zu eröffnen, einzuläuten, zu leiten, die Tagesordnung zu verlesen, das Wort zu erteilen, zur Sache zu rufen, Resolutionen zu verfassen, – diese Tätigkeit deckte sich auf das glücklichste mit Bruckners Erscheinung, Gewandung, Barttracht, Stimmpracht und Autorität. So zögerte weder der ›Verein zum Schutz verwahrloster Kinder‹ noch auch die ›Gesellschaft zur Hebung des internationalen Ausstellungswesens‹, weder der ›Verein der Landschaftsfreunde‹ noch auch die ›Gesellschaft unentgeltlicher Aussperrung‹, sowie die ›Tischrunde treuer Österreicher‹, – keiner dieser Bünde zögerte einen Augenblick, in Herrn von Bruckner die platonische Idee eines Vorsitzenden auf den Präsidentenstuhl zu erheben. – All diese Ehrenämter hatten überdies einen reichen Ordenssegen zur Folge, der sich über Bruckner ergoß; er wurde auch vom Kaiser und den Mitgliedern der Dynastie bei jeder Gelegenheit durch Ansprachen ausgezeichnet, und nach Verleihung immer seltenerer Titel schließlich in den Ritterstand erhoben. Man kann sagen, daß es während der letzten Jahrzehnte der alten Monarchie – sie waren ein farbenfreudiger Sonnenuntergang – keinen gründlicheren Gelehrten in den heraldischen Wissenschaften der Titulatur und des Ordenswesens gab als Leopold von Bruckner. In seinen Reden zwar belächelte er die Eitelkeit aller Auszeichnungen und behauptete, die Last dieser Würden nur um des öffentlichen Wohles willen zu tragen, aber in der Art, wie er diese Bürden zur Schau trug, zeigte sich der Kenner und Künstler. Für das Knopfloch des Alltags genügte das einfache Bändchen der Ehrenlegion, das ihm die Veranstaltung eines österreichischen Konzertes in Paris eingetragen hatte. Für kleinere, nur leicht offiziöse Festmahle diente das Kettchen mit der Miniatur-Ordensreihe. Bei großen Gelegenheiten aber gab es mehrere Arten und Abwandlungen der Ehrenzier. Anläßlich der Versammlung eines mehr kleinbürgerlichen Wohltätigkeitsbundes mußte man den großen Kriegsschmuck anlegen, zu dem außer den hohen und niederen heimischen Auszeichnungen auch die ausgiebigen Sonnen, Sterne, Löwen und Elefanten exotischer Potentaten gehörten. Die schlichten Gewerbetreibenden sahen geblendet solchen Glanz. Sie wußten ja nicht, daß diese Juwelierware bei einem gemeinsamen Aufenthalt in böhmischen Bädern von den Schahs, Kalifen, Khediven und Paschas gegen mäßige Gegengaben leicht zu ergattern war. (Der Komiker des Kurtheaters erhielt Sonnen, Sterne, Löwen, Leoparden und Elefanten als Gratisgeschenk.) Tagte aber zum Beispiel die ›Museumsgesellschaft‹, in deren Reihen Adel und Ästhetentum vorherrschte, so erschien Bruckner ohne jede Auszeichnung, oder mit der kaum sichtbaren Andeutung einer besonderen Kostbarkeit geziert. Bei den glänzenden Banketten des Staates und der Residenz jedoch trug er jene hohe Orden, zu denen das breite blaue oder rote Band gehört, das aus dem Frackausschnitt leuchtet. Es kamen mitunter Tage und Abende, wo der ständige Wechsel der Dekorationen ihrem Träger Schwierigkeiten bereitete. Bruckner mußte an allen möglichen und unmöglichen Orten seine Kleinode an- und ablegen, im Wagen, in einem Hausflur, in Toilette- und Waschräumen, die er wegen der dort befindlichen Spiegel bevorzugte. Er glich dann einem gehetzten Schauspieler, der zwischen zwei Szenen rasch eine neue Maske macht. Der von Feinden ausgestreuten Irrmeinung aber, daß der Präsident ein alter Ölgötze und Pflanzmajor gewesen sei, muß sogleich entgegengetreten werden. Er war im Gegenteil nichts als eine erfreuliche Natur, von einem sympathischen Stern gelenkt, niemals von Zweifeln und Kümmernissen bedrückt, in der wohligen Vorkriegszeit sich rekelnd wie in einem warmgeschlafenen Bett. Trotz aller Ehren und Erfolge konnte man ihn eher g'schaftelhuberisch als ehrgeizig nennen. Goldene Gleichgültigkeit erfüllte ihn selbst seinen Würden gegenüber. Er machte sich aus nichts Sorgen, und, – ein seltener Fall bei einem reichen Mann, – selbst die Angst vor Verarmung blieb ihm fremd. So bildete er den schärfsten Gegensatz zu seinem Sozius Südemund, der von dieser Angst allstündlich so sehr verzehrt wurde, daß er und sein Dakkel mit den Jahren immer mehr eingingen. Die Folge dieser ungerechten Charakterverteilung war immerhin bemerkenswert. Südemund und Hund, – schon bei Kriegsanfang ein verrufener Schwarzseher, – hatte am Tag der Niederlage sein ganzes Vermögen eingebüßt. Bruckner hingegen, – Patriot und Siegesprophet von reinstem Wasser, – konnte sein Kapital noch im letzten Augenblick in eine Schweizer Geldanstalt retten. Dieses Heil erblühte ihm aber nicht aus eigener Denkkraft und Anstrengung, nein, dank seiner Beziehungen wurde er von einem mächtigen Bankgouverneur »mitgenommen«. Dies geschah in der gleichen Woche, wo das letzte Kriegsanleihemanifest, das, von jenem Gouverneur mitunterzeichnet, der Bevölkerung den letzten Heller abnötigte, von Bruckner in persönlicher Propaganda den Leuten auf den Tisch gelegt wurde.

Glück und Stern! Die heutige Wissenschaft lehrt, daß Glück und Stern im Körper, in der leiblichen Konstitution des Menschen liegen. Was den Präsidenten anbelangt, kann man gegen diese Lehre gewiß keine Einwendungen machen. Aus Herrn von Bruckners gesundem, strahlendem Körper drang eine

Kraft, die Gott und Menschen zwang, beide Augen zuzudrükken oder die freundliche Miene aufzusetzen, mit der man das mutwillige Spiel von Kindern betrachtet. Das solare Wesen dieses Körpers versöhnte die Welt mit den Erfolgen, Titeln und Würden seines Trägers. Jedes Grübchen und Fältchen auf des Präsidenten Gesicht drückte eine ununterbrochene Gehobenheit und ein lächelndes Welteinverstandensein aus. Ein Mensch, von dem derartige Strahlung ausgeht (sei er auch so unbedeutend wie es Bruckner war), besitzt eine unheimliche Macht, weil es die negativen Kräfte der Menschen, die bösartige Verteidigungsstellung, welche sie sich täglich und stündlich schuldig zu sein glauben, sogleich ausschaltet und ihnen damit zum Genuß einer Entspannung verhilft, für die sie mit Sympathiegefühlen danken. Welche von geistigem Hochmut nicht angekränkelte Frau hätte solch sonniger Konstitution widerstehen können? Nachdem das Ehejahr des Mißtrauens absolviert war, ergab sich Lydia restlos. Ihre Widerstände wandelten sich zu einem mächtigen Ehrgeiz um, den sie nunmehr für ihren Gatten hegte, und der ihm im Laufe der Zeit noch einige Präsidial- und Schatzmeisterämter mehr eintrug. Da sie selber unscheinbar und strahlenlos war, legte sie sich ein Lebensspiel zurecht, wonach Leopold die Rolle eines leichtsinnigen, verschwenderischen und ausgebeuteten Kindes spielte, sie selber aber den Part überwachender Vernunft und mütterlicher Zurechtweisung übernahm. Wie schön war dieses Lebensspiel, wenn auch der Mann mehrmals im Monat, durch seine sozialen Pflichten abgehalten, erst im Morgengrauen das eheliche Lager bestieg. Wenn er aber bei ihr war, bekam sie niemals ein verdrießliches Gesicht zu sehn oder ein böses Wort zu hören. Er war ein Wunder an Fröhlichkeit und Genußsucht. Schon in den ersten Ehejahren, da alles noch unsicher schien, hatte er in einer teils hochstaplerischen, teils dekorativen Anwandlung eine Equipage erworben, welche Aufsehen machte. Später wurde Lydia eine der ersten Automobilbesitzerinnen Wiens. Jeder Sommer und später auch jeglicher Winter bedeuteten eine Reise von nicht gewöhnlichem Ausmaß und Luxus. Durch den Gatten hatte sie Respekt und Verständnis für

Tafelglück und für Gastlichkeit gelernt. Es war eine Freude ihm zuzusehen, wenn er einen Wein prüfte. Mitten am Tage konnte es ihm einfallen, einen Hummer, ein Fäßchen Kaviar, ein seltenes Wildpret nach Hause zu schicken. Und dann saßen sie beisammen und feierten ein Fest, noch in späteren Jahren, verfänglicher Liebessituation eingedenk. Es mehrten sich die Anzeichen einer glücklichen und unzerstörbaren Ehe. Man kaufte das schöne Haus in B., das Aufschneider ein kleines Palais nannten. Die kinderlose Ehe hatte nun Raum genug: die Stadtwohnung in Wien, das neue Haus in B., von der Jagdhütte im Alpengebiet ganz zu schweigen. Bei Kriegsbeginn war Leopold sechzig und Lydia dreiundfünfzig Jahre alt. Neunzehnhundertvierzehn bis sechzehn, dies war so recht des Präsidenten Zeit. Die Sonne bestrahlte verschwenderisch den Lebensgipfel. Vor Ehren und Pflichten wußten die Gatten kaum mehr aus und ein. Alle Vereine, Gesellschaften, Tischrunden, Klubs mußten patriotisch umgestellt werden, »eiserne Männer« sollten mit Nägeln beschlagen sein, die »Gold-gab-ich-für-Eisen-Aktion« erforderte einen ganzen Mann, der Austausch von Kirchenglocken und kupfernem Hausgerät nicht minder. Der »Labedienst« auf den Bahnhöfen, die »Liebesgaben-Bewegung«, die Versendung kriegsermutigender Schriften ins Feld, die »Weihnachtsfeier der Krieger«, all diese Organisationen kamen ohne Herrn von Bruckner nicht vom Fleck. Lydia trat in die Leitung eines Kriegsspitals ein. Dreimal wurde der Präsident vom Generalissimus höchst persönlich nach Teschen ins Hauptquartier berufen. Das Vaterland erkannte sein Wirken an, das, mühelos seiner angenehmen Persönlichkeit entspringend, mehr in anregendem Reden bestand, als in gewissenhafter Arbeit. Zu den Genüssen, die das Leben diesem Liebling immer gewährt hatte, trat ein neuer hinzu, der Genuß des Ruhmes und der Öffentlichkeit. Man schlug täglich die Zeitung auf, und ehe man sich dem »amtlich verlautbarten« Kriegsbericht zuwandte, suchte man den eigenen Namen auf, der freundlich aus mancher Spalte hervorlächelte.

Das bleiche Jahr neunzehnhundertundsiebzehn kam. Es

wurde still im Hinterland. Der Patriotismus und das bürgerliche Zeitalter lagen in Agonie. Südemund und Hund lebten von Wruken, von einem Phantom, das der Weltkrieg hervorgebracht hatte und das seitdem verschwunden ist. Aber nicht genug damit, Südemund trug einen Anzug, dessen Stoff aus Brennesselfasern gewoben war. Er, der von allem Anfang an den düsteren Kassandraruf ausgestoßen hatte, bezahlte bar. In dem Hausstand der Bruckners hingegen tauchten niemals Wruken auf. Wenn auch Hummern, Kaviar und französischer Champagner ausgingen, so fehlte es doch niemals an weißem Doppelnullermehl, an erstklassigem Tafelfleisch, an Butter und Eiern. Auch hierin bewährte sich sein geheimnisvolles Persönlichkeitsgesetz: All diese Schätze flogen dem Präsidenten in der Zeit der Dürre zu, ohne daß er besondere Anstrengungen machen mußte. Ein befreundeter Händler, eine militärische Stelle, ein Spitalskommando schickte ihm unter der Hand den seltenen Proviant ins Haus.

Das Reich brach zusammen und mit ihm alle Ehrenämter und Würdeposten, die Bruckner bekleidet hatte, sein ganzer Rang und Ruhm. Die Männer seiner Generation hockten, von dem ungeheuren Schlag betäubt, wie im Starrkrampf in ihren ungeheizten Höhlen. Manche verdorrten wie Südemund und nährten einen vergreist-reizbaren Groll gegen die neuen Machthaber. Sie konnten es nicht verstehen, daß Bruckner nach einer kurzen Minute der Verwirrung seine Lebensfreude wiedergewann, sich den veränderten Verhältnissen anpaßte und überdies auch die Verdienste einiger Führer anerkannte. Er wagte es sogar, ohne sich um die allgemeine Empörung zu kümmern, den verhaßtesten Mann des Landes, den Großinquisitor der Steuerbehörde, in Schutz zu nehmen. Bruckners Freunde staunten mißvergnügt, wie rasch und leidlos er sich mit der großen Zeitwandlung abgefunden hatte. Seine Lebensfreude besaß eben Reserven, die durch den Zusammenbruch allgemeiner Dinge, wie es Staat, Nation, Vorherrschaft sind, nicht vernichtet werden konnten. Er überlebte fröhlich seine eigene Eitelkeit, eine Größe, zu der die wenigsten Menschen fähig sind. Eines Tages packte er mit einer witzigen Geste seine sämtlichen Orden, Auszeichnungen, Diplome, alle Sterne, Kreuze, Löwen, und warf sie in eine Rumpelkiste. Welcher Verlust könnte einen Mann endgültig erledigen, der allmittäglich sein wienerisch zubereitetes Rindfleisch zu schätzen weiß, den ein Spaziergang noch immer entzückt, der honigstarke Bergluft mit bewußter Wonne atmet, der ein gutes Auto besitzt und eine Frau... Ja, Lydia wuchs nun von Tag zu Tag an Wert. Immer schwerer fiel es Herrn Bruckner, sie und sein Haus zu verlassen. Außer dem täglichen Spaziergang, an dem Lydia nicht teilnahm, wich er nicht mehr von ihrer Seite. Der gesellige Verkehr – in einstiger Blütezeit unübersehbar – schrumpfte immer mehr zusammen. Nur am Donnerstag und Sonntag begab man sich, manchmal recht widerwillig, zu einer Bridgepartie, wo man mit ehemaligen Größen wie dem General Donnebauer zusammentraf. Wenn nach diesen Zusammenkünften Leopold und Lydia in ihrem Salon zusammensaßen, so fand er jedesmal: »Diese Leute sind vorsintflutlich. Man sollte gar nicht hingehen.« Sein Gesicht mit der wohlgenährten glatten Haut und den grauen Augen, die ihre Undurchdringlichkeit bewahrt hatten, war noch immer schön. Er begann jetzt Bücher zu lesen, hauptsächlich die Kriegsmemoiren und Rechtfertigungspamphlete der Staatsoberhäupter, Politiker und Feldherren. Seiner Frau las er dann die Stellen vor, die er mit Rotstift bezeichnet hatte. Sie hörte nur halb zu, während ihr Auge sein wohlgestaltetes Antlitz beobachtete. Dunkle ängstliche Empfindungen wollten in ihr nicht zum Bewußtsein kommen. Seine Stimme schien manchmal aus großer Ferne herzudringen, während sie mit dem verschämten Pathos der Mindergebildeten die hochpolitischen Texte vermittelte. Alles hatte sich verändert. Und dieser Unveränderte auch, der ihr gehörte... Seine Wangen waren noch kindhaft rosig; Doktor Eidner behauptete, daß der Präsident das Herz eines Zwangigjährigen besäße. Er konnte ja stundenlang ansteigende Spazierwege leisten, ohne eine Spur von Erschöpfung zu zeigen. Und doch, er war schon siebzig Jahre alt. Lydia liebte diese Vorlesungen nicht sehr. Sie zog es vor, an dem gemeinsamen Tisch schweigsam, stundenlang, mit ihrem Gatten Patience zu legen und dabei sein heiteres Leben und seine kräftige Nähe zu spüren.

II. Kapitel
Uns alle erwartet der Augenblick

Feldzeugmeister Donnebauer war gestorben. Die entthronte Zeit veranstaltete ein großes Leichenbegängnis. Hohe Offiziere in alten Uniformen trugen den Sarg und hoben ihn auf die vorschriftsmäßige Haubitzlafette. Eine Kompagnie der neuen Wehrmacht gab die Salve des Général de Charge ab. Die Würdenträger der Vergangenheit mit frischgebügelten Zylindern krochen aus ihren Löchern. Präsident Bruckner hielt eine der vielen Grabreden. Es fiel auf, daß er im Gegensatz zu andern keinen einzigen Orden trug und einen weniger jovialen Eindruck machte als sonst. Nach Hause zurückgekehrt, sagte er zu Lydia: »Wenn man bedenkt, was für dumme Kerle uns ins Unglück geführt haben...«

Dies ereignete sich an einem fünften Oktober. Nach wie vor hielt Bruckners merkwürdige Lesewut an. Lydias Feingefühl empfand diese neue Nachdenklichkeit als etwas Ungesundes, ja Wesensfeindliches. Sie kämpfte dagegen, indem sie die Schonungsbedürftigkeit von Leopolds Augen ins Treffen führte. Vergebens. Die Seuche des Lesens und Denkens griff weiter um sich. Jetzt beschäftigte sich Bruckner sogar mit volkswirtschaftlichen Werken. Aus unruhigen Fernen sah er die Gattin an:

»Weißt du, was das ist, Industrie und Kapital, Alte...?«

Sie machte ein grämliches Gesicht. Er aber schnitt mit seinen Händen eine Kugel aus der Luft:

»Der Mensch besitzt Arbeitskraft. Arbeitskraft ist eine Ware... Und das Ganze erzeugt den Mehrwert, von dem er nichts hat... Verstehst du das, Alte?«

»Nein! um Gotteswillen, nein!... Aber was geht denn dich dieser Unsinn an?...«

Über seine Stirne zog eine Verfinsterung wie von Kopfschmerzen:

»Also das ist doch klar«, sagte er, und fügte nach einem längeren Schweigen hinzu: »Ich werde an Südemund und Hund testamentarisch eine Pension vermachen. Erinnere mich daran, Alte!« Sie lenkte ab: »Meinetwegen! Gut! gut! Für heute mittag habe ich das neue Rezept der Eszterházy-Torte versucht.«

Sein Unwille wuchs:

»Eszterházy-Torte? Das ist doch viel zu schwer für mich... Nichts als Buttercreme...«

Da ließ Frau Bruckner die Hände in den Schoß sinken und starrte ihn an:

»Poldi, du bist krank!«

Pogrom

I. Die Flüchtlinge

Ich bin ein Ästhet. Gleichwohl habe ich eine starke Neigung für Fragen der Statistik, der Bevölkerungspolitik und ähnlicher Gebiete. Nein! nur kein Mißverständnis! Diese Neigung stammt keinesfalls aus »Menschheitsliebe« oder irgendwelcher sozialer Schwärmerei. Im Gegenteil, für derartige Gefühle und Ergüsse, wie man ihnen jetzt nach dem Krieg und sogar in ernsthafteren Berufskreisen begegnet, habe ich nichts übrig als ironischen Zweifel. Meine Neigung für jene Probleme stammt einfach aus der Kindheit. Wie die meisten Knaben hatte ich ein leidenschaftliches Interesse für Maßverhältnisse: Aus der Größenvergleichung des Kaukasus mit den Alpen, des Kaspisees mit dem Schwarzen Meer, der deutschen Flotte mit der amerikanischen, der Metropolen untereinander, der Körperlänge meines Vaters mit der meines Hofmeisters, aus all dem ergab sich einst eine bannende Beschäftigung.

Überdies bin ich Beamter, geborener Beamter, Staatsbeamter dazu und um das Maß voll zu machen, Staatsbeamter der kaiserlich königlichen österreich-ungarischen Monarchie. Nun verrate ich noch, damit ich vollends unmöglich werde, daß ich heute, im Jahre 1920 also, nicht älter als dreiunddreißig Jahre bin. Wie das? Ich nenne mich k. k. Staatsbeamter und die Monarchie ist tot? Ich bin noch jung und habe doch die Verwaltungsfreuden des alten Beamtentums ja gar nicht erleben können?! Nichts als Anachronismus, wie man sieht. Aber ist es denn in andern Dingen anders? Gibt es jemals ein Genügen an der Gegenwart? Leben wir nicht erst dann mit den Dingen, wenn sie nicht mehr »empirisch« sind? Still: Ich will versprechen, die Philosophie beiseite zu lassen. Wenigstens dies will ich versprechen, wenn ich schon nicht, grauser Dilettant, der ich bin, versprechen kann, eine wirkliche Geschichte niederzuschreiben. Ach, vielleicht könnte auch ein Berufsschriftsteller aus meiner Geschichte keine Geschichte machen, denn sie ist gar keine Geschichte, sie ist ein Nichts, eine Wolke in mir selbst.

Was aber mein Beamtentum anbelangt, so wende man sich nur an andere etwas träge Träumer, die mir gleichen. Man wird erfahren, wie unsereins ein wohldurchwärmtes Amtszimmer zu schätzen weiß, dessen klare Unpersönlichkeit er nicht antastet, wenn er es – ganz leise nur – durch zwei verschämte Bildchen an der Wand, durch ein paar verborgene Bücher, eine Decke, zwei Blumen und Zigarettenrauch vorsichtig mit dem eigenen Leben imprägniert. Da draußen vor dem Fenster herrscht doch zu jeder Jahreszeit eine Art von Winter, so daß man das Recht hat, sich der Wärme hinter seinem Rücken zu freuen. Winter, das ist natürlich eine Übertreibung. November ist ein weit besserer Ausdruck. In den ersten Tagen des Novembers gehen die Wogen der Städte am höchsten. Die Menschen eilen in rascherem Tempo und in dichteren Mengen über die Straßen, Blick und Bewegung zeigen die Gier nach Sensationen. Die Parlamente tagen, Skandale und Theater haben ihre große Zeit und man dreht schon um fünf Uhr das Licht an. Ja, November, das ist die ewige und behagliche Jahreszeit des Beamten. Nicht, daß er in seinem Zimmerchen im Hafen und ausgeschlossen vom Sturme wäre. Das Meer trägt ihn wie alle. Aber er sitzt nicht im Maschinenraum, er turnt nicht wie die Matrosen auf den Masten, er tafelt, spielt und tanzt nicht mit den Passagieren in den Gesellschaftsräumen, von jeglicher Seekrankheit verschont, thront er dicht unterhalb der Kommandobrücke. Er trägt keine Verantwortung für Wind und Wetter und nur eine ganz kleine Verantwortung für den Kurs des Schiffes, die er mit Tausenden teilt. In Wahrheit ist seine ganze Aufgabe, am Kompaß zu sitzen, und wenn es verlangt wird, einen flüchtigen Blick auf die Nadel zu werfen. Das Schönste ist es, wenn solch ein Blick, der ja weiter niemandem helfen kann, nicht verlangt, und unsereins in seinem träumerischen Nebel-Frieden nicht gestört wird. Doch will ich damit nichts gegen die Schönheit unserer Arbeit gesagt haben, die weniger Arbeit als eine Kunst ist. Wie Kunst hält sie Distanz zur

Wirklichkeit, wodurch sie sich den Spottbegriff der »Bürokratie« und des Amtsschimmels zugezogen hat. Aber gerade die Künstlichkeit der Manipulation ist so anziehend, für mich wenigstens. Die Behandlung eines Aktes unterliegt strengen und feinen Gesetzen, von denen der Laie, der immer nur seine Erledigung fordert, keine Ahnung hat. Der Sprach- und Schriftstil, der dem Ahnungslosen gewunden oder maniriert erscheint, hat chinesische Reize der Abstufung und Hinterhältigkeit. Ein falsches Wort konnte mich manchmal ähnlich verletzen, wie einen Musiker »verdeckte Quinten« oder eine falsche Modulation verletzen.

Diese Eigenart und Artistik haben wir mit der Bürokratie der meisten Staaten geteilt. Einzig aber waren wir in der wunderbaren und völligen Farblosigkeit der Menschen, die sie ausübten. Diese Farblosigkeit meiner Vorgesetzten, Kollegen und Untergebenen war es, die mich ganz besonders befriedigte und in meinem (nur kurz genossenen) Berufe glücklich machte. Warum, das konnte ich mir nicht erklären. All diese Menschen gehörten den vielen Ländern und Völkern der Krone an, aus ihren halsbrecherischen Namen, aus ihren Gesichtern, aus den Untertönen ihrer mühsam-gleichmäßigen deutschen Aussprache war Name, Gesicht, Sprache fremdester Rassen leicht zu entdecken. Durch die Arbeit von Generationen war ein menschliches Destillat aus all diesen Rassen abgezogen worden, das keine rechte Sprache sein eigen nannte, nirgends wurzelte als in Kanzleien, dafür aber durch Aufopferung gewisser Leidenschaften eine selten-unparteiische Gerechtigkeit in sich ausgebildet hatte, die mir besonders behagte. Trotz aller Weibergeschichten, trotz Zoten und schmutzigen Gewiehers, von dem oft die hohen Korridore widerhallten, herrschte in unseren Ämtern, (sie waren fast alle in alten Palais untergebracht) eine Art klösterlicher Sphäre. Denn diese Beamten waren ja zumeist Zölibatäre ihrer unterdrückten Volksnatur. Und unter diesen Zölibatären fühlte ich mich wohl.

Es wäre nun eine Lüge, wollte ich behaupten, so unjung und todesstarr gewesen zu sein, daß ich mich niemals aus dem dumpfen Nebel dieses Amtslebens fortgesehnt hätte. Im Gegenteil! Ich nahm jede Gelegenheit wahr, für eine Weile auszureißen. So konnte ich sogar dem Kriege einige schöne Seiten abgewinnen. Nachdem ich schon im Frieden bei einem Dragonerregiment mein Freiwilligenjahr abgedient hatte, machte ich als Leutnant die großen Vormärsche und Rückzüge im Osten mit, bis ich bei Limanowa ziemlich schwer verwundet wurde. Ich war kein Patriot, – was meine ungelenke Darstellung vielleicht glauben lassen könnte – meine Vorliebe für den österreich-ungarischen Staat blieb mir zur Zeit seines Bestehens sogar ganz unbewußt. Deshalb kehrte ich nach meiner Genesung nicht ins Feld zurück, sondern ließ mich entheben und wurde bei der Statthalterei eines Alpenlandes eingeteilt. Ich war den Dienst in Wien gewöhnt, der großen Stadt ohne Gesinnung: hier in der Provinz aber sah den Leuten eine enge und böse Gesinnung aus den Augen, eine angriffsbereite Beschränktheit, die ich nur schwer ertragen kann. Niemand war damals glücklicher als ich, da sich mir diese Sache im schönen B. bot. Und das kam so. Eines Tages befahl mich der Statthalter zu sich:

»Sie sind ja ein halber Gelehrter, lieber Sonnenfels! Ich habe von Ihren Tabellen erzählen hören.«

»Spielereien, Exzellenz!«

»Waren Sie nicht während Ihres Frontdienstes in Ostgalizien? Sie werden da Land und Leute kennengelernt haben bei Ihrem Interesse!«

»Ich habe viele Tage und Nächte in ruthenischen Bauernhäusern verbracht, Exzellenz!«

»Und die Juden haben Sie auch studiert?«

Während dieser Worte, so schien es mir wenigstens, sah der Graf nicht mehr offen wie immer mir ins Gesicht, sondern betrachtete meine etwas welligen Haare, die ich nicht gescheitelt, sondern zurückgestrichen trage.

»Die Juden kenne ich auch.«

»Da haben die Herren oben im Ministerium wieder etwas Echtes ausgekocht. Es handelt sich um die paritätische Verteilung der Kriegslasten auf die einzelnen Kronländer. Wir müssen ein Flüchtlingslager etablieren. Etwa hundert Evakuierte aus Ostgalizien. In Wien beginnt sich die Gesellschaft allzu fühlbar zu machen. Und nun bekommen wir sie auf den Hals.«

»In der Nähe von B. ist seit unserer Offensive ein Barackenlager frei, wo man dreimal soviel Menschen unterbringen kann, Exzellenz!«

»Dies war natürlich meine Idee. Und der Transport ist auch schon dahin abgerollt. Ich brauche nun jemanden, der die Sache ein bißchen organisiert. Sie sind zwar recht jung, aber die Aufgabe schlägt in Ihr Fach. Darum will ich Sie detachieren. Sie werden nicht gerade unglücklich sein, das Frühjahr in B. zu verleben.«

Der Graf legte leicht vier kühle Finger seiner Rechten in die meine. Er wußte Gruß und Ehrenbezeigung auf das Vielfältigste zu dosieren. Während altgediente und mir weit vorgesetzte Bezirkshauptleute nur drei fröstelnde Finger in die Hand gelegt bekamen, wurde ich durch einen vierten ausgezeichnet. Und mein Rang war nur der eines Kommissärs. Vielleicht wurde durch diese Nuance die Tatsache quittiert, daß meinem in Altösterreich nicht unbekannten Familiennamen die Baronie vorangestellt war, was natürlich mit wirklichem Adel nichts zu tun hatte, jedoch schon seit drei Generationen geschehen durfte. Im übrigen war die amtliche Beziehung zwischen meinem höchsten Chef und mir um eines Haares Feinheit verzeichnet. Während der Statthalter mit all seinen Beamten auf eine Weise verkehrte, die man im Sinne unseres eigenen Lebensstils vollkommen ausgewogen nennen konnte, wurde er mir gegenüber durch eine leise, ihm kaum bewußte Befangenheit irritiert, die wiederum auf mich rückwirkte. Ihn mochte an mir etwas Fremdes unmerklich beunruhigen, meine Belesenheit vielleicht, mein Verhältnis zum Dienst, der mir so sehr leicht fiel, daß ich ihn mit spielerischen Zutaten schmückte, wobei, ohne daß man mir ein Versäumnis nachweisen konnte, ich mich wohl ein wenig überhob. Damals schrieb ich die andere und persönlichere Behandlung, die mir zuteil ward, meiner Unabhängigkeit vor allem zu. Das Amt diente mir nicht zur Futterkrippe. Wenn ich mich jetzt auch schwer durchs Leben schlagen muß, noch vor wenigen Jahren war ich reich und völlig sorgenlos. Meine Freiheit – so schien es mir – kompromittierte mich bei meinen Kollegen und beeinträchtigte sogar die kalte Sicherheit des alten Aristokraten, der einer Ausnahme seiner Beamtenschaft gegenüber immer die Melodie erst mehrmals intonieren mußte. An jenem Nachmittag, da ich den Auftrag nach B. zu gehen erhielt, fügte er bei der Beurlaubung ganz erstaunlicher Weise in privater Freundlichkeit hinzu:

»Und grüßen Sie die Gräfin Pellizzari. Sie werden Sie ja besuchen.«

Fast widerstrebt es mir die Erscheinung dieser Frau meiner Geschichte einzufügen. Aber da ich weder eine Verpflichtung fühle, kunstreich zu erzählen, noch auch spannende Ereignisse zu berichten und besondere Charaktere vorzustellen habe, vielmehr das Ganze ein Nichts ist, das mir dennoch keine Ruhe gibt... lasse ich meine Feder laufen. Ich muß gestehen, daß ich nahe daran war, eine Lüge zu begehn, und der Gräfin einen anderen Namen zu geben, als den sie wirklich trägt. (Daß der Name Pellizzari eine Fiktion ist, braucht selbstverständlich nicht weiter erwähnt zu werden.) Aber sie hieß wirklich mit ihrem Taufnamen »Romilda«. Und ich hasse derart ungewöhnliche Namen. Wenn ein Mann dieser nüchternen Zeit zum Beispiel seiner Person zwei Rufnamen vorspannt, habe ich immer die Empfindung, das muß ein feierlich-dummer Mensch sein. Bei Frauen allerdings bin ich versöhnlicher gestimmt. Und gar Romilda hatte das Recht Romilda zu heißen. Trotzdem schämte ich mich ganz leise für sie und wollte sie schon Anna oder Martha nennen, um sie nicht in den Ruf der gewissen Verlogenheit zu bringen, die von einem Namen ebenso herweht, wie von einem Gesicht oder Gehaben.

Ich hatte Romilda an dem Tag nach meiner Verwundung kennen gelernt, als ich mit dem Krankentransport ins Hospital der großen Etappenstadt eingeliefert wurde. Das war ein wunderschöner, ein ekstatischer Morgen damals. Warum hat noch niemand die Psychologie des Verwundeten geschrieben? Es gibt kein Glück, das dem seinen gleicht. Sein Blut ist geflossen. So fühlt er sich im Tiefsten den Mächten versöhnt. Der Selbstaufopferungstrieb des Menschen ist befriedigt. Die Spannung zwischen den Mächten und ihm, die Leben heißt, ausgeglichen, er fühlt sich geborgen, er lebt in einem ganz erlösten Zustand. In diesem seligen Zustand sah ich Romilda zum erstenmal. Sie riß mit einer wunderbar tätigen Bewegung in dem Krankenzimmer, wo ich mit zwei anderen Offizieren gebettet worden war, die Fenster auf. Die weiße verhüllende Schwesterntracht schien wie bei all diesen Frauen weniger den sanitären Pflichten zu gelten als eine weise ausgedachte Robe zu sein, um Sterbende auf zarte Weise noch einmal zu entzücken. (So hat früher kein üppiger Ballpomp und später keine kniefreie Grazie wieder entzückt.) In der Sachlichkeit des Mitleidens, in den schamlosen Handreichungen, die gerechtfertigt waren durch den Samariterdienst, lag ein Keim von berauschender Verderbtheit, von leiser Unzucht, der zehnfach reizender dadurch wurde, daß er sich hinter humanitären Masken verbarg.

Romilda neigte über das Fieber und die verstiegene Übernächtigkeit unseres Hindämmerns ein Gesicht, das frisch und würzig war wie Bergluft, vollkommen-schöne, rot-ausgeschlafene Lippen und Augen, in denen eine ungeschmolzene Seele hart und begehrlich auf der Lauer lag. Hinter ihrer Schürze fühlten unsere erschrockenen Nerven einen festen und mächtigen Herzschlag, dem der tägliche Anblick des Todes nichts anhaben konnte. Ich erinnere mich noch, daß mein Bettnachbar, ein ganz junger Mensch, der zwei Tage später starb, als sich die duftende Kraft dieser Frau über ihn neigte, in Tränen ausbrach, in Tränen des Enthusiasmus und der Hinfälligkeit zugleich.

Es ist nicht meine Pflicht, von der banalen Schwärmerei zu berichten, die mich damals ergriffen hatte. Sie führte zu gar nichts, sie war eine Art kindischer Elektrizität, die ich mit tausend anderen jungen Leuten teilte. (Ich wurde übrigens nach drei Wochen in ein anderes Krankenhaus gebracht.) Nichts würde mir schwerer fallen, als mich an jene Gefühle auch nur zu erinnern. Unsere arme Generation hat ihre ganze Romantik im Heldenspiel der vier furchtbaren Jahre verbraucht. Wenn wir noch so sehr an unsere Brust schlagen, das Pathos ist erschöpft und wir müßten uns seiner schämen, da eine handfestere Jugend im abgebrühten Trott bei Jazz-Begleitung uns zur Tür hinausschiebt. Das ist keine Klage. Neun Millionen Männer unserer Jahre sind gefallen. Sollen nur die Toten tot sein?

Eine seltsame, mir ganz neue Müdigkeit hinderte mich, als ich in B. eingetroffen war, sogleich in meinen Dienst zu gehen, und auch den Besuch zu machen, dessen Erwartung auf der ganzen Bahnfahrt meine Nerven so lebhaft durchprickelt hatte. Nach langem Suchen fand ich ein Quartier etwas außerhalb der Stadt in einem weißen Haus an der südlich grellen Chaussee, das ganz verborgen in einem verwilderten Obstgarten stand. Mein Zimmer, dessen Boden schaukelte und das ganz der großen Kabine in einem altertümlichen Schiffe glich, schaute mit seinen beiden Fenstern nach Osten. Der Fluß blieb unsichtbar. Er war von einem Sturz mächtig blühender Obstgärten verschüttet. Jenseits dieser wilden Blust stand streng und starr ein Waldberg auf. Vom Gipfel zum Fuß zog sich schnurgerade eine Rinne, eine jener Berg-Wunden hin, wie man sie der Talfahrt des Holzes wegen aus dem Wald zu hauen pflegt. Ich bemerkte, daß öfters am Tage zwei weiße Kästen in dieser Rinne auf- und niederzugleiten pflegten. Eine Schwebebahn, sagte man mir. Ich liebte es nicht, der Fahrt dieser Kästen zuzusehn. Das erzeugte in mir ein Schwindelgefühl. Es war aber kein rein physisches Schwindelgefühl, ebensowenig wie meine Müdigkeit rein körperlicher Natur war. Ich erwachte täglich wie in Ketten. Doch gab ich die Schuld an dieser Erschöpfung dem Frühling, der wie eine Vulkan-Eruption von Blüten über dem Tale dampfte.

Erst am dritten Tag hatten meine amtlichen Gewissensbisse über die merkwürdige Lethargie gesiegt. Ich raffte mich auf und ging zur Bezirkshauptmannschaft, wo mir ein Schreibtisch eingeräumt und ein Subalternbeamter zugeteilt wurde, der mich zu den meiner Obhut anvertrauten Kriegsflüchtigen bringen sollte. Unbegreiflich war es, wie in diese glühende, überall von weißen und roten Zinken umgipfelte Landschaft, die öde Steinhalde kam, auf der die Baracken des Lagers errichtet worden waren. Man glaubte auf einer ausgedorrten Steppe zu stehn oder im toten Umkreis einer Großstadt. Zwanzig Familien etwa waren in den Baracken untergebracht, ruthenische Bauern, die mich mit unbeschreiblich gleichgültigen Augen anstarrten. Männer und Weiber standen zumeist vor den Blockhäusern. Wenn sie mein Schreiber ansprach, antworteten sie kaum, keiner hatte ein Anliegen, keiner aber sah uns weiter nach. Ich kannte vom Kriege her diese Trägheit und Gleichgültigkeit, dieses Alles-mit-sich-Geschehenlassen. Mitten im Artilleriefeuer hatten dieselben Weiber, als ginge sie der Lärm nichts an, wie Tiere unbelehrbar, in den Feldern Kartoffeln gehäufelt und in den zusammenbrechenden Chaluppen ihre Pirogen gebacken. Ich hatte das Gefühl, daß durch diese erste Inspektion meine Aufgabe beendet wäre; hier würde sich nichts ereignen, was der Schreiber neben mir nicht besser erledigen könnte als ich. Denn in der korrekten Führung der Standesliste, im Auszahlen des Flüchtlingsbeitrages, in der Fassung der verschiedenen Reluten war er mir gewiß über.

»Das ist alles?« fragte ich.

»Wenn nur diese Juden nicht wären!« Das sagte der Schreiber mit klagendem Tonfall. »Denken, Herr Baron, wir haben ihren Wunderrabbiner in der großen Baracke ganz allein untergebracht. Aber damit waren sie auch nicht zufrieden. Ein Geschrei war das. Anstände, Hin- und Herlaufen, als ob der Staat die Verpflichtung hätte, ihnen das Hotel ›Kaiserin von Österreich‹ einzuräumen. Auf einmal waren sie alle aus dem Lager fort. Und jetzt wohnt die Bande in einem Haus in der Stadt. Wie sie es gemacht haben, das weiß kein Mensch.«

Da das Haus nur ein paar Minuten weit entfernt vom Lager stehn sollte, ließ ich trotz der quälenden Sonne mich sogleich einführen. Auch dieses Haus war ein schreiender Widerspruch zur Stadt und Landschaft ringsum. Ein Proletarierneubau voll von scharfen und feuchten Gerüchen schien es vom Ufer großer Vorstädte hierher verpflanzt in die Welt gesegneten Blühens. Und wie eine Krankheit hatte es seine Umgebung leergefressen.

Ein wüstes Geschrei empfing uns, das trotz seiner Scheußlichkeit einem korrumpierten Gesang glich, denn in scharfen Intervallen sprangen die Töne immer die Tonleiter hinauf und blieben oben, erschrocken grinsend. So auch grinsten die Augen der schmutzigen Weiber, die uns, mit großköpfigen Kindern im Arm, umdrängten. Nicht mehr die tierische Gleichgültigkeit der ruthenischen Bauern starrte mich an, sondern eine überschwengliche Neugierde, in deren Ferne wie ein Bajazzo verzweifelter Hohn grimassierte.

Ich muß mich hier kurz unterbrechen, obgleich ich nicht zu jenen Menschen gehöre, die mit viel Stolz bei psychologischen Sonderbarkeiten verweilen und nichts mit mehr Eitelkeit tun, als verzwickte Mysterien zu konstruieren, wenn es sich um recht begreifliche Dinge handelt. Aufrichtig gesagt, ich liebe leidenschaftlich alles, was mit rechten Dingen zugeht, schon darum, weil ich eine bebende Angst vor allem Übernatürlichen habe, selbst wenn es eine nur minder erklärliche Natürlichkeit ist. Als ich in meiner Jugend zum Beispiel wie alle Welt schließlich ein paarmal am Tischrücken teilnahm, versetzten mich die läppischen, mechanisch wohl zu deutenden Phänomene, die sich da zeigten, in einen Taumel von Aberglauben, Schrecken und Jenseitswahn. Aber das gehört wahrhaftig nicht hierher, denn das Erlebnis jener kurzen Sekunde vor diesem Haus hatte nichts mit Spiritismus und okkulten Kräften zu tun. Es war nicht einmal das Erlebnis nach der Formel: »Dies habe ich schon einmal erlebt«, keineswegs war es das, obschon nicht minder quälend. Ich fand gar nichts wieder, was ich jemals schon gesehen hätte, ich erinnerte mich nur, einmal einen bestimmten Traum geträumt zu haben, doch zugleich war ich überzeugt, diesen Traum niemals geträumt zu haben, dessen Bild sich mir in diesem Augenblick aufdrängte. Was für ein Bild? Ich fühle mich in einem schmutzigen Korridor stehen, oder besser, im Stiegenflur eines unangenehmen Hauses, das von widerlichem Lärm erfüllt ist, der aus offenen Wohnungstüren, vom Dachboden herab, vom Lichthof empor schallt. Der Raum ist erfüllt vom Geruch kochenden Fettes, der mir Übelkeiten verursacht. Ich stehe inmitten einer schwarz und schlampig angekleideten Schar, die laut die Treppe hinaufdrängt. Diese Menschen sprechen zu mir mit Worten, die mir durchaus fremd sind, aber mein Einverständnis voraussetzen, als wäre ich ein Glied ihrer Verschwörung. Der Tonfall dieser Worte, die Miene mit der ich sie anhöre, die Gesten, die ich entgegennehme und erwidere, all das erfüllt mich mit hoffnungsloser Schlaffheit und einem wilden Fluchttrieb zugleich.

So kurz diese Traumerinnerung war, sie hatte mich ganz krank gemacht, und hätte ich zur Zeit meinen Willen wiedergewonnen, wäre ich trotz meiner Pflichten wenigstens zu dieser Stunde umgekehrt und hätte das Haus nicht betreten, das diese Traumempfindung erzeugt oder wieder erzeugt hatte.

Ich fand natürlich, als ich den Flur betrat, eine ganze andere Örtlichkeit vor als die meiner Vision. Vor allem schienen mehr und weit fremdere, die fremdesten aller Menschen mich zu bedrängen. Sie schoben mich auch nicht in ihrem Zug die Treppe hinauf, sondern hinderten mich, schreiend und klagend, sie zu betreten. Ich konnte keines ihrer Worte verstehn und sie schienen auch weiter kein Gewicht darauf zu legen, als wäre das ganze Lamento ein genußreicher Selbstzweck. Weit mehr Frauen zeigten sich als Männer. Die Weiber trugen nicht die Kleider von Proletarierinnen, sondern schmierige und zerfetzte Damenkostüme einer verschollenen Mode, ebensolche Schuhe mit schiefgetretenen Stöckeln, um den Kopf aber schwarze spitzenartige Tücher. Die Männer hatten alle spiegelnde Kaftane an und abgerissene Samthüte, die sie auch unter Dach nicht abnahmen. Der Zustand willenloser Betäubung, der mich ergriffen hatte, ließ mich eine große Menschenmenge versammelt fühlen, trotzdem ich doch wußte, daß in diesem Haus mit Kind und Kegel nicht mehr als siebenundvierzig Leute untergebracht waren. Ich spürte, daß ich mich unmöglich benahm, daß ich die Autorität, die mir von Amts wegen verliehen war, herabwürdigte, dadurch, daß ich kein Wort herausbrachte und nicht einmal die ruhig-steife Haltung einnahm, mit der eine öffentliche Person im Dienste zudringliche Parteien abzuwehren weiß. Ich schämte mich vor meinem Begleiter, fand aber keine Kraft, ihm die Roheiten zu verweisen, mit denen er die Juden traktierte. Ich erinnere mich, auf seinem Gesicht die verzückte Miene eines Tierquälers gelesen zu haben, als er einem dieser Wehrlosen einen Schlag versetzte, den dieser wie eine heitere Auszeichnung hinnahm.

Es geschah so, daß ich, ohne zu wissen wie, plötzlich vor einer Tür stand, die ein großer Jude hütete, der mir ein wild-entschlossenes Gesicht zuwandte, ein ganz anderer Mensch, als die weichlichen Schreier, die mich beim Eintritt empfangen hatten. Er öffnete mir die Tür, aber, als mein Schreiber eintreten wollte, schob er ihn stumm und mit unwidersprechlicher Kraft zurück. Eine große Stube lag vor mir, oder besser eine Küche mit einem widerwärtigen Herd, auf dem ungewaschene Eßgefäße und Biergläser standen. Die Kahlheit des Raumes war nicht eine gewöhnliche Kahlheit, sondern eine hoffnungslose Öde voll Schmutz, Feuchtigkeit und Verwahrlosung, so, als hätten die Bewohner den Kampf gegen diese Mißstände vor Müdigkeit aufgegeben, oder aus Trägheit gar nicht aufgenommen. Es war kaum mehr Schmutz, was den Fußboden bedeckte, sondern eine dicke Schicht von kotigem Lehm, dessen Herkunft mir unbegreiflich war, da auf den Straßen und Wegen draußen die harte kiesige Trockenheit in der Sonne glitzerte. Und aus diesem Schmutz pickten ein paar Hühner, denen man den Raum nicht verwehrte, ruhig zwischen den Füßen der Menschen ihre Nahrung. Etwa zehn Männer waren von einem langen Tisch aufgestanden und erwarteten mein Näherkommen. Dieses Näherkommen aber fiel mir ungemein schwer, denn ich hatte meine Sicherheit noch immer nicht gewonnen. Nun stand ich vor diesen Menschen und mußte ihren zehnfachen Blick ertragen. Es schien mir, als ob dieser Blick eine lange Wandlung durchmache von feindseliger Angst, suchender Prüfung zu verachtender Erleichterung. Wenn ich auch meine Fäuste ballte, ich mußte vor solcher zudringlichen Durchforschung meinen eigenen Blick niederschlagen und während ein ganz unbekanntes Ekelgefühl meiner selbst mich entnervte, tat ich die dumme und übliche Frage aller Inspektoren: »Wie geht es Ihnen?«

Einer der Bärtigen trat auf meine Frage etwas näher an mich, breitete die Arme aus und begann in einem krampfhaften Hochdeutsch eine Ansprache, die er mit der Titulierung: »Hoher Herr Regierungshof« einleitete. Ich war noch immer nicht im Stande, dem Sinn dieser verrenkten Worte zu folgen, aber um mir wenigstens den Anschein des aufmerksamen Funktionärs zu geben, zog ich ein Notizbuch hervor und zeichnete mit anteilnehmendem Kopfnicken sinnlose Striche und Zeichen ein. Als ich aber den Kopf von dieser angestrengten Verlegenheit hob, hatte sich die Situation der Stube für mich vollkommen verändert und ich sah nichts vor mir, als den wild-ungeheuren Kopf dessen, der im Lehnstuhl am Fenster saß. Vielleicht wäre der Kopf des Rabbi im ersten Anschaun nicht so märchenhaft erschreckend gewesen, hätte ihn nicht die riesige Pelzmütze gekrönt, die seine Gewalt verdoppelte und verdreifachte. Diese Pelzmütze aber war nichts anderes als die Potenzierung des Bartes, der Wesen und Leben des Gesichtes bildete. Der graue Bart strömte schon unterhalb der Nasenwurzel hervor, die Augenbrauen waren Bart, die glänzend gedrehten Schläfenlocken vermischten sich mit ihm, ja selbst mitten auf dem Rücken der herrischen Nase wuchs ein dichter Busch grauen Barts. Dieser Bart hatte aber eine hypnotische Lebendigkeit, er konnte lächeln, ja dieses Lächeln in verschiedenen Graden aussenden und zurückhalten, er bestimmte, wie weit man Abstand halten oder sich nähern durfte der überlebensgroßen und fettleibigen Gestalt, die, ein andrer Goliath, im Lehnstuhl lastete. Das unruhige Leben des Bartes wurde allein von zwei kleinen funkelnden Sternen regiert, die in der tiefsten Tiefe zweier Höhlen residierten, und nun auch mich, der sogleich gehorchte, näher befahlen. Der Alte ließ mich eine Weile vor sich stehn, dann schnipste er mit zwei langen Fingern seiner bis an die Nägel bärtigen Hände, worauf sich vom Schemel neben ihm ein junger Mensch erhob, um sich demütig zu den andern fortzuschleichen. Der Rabbi schnipste wiederum, ohne ein Wort zu sagen, ich verstand und saß schon, ehe ich an einen Widerstand denken konnte, auf dem Schemel zu seinen Füßen. Der Gigant nickte mehrmals, als sei er mit sich zufrieden, dem Fremden eine Ehre erwiesen zu haben. Zum Überfluß ließ er noch einen Augenblick lang eine seiner weichen haarigen Hände auf meiner Schulter ruhn, denen man anfühlte, daß sie niemals die geringste Erdenarbeit geleistet hatten. Vor mir und dem Rabbi stand ein kleiner Tisch, auf dem ein Laib Brot lag, ein Messer und ein Teller mit einem geräucherten Hering, dessen widerlicher Geruch mir in die Nase stieg. Ohne ersichtlichen Grund schob der Alte einmal den Teller an die Stelle des Brotes, legte das Messer von rechts nach links, und wieder alle Gegenstände zurück an ihren alten Ort. Ich wagte auf meinem Schemel, der mich zu einer unmöglichen Lage erniedrigte, keine Bewegung zu machen, denn als ich mich einmal leicht gerührt hatte, hatten mich die gewaltigen Hände, deren Gefangener ich war, sogleich niedergedrückt. Dabei meinte es der Rabbi mit dem »Christen« gar nicht böse, sondern erwies mir, nach seiner Meinung, nichts als ehrenvolle Aufmerksamkeit.

Plötzlich neigte er sich weit zurück und schloß die dicken und schweren Lider seiner Augen. Wie mit einem Schlag schwieg der Lärm an dem langen Tisch, wo die andern saßen. Ich glaubte nun, der Riese sei eingeschlafen und für mich die Zeit gekommen, den Bann abzuschütteln, mich zu erheben und durch allerlei Fragen die Situation an mich zu reißen und die notwendige Amtsautorität endlich zu gewinnen. Aber es kam anders. Ich blieb weiter sitzen, ohne mich zu bewegen, denn aus der mächtigen Brust des Rabbi stieg, während er ruhig zu schlafen schien, ein seltsames und wohltönendes Gurgeln auf, welches in ein samtenes Summen überging, Kraft sammelte und sich zu einem klangerfüllten langen Triller ausweitete, der langsam abschwoll und wiederum in dem samtenen Nachhall verklang. Die Wirkung dieses kurzen, aus innigster Seele geholten Traumgesanges auf die Menschen in diesem Raum war nicht zu beschreiben. Wie Katzen, denen man übers elektrische Fell streicht, den Bukkel vor Wonne machen, schnurren und spinnen, so auch schienen sich den Juden hier die Haare vor Wonne zu sträuben. Sie schaukelten hin und her, tanzten auf ihrem Sitz, beugten sich auf und nieder, lehnten sich, als sähen sie den Himmel offen, weit zurück, und wiederholten die kurze Melodie mit leisem Tremolieren, die der Alte immer von neuem aufnahm und variierte. Am tiefsten erschüttert von dem merkwürdigen Lied erschien mir der junge Mensch, der mir den Schemel vorhin überlassen hatte. Es war ein hagerer Bursch von zwanzig Jahren mit blassem rotem Haar, einem dünnen Bärtchen und einem Gesicht voll Sommersprossen. Dieses Gesicht war bis zum Tod erblichen, die Gestalt rührte sich nicht, aber Wangen und Lippen zitterten. (Ach hätte ich damals sein Gesicht nicht gesehn. Nun werde ich es niemals vergessen dürfen!)

Der Einzige, der in der schmutzstarrenden Stube dem allgemeinen Zauber sich entzog, saß mit herabhängenden Beinen auf dem Herd. Dieser Mensch war auch der Einzige, der keinen Kaftan, sondern europäische Kleidung trug, Wickelgamaschen, Militärhosen und einen schwarzen Sweater. Er glich mit seinem scharfen und zynischen Profil einem stellungslosen Schauspieler, wie ich sie oft in den Theaterwirtschaften gesehen hatte. Nichts in diesem Raum, der mich doch mit der Klammer einer hypnotischen Depression festhielt, nichts war mir hier so lästig, wie dieses Gesicht, dieser Blick, der sich, wie ich es empfand, schamlos und zerstörerisch an mich saugte. So empfand ich es schon als Erlösung, als der Rabbi aus seinem Schlaf oder seiner Betrachtung erwachte und mit einer ganz anderen befehlshaberischen Stimme ein paar Sätze sprach, die er zu den Männern hinüber wie einen Knochen unter Hunde warf. Sie stürzten sich auf den Knochen und eine Reihe neuer Seltsamkeiten hob an. Ein Teil begann sogleich einen wilden Streit, daß man hätte denken können, es gehe hier um Tod und Leben, um Geld und Besitz, nicht aber um die Lehrfrage eines Rabbi. Zwei ältere Menschen saßen einander gegenüber wie Schachspieler und setzten behutsam, mit Pausen, Zug um Zug den Singsang ihrer Dialektik einander entgegen. Ein Einzelgänger hatte sich abgesondert und ging mit zärtlich affektierten Schritten auf und ab, als überlege er ein Liebesgedicht. Seine Augen hatte er schlauverzückt auf die Hände gerichtet, die vor sich hin in die Luft hinein kalligraphierten. Nur der rothaarige Jüngling saß teilnahmslos, während der schauspielerhafte Mensch auf dem Herd belustigt und mit unermeßlichem Überlegenheitsgefühl die Streitenden begrinste. Endlich wagten sich einige der Ältesten an den Rabbi heran, um ihm die Antwort auf seine Sätze vorzutragen. Der interessierte sich aber gar nicht mehr für ihre Resultate, sondern winkte eine rasche Stille herbei, indem er mit unbeweglichen Lippen einen eigenartigen Zischlaut hervorbrachte: »Schâ!«

Als die volle Ruhe wiederhergestellt war, nahm der Alte das Messer, zerschnitt den Hering in zwei Hälften und warf die eine dem jungen blassen Menschen zu, was von den Versammelten mit einem Ausruf des Staunens begleitet wurde. Denn wodurch hatte der Stumme und Gleichgültige solche Auszeichnung verdient? Der Alte aber ließ sich nicht beirren, ergriff den Teller mit der anderen Heringshälfte und präsentierte mir mit freundlicher Manier die ekelhafte Speise. Ich fühlte, wie ich schmählich errötete. Ein fürchterlicher Widerwille erfüllte mich bis in die Haarspitzen. Und es war mir, als ob dieser Widerwille nicht nur der Heringshälfte, die ich schon in der Hand hielt, gälte, sondern zugleich eine Angst war, eine Angst vor Gift, vor Zauberei, vor einer teufelssakramentalischen Vermischung. Ich zögerte immer noch, ich überlegte im leeren, öden Gehirn eine Ausflucht, die sich nicht zeigte. Alle Augen hingen an mir, der Mann auf dem Herd schien sich über meine Lage höhnisch zu amüsieren, der ausdrucksvolle Bart des Rabbi böse zu verfinstern, ich zog die Pause bis an die Grenze ihrer Möglichkeit. Keine Hilfe kam. So stellte ich denn mit allem Heroismus Geruch- und Geschmackssinn ab, steckte den Fisch in den Mund und schlang ihn mit Schuppen, Schwanz und Gräten durch die erschrocken würgende Kehle hinab. Das wirkte auf alle wie ein Signal. Der Rabbi erhob sich ächzend aus seinem Lehnstuhl und jetzt erst konnte ich ermessen, welch ein Koloß neben mir gesessen war. Das Zimmer zitterte bei jedem Schritt, den er tat. Er legte sich darum weiter keine Beschränkung auf, er stampfte sogar mehrmals den Boden, ehe er diese neue Weise anstimmte, eine profane Weise diesmal, wie es schien, ein Kampf- oder Triumphlied. Und mit wilden Stimmen fielen die anderen ein, während alle den Marschtakt mit den Händen klatschten. Die Wirkung war betäubend. Ich konnte mich nicht entziehn, trotzdem ich im Innersten mißtrauisch ahnte, meine Person sei selbst der Gegenstand dieses Triumphliedes. Der Takt wurde immer schneller, der Tanz immer rasender und plötzlich begann die Riesenfigur des Rabbi im Tanz sich zu drehn. Der Tanz aber war nicht plump, nein, zierlich sogar und schwebend, als hätte der Gottesrausch die gewaltige Masse erleichtert und eleviert. Der Vortanz des Alten löste einen gewaltigen Jubel seiner Jünger aus, nun drehten sich alle, es wurden ihrer immer mehr, denn durch die offene Tür tanzten all die Juden, Männer und Weiber, in die Stube, die mich im Hausflur mit ihrem Gejammer empfangen hatten. Vom Fußboden stiegen Schmutz- und Staubwolken auf, die den Atem erstickten. Wenn nicht plötzlich mein Amtsschreiber mit verzweifeltem Gesicht vor mir gestanden hätte, ich weiß nicht, – vielleicht wäre ich ohnmächtig geworden, oder ich hätte mitgetanzt.

II. Nichtige Dinge

Ich habe die flüchtig hingeschriebenen Blätter durchgelesen, die ich zum ersten Kapitel des Erlebnisses zusammengefügt habe, das ich mit sehr anfechtbarem Recht eine Geschichte nenne. Meine Entmutigung nach der Lektüre war so groß, daß ich einige Tage lang meine Arbeit ruhen ließ. Denn wenn ich auch eingangs die recht durchsichtige captatio benevolentiae geübt habe, mich einen Dilettanten zu n e n n e n , so habe ich doch so viel gelesen, und mir über die Schriftstellerei Gedanken genug gemacht, um nicht leichten Herzens ein Dilettant zu s e i n . Wäre ich ein Novellist und könnte meine schön erfundene Fabel herunterphantasieren, würde mir jetzt wohler. Aber ich berichte etwas Wirkliches, und da quält mich mehr noch als ein durchschnittlicher Kunstverstand die Pedanterie der Richtigkeit und Reihenfolgerichtigkeit. Habe ich mich vorhin mit der ganzen zögernden Nervosität des Anfangs vorgestellt, um mit dem aufgeregten Bericht einer aufregenden Szene unvermittelt zu enden, so darf ich meine Sünde jetzt leider nicht gut machen, ich darf nicht bei weiterer Schilderung des Wunderrabbis, der Ostjuden und ihres Hauses verweilen, ja, ich kann verraten, daß wir dieses Haus kaum mehr betreten werden. Die Reihenfolge der Dinge verlangt, daß ich in der Unordnung und Sprunghaftigkeit meiner Darstellung fortfahre. Denn am gleichen Tage schon, da meine erste Amtshandlung so absurd verlaufen war, konnte ich, trotz meines erschlafften Zustands und allerhand innerer Warnungen, der Versuchung nicht widerstehen, die Villa Pellizzari aufzusuchen, der übrigens ruhig der Titel eines Schlosses zuerkannt werden darf. Jedenfalls war der Garten, der die Villa umschloß, kein Garten, sondern ein mächtiger Park, der einen guten Teil des berühmten R.-Berges in Anspruch nahm. Ich begegnete Romilda noch im Park in der Nähe des Hauses, d. h. ich begegnete nicht ihr allein, sondern einer ganzen Gesellschaft, die mir fremd war. Romilda schien sich über unser Wiedersehen zu freuen, denn sie nahm mich unterm Arm und stellte mich ihren Freunden als ihren »lieben Kriegsschützling und medizinisches Opfer« vor. Wenn sie auch ihre Spitalstätigkeit ironisierte, so fühlte ich doch aus ihren Worten eine Genugtuung, in den Tagen der bürgerlichen Erhebung nicht müßig gewesen zu sein. Mochte das pathetisch aufgeblähte Opfer, für ein paar Monate dem Luxus und der Freiheit entsagt zu haben, trotz Blut und Wunden reichlich durch mancherlei »Hetz« aufgewogen worden sein, so war man doch ausgerissen! Nicht anders blickte ich auf meine »Heldenzeit« zurück, deren moralischen Eigenwert ich sogleich als einen der dümmsten Schwindel durchschaut hatte, die ich aber doch niemals hätte missen wollen, weil sie ähnlich wie das »Glück bei Frauen« ein Zeugnis ausstellte über Jugend und leidlich grade Glieder (im Anfang des Krieges wenigstens). So waltete im Augenblick unserer Begegnung zwischen Romilda und mir ein geheimes und wohltuendes Einverständnis, was umso merkwürdiger war, da ich die »Schwester Roma« des Kriegsspitals von »L« durchaus nicht wiederfinden konnte.

Die langbeinige, überaus hohe Dame neben mir im Tenniskostüm hatte nichts, gar nichts mit jener Schwester zu tun, deren mütterlich-lustiger Erdenhaftigkeit man sich, vom Tode rückkehrend, wie ein schläfriges und schamloses Tier einst überlassen hatte. Der nackte Arm, der mich leicht unterfaßt hielt, wurde von Sekunde zu Sekunde fremder und konventioneller. Auch mein Körper zog sich immer höflicher und genierter in sich selber zurück, derselbe Körper, dessen intimste Verrichtungen und Organe unglaublicherweise das fremde junge Weib neben mir mit den streng-kalten Augen ärztlicher Erfahrung oft betrachtet hatte. War es denn möglich, daß diese Romilda, ehe man mich damals so schwer operierte, die heimlichste Stelle meines Leibes mit resoluten Strichen rasiert hatte? Im Augenblick, da dieser letzte Gedanke durch meinen Kopf ging, ließ die Gräfin meinen Arm fahren.

Es war uns ein großer, fünfzigjähriger Herr entgegengekommen, ein Kavalier nach der Schablone, mit einem ewig verdutzten Ausdruck im Gesicht, Romildas Vater. Sie lebte mit ihm allein in B., trotzdem sie verheiratet war. Aber davon wurde niemals gesprochen, noch auch tauchte der Mann, dessen Namen sie trug, je auf. Mit ausgesuchter und zugleich abwesender Liebenswürdigkeit nahm mich nun der Hausherr in Beschlag. Wir gingen hinter den andern der Terrasse zu und ich konnte das wunderschöne Schreiten Romildas frei betrachten.

»Sind Sie ein Verwandter des ehemaligen Hofschauspielers?« wurde ich gefragt. Ich weiß nicht, warum ich wegen dieser dummen und harmlosen Verwechslung meines Namens in solche Mißstimmung geriet. Aber mir war es, als müßte ich umkehren, um diese eisig-freundliche Fremdheit, in die ich geraten war, fliehenden Fußes zu verlassen. Ich floh natürlich nicht, sondern lächelte unbestimmt verneinend, um den Frager durch eine Korrektur nicht in Verlegenheit zu bringen. Dieser aber hielt schon ganz anderswo, bei Jagden, die er in Afrika abgehalten, bei seiner großen Passion, auf die er, wie es schien, immer und überall zu reden kam. Plötzlich brach er diesen Exkurs ab, und wohl um mir eine alberne Höflichkeit zu erweisen, seufzte er:

»In früheren Jahren bin ich öfters ins Theater gekommen, Herr von Sonnenthal.« Es wäre für mich ein leichtes gewesen, den Namensirrtum jetzt aufzukären. Aber – (ich erzähle diese Nichtigkeit nur, um mich selbst zu charakterisieren) – die verfluchte Lähmung, die eh und je über meinem Leben, Tun und Denken liegt, machte mich stumm und zwang mir ein bedauerndes Kompliment darüber ab, daß der arme Graf jetzt weniger ins Theater ging als zu Zeiten des seligen Sonnenthal.

Eine Viertelstunde später saßen wir beim Tee auf der Terrasse, die über einen Wall von Rosenhecken den Blick hinab auf den Fluß gewährte. Ich unterlasse, um den Leser und mich nicht zu langweilen, die Schilderung der Gesellschaft, die um den Tisch versammelt war. Unterlassen? Das ist wiederum eine dilettantische Ausrede! Ich könnte dieses ganze Menschendutzend gar nicht schildern, weil mein Gedächtnis dazu nicht ausreichte. Viel leichter würde es mir fallen, jeden einzelnen der Juden von heute vormittag zu beschreiben. Diese eleganten Menschen hier auf der Terrasse sind vollkommen in mir erloschen und nichts ist zurückgeblieben als ein Tonfall, den sie alle in gleicher Weise bis in die feinste Schwingung ausgearbeitet hatten, ein Klang gewollter und raffinierter Ignoranz, der zugleich rücksichtslose Familiarität untereinander und ausgewitzte Überhebung gegen alles Fremde bedeutete. Ich kannte diesen Tonfall genau, denn unter derartiger Gesellschaft hatte ich mich oft und gleichmütig bewegt. Da ich versuchen werde, meine schlechten Eigenschaften (soweit sie hierher gehören) nicht zu beschönigen, darf ich jetzt ruhigen Gewissens von mir behaupten, daß ich niemals ein Snob gewesen bin. Mein Gott! Wie hätte ich ein Snob sein sollen bei dem vollkommenen Ehrgeizmangel, bei der schläfrigen Unstrebsamkeit, die meinen Vater immer so erbost hatte, ihn, der vielleicht ein Snob gewesen ist. Daß mir die Bekanntschaft mit Fürsten und Grafen gleichgültig war, rechne ich mir wahrlich als kein Verdienst an, eher schon, daß mich auch die Gegenwart berühmter Künstler nicht um meine Ruhe brachte. Meine Schwäche war eigentlich nur eine mit religiösem Grauen gemischte Bewunderung für wissenschaftliche Geister, für jene klare, präzise Denkschärfe, die mir so bitter fehlt, trotz meiner statistischen Tabellen. Umso merkwürdiger, daß der Gelehrte, der sich in dem Kreise befand, mir solche Verachtung einflößte, ja einen ganz unbekannten Zorn in mir aufstachelte. Professor von Wertheimer ließ er sich nennen, war noch keine Vierzig alt, und präsidierte (Gott weiß warum gerade er präsidierte) an diesem Jausentisch mit einer geschmeichelten Aufgeblasenheit und frechen Salbung, wie ich sie noch in keinem Menschen erlebt hatte. Welcher Wissenschaft Gelehrter er war, konnte ich nicht entscheiden. Aber auf den Kopf hätte ich ihm zusagen können, daß er die Ohrfeige irgend eines der Herren hier, ohne sie weiter zu beobachten, eingesteckt hätte, um mit starren wasserblauen Augen dem Wunder seiner Suada weiter nachzublicken. Ich mochte mir ganz gut denken, daß der Herr zu meiner Linken – an meiner rechten Seite saß Romilda – diesen schwätzenden Denker ohne Begründung mit nonchalanter Freundlichkeit hätte vom Ort weisen können. Leider tat es dieser mein Nachbar nicht, den mir Romilda als »Graf Lajos, der lächerlichste Mensch auf der Welt« vorgestellt hatte. Dieser Graf Lajos hatte tatsächlich das Gesicht eines angealterten Zirkusclowns. Er formulierte hie und da mit verzwickter Umständlichkeit einen Satz, der auf den ersten Blick so dumm schien, daß man staunte. Aber es war gar keine Dummheit, die er vorbrachte, oder wenn es doch Dummheit war, eine so komplizierte, durchdachte, ja subtile Dummheit, daß einem schon der denkerische Umweg zu dieser Dummheit mit Respekt erfüllte. Das Gegenteil war bei Herrn von Wertheimer der Fall. Er produzierte Sentenzen, Aphorismen, Maximen, Hypothesen, Reflexionen in beängstigenden Wortstürzen, daß die Luft ihm zu Häupten nicht bloß von der Frühlingswärme zu zittern schien. All diese Weistümer tauchten aber nicht als Resultate langer und ernsthafter Gedankenarbeit auf, sondern als Improvisationen, als Wort-Vogelschwärme, die sich diesen großgebauchten und blondbeflaumten Säuglingswasserkopf zum Nest erwählt hatten. Nein! Nicht in diesem dünnumfiederten Schädel schienen die raschen Worte geboren zu sein, sondern unmittelbar im kleingezeichneten

Mund auf der Zunge, auf einer trockenen und aufgebogenen Vogelzunge. Was da alles um unsere Ohren schwirrte! »Neues Staatsgefühl und der großösterreichische Gedanke, der sich mittels dieses Krieges durchsetzen würde!«, »Hegemonie der starken Rassen und Aufgabe des Adels innerhalb der Monarchie!«, »Thomas von Aquino«, »Neue Katholizität«, »Comenius und die böhmische Idee«, »Goethe und Europa«, »Goethe und Vorarlberg«, »Goethe und der Papst«, »Goethe und der Islam«, »Goethe und die Astrologie«, »Goethe und alle Teufel«. Der Professor sprach keinen Satz ohne Goethe zu beschwören. Ich sah das gekräuselte Mäulchen und haßte Goethe. Mehr noch, eine Beklemmnis, ja ein wirkliches Unwohlsein kam über mich.

Die Aristokraten hörten diesen Schwall mit der impertinenten Höflichkeit von Leuten an, die einen Taschenkünstler, der ihnen eine Extravorstellung gibt, bei Tisch behalten haben. Nur zwei alte Damen, Gönnerinnen dieses Herrn, wie es schien, sahen mit fassungsloser Erstorbenheit auf seinen Mund.

Wir schrieben das vorletzte Kriegsjahr und so waren die Lekkerbissen, die man zum Tee servierte, von zweifelhafter Köstlichkeit. In der Hauptsache gab es Sandwiches, die mit kleinen Sardinen belegt waren, und zum zweitenmal an diesem Tag mußte ich einen konservierten Fisch hinabschlucken, wie sehr auch meine Nerven dagegen revoltierten. Herr von Wertheimer hatte kein Einsehn. Mit der ungerührten Miene eines Mannes, der gewillt ist, sich durch keine Erniedrigungen einschüchtern zu lassen, gab er pausenlos seinen Geist zum Besten. Schon mehrten sich Apartgespräche. Zwei junge Leute in Fliegeroffiziersdreß unterhielten sich über Automobiltypen, Romildas Vater begann vorsichtig seine afrikanischen Jagden zu umkreisen. Der Professor seinerseits versuchte mit kriecherischer Demagogie seine Alleinherrschaft zu verteidigen, indem er die Klasse, zu der er nicht gehörte, geschickt, ohne es deutlich auszusprechen, für die gewesene und zukünftige Blüte der Welt erklärte. Schwalben peitschten ihre Schatten über den weißen Tisch. In ihrem Spiel war Krieg und Katastrophe ebensowenig wie in den

Theorien des Professors und in der nachlässigen Nachmittagsschlaffheit der andern. Nur mich würgte dieses Elend, das mich angefallen hatte, seitdem ich in B. war.

Vielleicht war ich doch nicht allein mit meinem Elend. Graf Lajos, der »lächerliche Mensch« neben mir, sah mit todernstem und zerfurchtem Clownsgesicht den Vielredner an. Er sah ihn mit vollendeter, ja, ich kann es nicht anders sagen, mit hocheleganter Aufmerksamkeit an, so, als wäre er geneigt, sollte dem Professor eines seiner Worte zu Boden fallen, sich zuvorkommend danach zu bücken. Dennoch war diese Aufmerksamkeit, die ein Monocle ins rechte Auge geklemmt hielt, ein diskreter höhnischer Affront, den ich scharf spürte. Es lag in ihm eine Verachtung, ein Todesurteil für diese rasch-denkende Geistigkeit, für diese parate Bildung, vielleicht für alle Bildung und Geistigkeit, als wäre sie etwas Unvornehmes, ein aufgeregtes Kampfmittel von Parvenüs. Jetzt verstand ich erst die »Dummheit« des Grafen, von dem man mir später einmal die Legende erzählte, er hätte auf die Frage eines deutschen Junkers, was sein Beruf sei, geantwortet: »Mein Bruder hat eine Jagd gepachtet.« Diese Dummheit war eine bewußte und vertrackte Lebenshaltung, die sich Graf Lajos zurechtgelegt hatte, um ein Ideal zu erfüllen. Sie glich dem Entschluß der französischen Edelleute, aufrecht zur Guillotine zu schreiten oder stolz an der Laterne zu hängen, nur mit dem Unterschied, daß der Henker hier nicht »Revolution«, sondern »Intellekt« hieß.

So hatte der komische Satz, den der Graf jetzt langsam und mit verantwortungsschwerer Zunge aussprach, seinen Ursprung in jener Lebenshaltung, die, wie ich es erfahren mußte, eine wirkliche Kraft war, denn sie siegte auf der ganzen Linie. Die trockenen Lippen zuckten erst einige Male schmerzlich, ehe sie begannen: »Goethe, Herr Professor, Goethe, ja!... Goethe, gewiß!... Aber die vielen andern Herren... ja, da sind Sie uns noch Aufklärung schuldig! ...Pardon, Herr Professor.« Herr Wertheimer war das erstemal vollkommen auf den Mund geschlagen. Vom Dach gefallen wie ein Mondsüchtiger, sah er im Kreis herum. Blutrot geworden, bekam sein Gesicht einen wehleidigen und feig-geduckten Ausdruck. Die andern lachten. Sie lachten mit forciertem Hinweis auf den »lächerlichen Grafen Lajos«. Aber das Opfer des Gelächters war unzweideutig der gelehrte Schwätzer. Das Gelächter – lange wollte es nicht verstummen – wuchs zu einem Triumphlied an. In den Augen der Lachenden fand ich dasselbe tierquälerische Frohlocken, das ich heute an meinem Schreiber bemerkt hatte, als er die kriegsflüchtigen Juden mit Püffen traktierte. Nur der aufmerksame Ernst des Grafen Lajos blieb unverwandelt, der den Professor leicht vorgeneigt und unendlich wißbegierig ansah.

Ich aber haßte diesen schrecklichen Wertheimer nicht mehr, ich verfluchte das leichte Lächeln auf meinem eigenen Gesicht. Ich schämte mich für ihn, ich schämte mich körperlich. Denn auch mir stürzte das Blut ins Gesicht, als wäre ich, der harmlose Staatsbeamte, und er, der vielleicht einen bekannten Gelehrtennamen trug, ein und dieselbe Person. In diesem Augenblick hätte ich viel darum gegeben, nicht auf dieser schönen Terrasse, ja überhaupt nicht in B. zu sein.

Dennoch geschah jetzt etwas, was ich nie erwarten durfte, was mich vollends betäubte. Ich fühlte plötzlich den Fuß Romildas auf dem meinen. Ich fühlte den langen und sprechenden Druck dieses Fußes, die holdeste der Ansprachen, die alle Lüge und Wahrheit der Welt in einem Augenblick zusammendrängt. Soll ich den Donnerschlag beschreiben, der durch mein Blut rollte?

III. Ganz vergeßner Völker Müdigkeit

Man sieht, es sind wirklich nichtige Dinge! Mit demselben Rechte, mit dem ich meinen banalen Nachmittag der anspruchsvollen, Gott weiß was erwartenden Reinheit des Papiers anvertraut habe, mit demselben Rechte, sag ich, könnte jedermann irgend eine Stunde aus seinem Leben schneiden und sie erzählen. Zum Beispiel die Mittagsstunde mit der detaillierten Schilderung seiner Mahlzeit. Zwar behaupten die Musiker, ein guter Komponist müsse auch einen Brief oder eine Zeitung vertonen können; aber was ist damit getan? Wir kennen all diese schönen Ausreden selber gut genug. Wir wissen, das Leben hat eine andre Architektur, als sie der allerbeste Roman zeigt: Die Wirklichkeit hängt nicht am Schnürl einer Handlung, einer symbolischen Konstruktion, eines psychologischen Exempels. Wir haben gelernt, daß neben den klaren Vorgängen und den unbewußten Motiven, wie sie die Seelenschilderer vor uns hinlegen, noch ein drittes Geleise sich zieht, auf dem ein Wesen läuft, das die kühnsten Realisten nicht beachten. Ein Wesen, für das es keinen Namen noch gibt, das nicht bewußt und nicht unbewußt ist, und das aus der Reibung geboren wird unseres geistigen Willens mit unserer körperlichen Hemmung. Dieses Wesen, unser wahres Bild, hat kein Autor aufrichtig geschildert. Sonst hätte Shakespeare seinem Hamletmonolog nicht diese saubere und logische Führung der Gedanken gegeben, die niemals von ihrem Thema abspringen. Allerdings, was verlange ich da von dem armen Shakespeare? Wenn er hätte Rücksicht nehmen wollen auf das, was in diesen drei Minuten wirklich in Hamlets Geist und Leib vorging, er wäre mit dreihundert Seiten innerer und äußerer Regieanweisungen nicht ausgekommen. Wohin möchten wir bei solchem Wahrheitsdrang gelangen! Zu einer ernsten Liebesszene etwa, die durch plötzlichen Kampf des Helden gegen eine Magenverstimmung kontrapunktiert wäre. Notwendigerweise ist die Kunst Abkürzung und Verschweigung. Die Kunst geht mich hier natürlich nicht viel an. Denn ich rede ja allein von mir, und nicht einmal von mir, sondern von einer sehr gebrechlichen Sache, die sich mir immer wieder entzieht. Müßte ich sonst, stets wenn ich von neuem die Feder ansetze, Gewissensbisse niederzwingen?!

Ja, gewiß, diese guten Ratschläge kenne ich selbst. Man verlangt heute ja keine romantischen Abenteuer. Im Gegenteil! Sie sind streng verbannt. Aber irgend ein Sinn muß doch in einem Prosaprodukt stecken, und wäre es – drücken wir milde ein Auge zu – auch nur ein Bekenntnis. Doch was soll ich tun? Ein begnadeter Vers allein vermag Dinge zu umfassen, die er nicht ausspricht. Dieser Vers etwa!

»Ganz vergeßner Völker Müdigkeiten
Kann ich nicht abtun von meinen Lidern.«

Wird man es glauben? Ich dachte auf dem Heimweg zu meiner Wohnung viel mehr an diesen Vers als an Romilda. Immer wieder, ohne es recht zu wissen, rezitierte ich diese erlebnisschweren Worte, dieses traumumfangene Metrum. Und es hatte sich doch gefügt, daß ich vor dem Abschied einen Augenblick mit Romilda allein blieb. Ich hatte mich natürlich zum Verzweifeln dumm benommen, habe ihr in tiefer Verlegenheit zehnmal die Hände geküßt, dumme Seufzer ausgestoßen und von ihrer Schönheit gewinselt. An diesem gymnasiastenhaften Benehmen meinerseits trug sie selbst die Schuld. Denn in dieser Minute unter vier Augen war sie wieder eine ganz andre, weder die Schwester Roma, noch die degagierte Gräfin unseres Wiedersehens, sondern eine gelangweilte Fremde, die mit höflicher Ungeduld wartet, daß der Gast endlich geht. Ich hatte sogar den Verdacht, ihr Fuß habe nicht mich gemeint, sondern einen andern.

Ich muß ein Geständnis machen: Immer wenn mich die Leidenschaft zu einer Frau überwältigt hatte, – und ich bin oft, sehr oft tage- und nächtelang sinnlos durch die Straßen gerannt, – immer habe ich dasselbe erlebt. Stand ich endlich in ihrer Nähe, durfte ich sie sehn, ja sie umarmen, so war im höchsten Rausch noch eine heimliche Sehnsucht in mir wach, fort von ihr zu sein, allein zu sein. Oft, wenn ich nach einem frischen Liebesglück frühmorgens in meine Wohnung heimkehrte, empfand ich das wildselige Gefühl der Erlösung, die Wonne bei mir zu sein, bei mir! Bin ich eine wüste, egoistische Ausnahme, oder empfinden andere ähnlich wie ich? Die Liebe ist allemal eine quälende Trübung unseres chemischen Elements, wir werden mit einem anderen Element (mit vielen zumeist) im Kolben durcheinandergeschüttelt zu einer grauen Mischung. Wie herrlich, wenn unser Wesen aus der Verbindung zurücktritt und auf dem Heimweg sich sammelt zu seiner alten Wahrheit! Dann erst können wir lieben. Aber wollen denn die Weiber, daß wir sie lieben? Sie wollen nicht uns, sondern die trübe Mischung!

Ich will nicht leugnen, daß ich nach dem kleinen Erlebnis mit Romilda, nach dem fremd-peinlichen Abschied einen guten Teil dieses Erlösungsgefühls in mir verspürte, als ich die Straße abwärts zu meinem Haus ging. Hätte ich sonst mit einem stillen Glück, das gar nicht zu den Worten paßte, hundertmal den Vers zitiert:

»Ganz vergeßner Völker Müdigkeiten.«

Und er lebt noch unter uns, der große Dichter dieses Verses, denke ich jetzt mit Rührung. Keiner hat wie er verschwiegener den Zweifel am Blute ausgesprochen! Und handle ich von etwas anderem? Ich bin nicht kompetent für poetische Wertung. Aber Hofmannsthal ist *meiner* Seele Dichter.

Als ich in mein Zimmer trat, oder besser in die schwankende Kajüte, die ich gemietet hatte, war die Nacht schon angebrochen. Mein Fenster stand offen und gewährte der linden und geisterdurchwobenen Nacht Einlaß, die über dem Tale schwebte. Ich kann es nicht anders sagen, ein riesiger Mondschein lastete auf den Möbeln. Ins Fenster drohte der Waldberg herein, der durch lunaren Zauber unmäßig gewachsen war. Ein paar Lichter bezeichneten die Rinne der Schwebebahn.

Mein Schreibtisch lag im vollen Strahl. Ohne das Licht aufzudrehen, ließ ich mich nieder. Mondverklärt sah ich vor mir die Photographie meiner seligen Eltern. Überallhin begleitet mich diese Photographie, als erster Gegenstand wird sie bei Übersiedlungen und Reisen ausgepackt und aufgestellt. Bei meiner Verwundung war sie das einzige Ding, das ich von all meinen Sachen retten konnte. Sie ist aber beileibe kein bloßes Gewohnheitszeichen einer treuen Pietät, diese Photographie, sondern sie ist meine Freude. Denn Vater und Mutter nebeneinander auf dem Bild, jung und fröhlich, sind zwei wunderschöne Menschen, daß es mir immer wieder unbegreiflich ist, wie ich verträumter und trüber Einzelgänger von ihnen herkomme. In nervösen Momenten gibt mir der Anblick dieser Photographie eine ganz bestimmte Art von Ruhe, ja ein gesundes Zutrauen zum

Leben. Ich erbaue mich an der Kraft meiner Frühverstorbenen. Wie reizend ist sie, meine Mutter! Ihre Erscheinung leidet nicht im geringsten durch das nunmehr sehr veraltete Ballkleid mit der enggeschnürten Taille und mit den steif aufstrebenden Achselstücken des Decolletés. Dreizehn Jahre war ich alt, als ich eines Abends vom Jugendspielplatz heimkehrte und meine Mutter nicht fand. Alles ging im Hause auf Zehen, obgleich sie ja nicht in ihrem Zimmer lag, sondern man sie schon vor einigen Stunden ins Sanatorium geschafft hatte. Ich weiß noch, daß ich in jener Nacht, trotz alles hoffnungsspendenden Zusprüchs, nicht einen Funken Hoffnung für ihr Leben hatte. Warum, kann ich nicht sagen! Ich war betäubt, aber weniger spürte ich den gräßlichen Schmerzenshieb des Verlustes, als ein fast wohliges Schwächeprickeln in allen Muskeln, eine quälende Verlogenheit und einen ganz leisen, unerklärlichen Stolz. Immer wieder strich ich, kleiner Bursche, um den Spiegel. Scheu suchte ich mein Bild darin, mehr als mein Bild, die furchtbare Veränderung suchte ich, die mit mir vorgegangen war, mehr als diese Veränderung, ich suchte das Gespenst im Spiegel, das hinter mir stehen mußte. Meine Mutter habe ich nicht wiedergesehen. Und nun, von einem fremden Schreibtisch herab, in einer fremden Mondverklärung, lächelte mich eine fremde Dame an, die Mama war. Vielmehr als Mama ist sie ein Ideal, der zärtlichste Frauentyp meines Herzens, der niemals Wirklichkeit gewesen zu sein scheint. Als hätte ich ein angebetet Bildnis erstanden, oder ausgeschnitten aus einem Buch, eine Schwärmerei, aber niemals meine arme, schöne vergessene Mutter! Mit Papa war es ein ganz anderes Ding. Ich hatte ihn als erwachsener Mensch schon verloren. Er ist mir nicht ein Bild, den kleinsten Zug seines Gesichts könnte ich mit geschlossenen Augen zeichnen, seine Stimme tönt mir oft deutlich und wider Willen, wenn ich Ohrensausen habe – (woran ich viel leide) – körperlich durch den Kopf. Muß ich erst gestehn, daß ich für meinen Vater immer eine rückhaltlose Bewunderung gehegt habe? Niemals hatte ich ihm gegenüber Auflehnung, Haß oder Rachsucht empfunden, wenn ich mit diesem phlegmatischen Mangel auch gegen die

Regeln moderner Seelenwissenschaft verstoße. Immer habe ich gefühlt, daß ich ein Abstieg bin. Und mein Vater hat ebenso daran gelitten wie ich, denn er hielt mich, mochte er sich oft bemühen, sie zu durchbrechen, er hielt mich stets in einer freundlichen, aber enttäuschten Distanz. Wie war er auch nur zu einem Sohn gekommen, der jede leichte Gesellschaft mied, mit vierzehn Jahren schon ein Büchernarr war, sein Taschengeld für bibliophilen Unsinn verschwendete und weder Fähigkeit noch Sinn für Pferde, Glücksspiele und ähnliche elegante Sachen besaß! – Wenn ich auch schon mein Knabenzimmer mit schönen Büchern und den Reproduktionen wirklicher Kunstwerke schmückte, so habe ich doch nie die geringste Verachtung empfunden für die ziemlich geschmacklosen Dinge, mit denen Papa die Wände seiner Zimmer und unseres Stiegenhauses behängte. Außer ein paar recht braun gepinselten Landschaften waren es zumeist die in den Achtzigerjahren sehr beliebten Stiche, die Jagd- und Renn-Szenen darstellten. Ich bin zwischen Pferde-Bildern aufgewachsen. Überall sahen Pferde von der Wand, ungeduldige Rassepferde am Start, die unter den leichten Händen blau-weiß, rot-weiß, grün-weiß gestreifter Jockeis spielten, Pferde in gestrecktem Galopp, Pferde vor dem Traberwagen staubaufstampfend, Pferde, die rotbefrackte Herren und Damen, hundeumsprungen, zur Fuchsjagd trugen. Aber Papa war nicht nur ein platonischer Pferdeliebhaber, er war selbst ein wunderbarer, zu seiner Zeit berühmter Reiter. Es gab für mich keine größere Selbstüberwindung und Demütigung, als wenn er mich Sonntag morgens zum Spazierritt in den Prater befahl. Ich zottelte auf meinem Klepper hinter ihm drein und durfte ihn anstaunen, seine magere und feine Figur vor mir im Sattel, die sich nicht rührte, den Stoß des Pferdes unendlich weich auffing und in den geschmeidigen Schultern und Hüften zur Melodie umdeutete. Alle Aktivität bebte in den Knien und in den Lackspitzen seiner tadellosen Reitstiefel, die leicht und herrisch sich in den Bügeln wiegten. Wenn er zur Sprungwiese einbog, erschrak ich jedesmal ins Herz. Denn wie würde ich neben ihm bestehn! Er nahm die vertracktesten Hindernisse, ohne daß auch nur die Schöße seines Rockes sich sträubten. Wenn er über den breiten Graben setzte, war nachher keine Falte seiner Kleidung derangiert, der Zylinder saß um keinen Millimeter verrückt in der Stirn. Mir hingegen flog regelmäßig bei den kleineren Hürden der Hut vom Kopf und schon aus Angst vor einer Schmach verlor ich während des Sprunges meist die Steigbügel, wodurch auch ein passabler Reiter zu schlechter Figur kommt. Aber das Reiten war die einzige Betätigung, bei der mich mein Vater seine Überlegenheit fühlen ließ. Sonst schonte er mich; wenn die Unzufriedenheit auch manchmal aus seinen Augen sprach, so habe ich doch niemals ein unfreundliches Wort oder eine wirkliche Rüge von ihm vernommen, er war auch gegen mich Kavalier, sooft er mir die Hand reichte, mir auf der Straße oder im Hause begegnete. Meine Lesewut quittierte er mit gutmütiger Ironie, in die sich manchmal eine seufzende Nachsicht mischte, als wäre dieses Lesen ein Rückfall in unfeine und längst überwundene Sitten. Als ich einmal in der vierten Gymnasialklasse mit einem blamablen Zeugnis kreuz und quer durchgefallen nach Hause kam, empfing er mich wie einen Triumphator. Ich durfte mit ihm und einigen großen Herren, für die er immer Tafel hielt, zu Ehren dieses Durchfalls anstoßen.

Vielleicht kam diese Toleranz daher, daß er ein weit schlechterer Schüler gewesen war als ich und einen unerbittlich strengen Vater gehabt hatte. Diesen Großvater, den Bankier, habe ich auch noch gekannt. Das violettrote Riesengesicht mit den gelbgrauen Favoriteln sehe ich vor mir. Alles andere weiß ich nur vom Hörensagen. Der Bankier – ein wenig sympathischer Herr übrigens – soll ein unersättlicher Ehrenjäger gewesen sein. Er war Präsident von zwanzig Wohlfahrtsvereinen, Meister einer geheimen Freimaurerloge, ging schon am frühen Morgen im Kaiserrock und, wenns nicht nur eine Sage ist, sollen auch schon am frühen Morgen ein paar Orden auf diesem Rock gefunkelt haben. Neben diesen Orden, die er bei jedem Fürstenbesuch in Wien oder in den Kurorten, die er frequentierte, mit ungemeinem Geschick zu erbeuten wußte, soll er noch einen anderen Stolz gehabt haben. Dieser Stolz war nicht etwa der große Erfolg, den er für die österreichische Regierung im Jahre 1859 durch eine gewisse kühne Geschäfts-Aktion errungen hatte, dieser Stolz war sein Name, der Name Sonnenfels, denn er war ja ein Nachkomme Josef von Sonnenfels, des Aufklärers, der schon unter Josef dem Zweiten Minister gewesen ist.

Zwischen Papa und dem Großvater muß eine furchtbare Feindschaft geherrscht haben. In das Haus des alten Herrn mit den weißgelben Favoriteln wurde ich regelmäßig von Dienstleuten gebracht. Niemals führte mich der Vater hin. Beängstigende Gänge waren das, Angst, die ich auch jetzt noch nicht vergessen habe.

Ich sah vor mir auf dem Bild das entzückende Lächeln meines Vaters, auf das ich so stolz bin. Ein Lächeln ohne Anstrengung, ohne Lüge. Was mochte wohl der Grund des Zerwürfnisses zwischen ihm und seinem Vater gewesen sein? Hat er zu wenig Familiensinn gehabt? Ich habe ihn nie von seinen Geschwistern und Verwandten sprechen hören. Das ist wahr. Niemals auch fanden sich in unserem Haus irgendwelche Angehörige zusammen. Papa war über Abkunft, Namen, Familie immer mit einer leicht mißvergnügten Gleichgültigkeit hinweggegangen. Vielleicht war ihm der Alte auch gram, weil er sich jederzeit weigerte, den Beruf des Bankiers zu ergreifen, das Erbe des Bankhauses anzutreten und den Enkel, mich, schon vom ersten Tage an für den Staatsdienst bestimmt hatte. Mein Vater als Geldmensch!? Das wäre eine lächerliche Vorstellung! Er ein Geldmensch, dem schon unbehaglich und schämig zu Mute ward, wenn er seinen Leuten den Lohn auszahlen mußte. Zwischen mir und Papa lag nichts als meine Bewunderung für ihn, zwischen Papa und dem Großvater lag eine Welt. Es war mir, als hätte ich die beiden niemals nebeneinander gesehn, niemals! – Noch immer hing ich an der Photographie meiner Eltern. Noch immer prägte ich mir das noble Lächeln des schlanken Mannes ein, der den Arm der Dame, die meine Mutter gewesen, in dem seinen hielt.

Und wie ich dem allen nachsann, riß es mich plötzlich empor, denn ich erinnerte mich jäh, einst, als ganz kleiner Knabe noch, zwischen Vater und Großvater ein Haus betreten zu haben, ein häßliches Haus, irgendwo in einer häßlichen Straße, ein Haus, das dem Judenhaus glich, in das mich heute früh mein Schicksal geführt hatte. Ja, ich hatte doch einmal in ferner Kindheit beide, Vater und Großvater, nebeneinander gesehn. Die Traumerinnerung des Vormittags, die mich vor dem Flüchtlingshause angefallen hatte, war nicht Erinnerung eines Traumes, sondern Erinnerung einer Wirklichkeit. Die Szene hatte sich tatsächlich begeben. Unter lauten, schwarz, gekleideten Leuten in einem häßlichen Flur war ich als Kind gestanden. Aus welchem Grund und zu welchem Zweck, das weiß ich nicht mehr. Doch irgend etwas in mir glaubt zu ahnen, es müsse das Leichenbegängnis eines uralten verwandten Menschen gewesen sein, das uns in dieses Haus jenseits des Donaukanals beschieden hatte. Mit einer unbeschreiblichen Lebendigkeit erinnerte ich mich jetzt, daß die beiden Väter, als sie einen ganz vergessenen Zimmerraum damals betraten, den Zylinder nicht vom Kopf genommen hatten. – Und gerade in diesem Augenblick, da sich mir die sonderbare Beklemmung dieses Morgens entschleierte und ich in die entlegenste Kindheit horchend am offenen Fenster stand, wurde die Nacht von einem wütenden Hundegebell zerrissen, das vom Garten zu mir herauf kläffte.

Ich muß vorausschicken, daß ich das Haus mit zwei alten und kranken Damen allein bewohnte, die sich niemals aus ihren Räumen ans Licht begaben. Eine Bedienerin, die tagsüber für Ordnung sorgte, ging am Abend fort. So gab es außer den beiden ewig schläfrigen alten Jungfern nur noch zwei lebendige Wesen hier, ein Bulldoggenpaar, Männchen und Weibchen. Die beiden Tiere, faul und von ihren Besitzerinnen verwöhnt, hatten sich ein ihnen rassenfremdes Phlegma angemästet. Sie waren fett, wälzten sich auf dem Rasen des verwilderten Gartens in der Sonne wie Wüstlinge auf dem Pfuhl und schnarchten zu jeder Tageszeit. Auch die Nächte verbrachten sie im Garten, doch nicht um das Haus zu bewachen; ihre Wachsamkeit war keinen Heller wert, denn, als ich, der Fremde, die ersten Abende nach Hause kam, rührten sie sich nicht. Bis zu diesem Tag hatte ich sie überhaupt noch nicht bellen hören. Um so aufregender und schreckhafter war der schrille, boshafte Lärm, den die Hunde jetzt vollführten.

Ich stürzte vor die Tür und kam zurecht, eine Szene zu erleben, die einen seltsamen Eindruck auf mich machte. Ein Mensch war in den Garten eingetreten und stand nahe noch dem Gitter auf dem Kiesweg. Im grellen Mondlicht stand der Mann schattenschwarz in einer verrenkten, ja grotesken Stellung. Die zwei kleinen, kugelrunden Bulldoggen schienen sich ihrer Bestialität besonnen zu haben, denn sie umtobten die Erscheinung mit wahnsinnigen Haß-Sprüngen und einem heiseren Geheul, das kaum mehr Bellen zu nennen war. Der Mann stand immer noch regungslos in seiner verrenkten Stellung, von den Hunden umtanzt und umkrächzt. Eine Hand hatte er zur Abwehr weit von sich gestreckt, die andere, die einen Stock trug, hielt er am Rükken, die Füße waren einwärts gekrampft, der Kopf unnatürlich zurück- und fortgewandt. Wäre er ruhig ein paar Schritte vorwärts gegangen, hätten die feigen, kurzatmigen Tiere von ihm abgelassen. Aber gerade seine angst-verdrehte Geste erbitterte sie bis zur Besinnungslosigkeit. Ich selbst rief die Hunde nicht zurück, aus einer starren Neugier, was geschehen würde. Und es geschah etwas Unmögliches. Denn auch der Mann brach jetzt einen tierischen Schrei aus und begann mit seinem Stock rasend um sich zu schlagen. Dabei sprang er bei jedem Hieb hoch in die Luft und schrie und keuchte und kreischte dabei. Ich weiß nicht, ob die Hunde irgendwelchen Hieb abbekamen, jedenfalls steigerte dieser Ausbruch ihre Wut noch mehr. Vor mir spielte sich kein Kampf ab, sondern ein absurder Tanz der Urfeindschaft zwischen diesem Menschen und dem Hundegeschlecht. Dieses Schauspiel bannte mich so mächtig, daß eine geraume Weile verging, ehe ich ihm ein Ende setzte, die Hunde verjagte und den Menschen befreite. Fast wäre er mir ohnmächtig umgesunken. Seine Stirn war schweißübergossen, die Augen wahnsinnig, die Zähne schlugen aufeinander und der ganze Körper schlotterte. Ich konnte kaum die Worte verstehn, die er sprach. Undeutlich hörte ich einen fremden Dialekt: »Komme zu dem Herrn... Sie sprechen...«

In meinem Zimmer drückte sich der Mann in eine Ecke. Als ich das Licht aufdrehte, schien er sein Gesicht abkehren zu wollen, er bedeckte es einen Augenblick lang mit den Händen, als ersticke ihn die Scham über seine Erniedrigung. Ich aber erkannte ihn jetzt, den Fremden. Es war der Jude mit dem Schauspielergesicht, der keinen Kaftan, sondern Militärhosen, Wikkelgamaschen und einen schwarzen Sweater trug, derselbe, der in der Stube des Rabbi auf dem schmutzigen Herd gesessen war und alles mit verächtlicher Miene gemustert hatte. Noch immer ging der Atem des Menschen schwer. Ich sah ihn an und schwieg. Mein Beamtenherz war über die Zumutung dieses Besuches zu solcher Stunde ungehalten. Zum Parteienverkehr außer der Amtszeit war mein Zimmer nicht da. Aber je länger ich schwieg und je mehr sich meine Stimmung verdüsterte, je schneller schien sich der andre zu erholen, als wüchse ihm, der noch vor kurzem ein Feigling gewesen war, die Kraft aus meinem Widerstand. Er murmelte:

»Der Herr ist ein Herr von der Regierung!«

Ich schwieg.

»Der Herr ist heute bei uns gewesen. Beim Hodower Rebben.«

»Was wünschen Sie von mir?«

»Für mich wünsche ich nichts. Für mich komm ich nicht.«

Er hatte sich jetzt völlig erholt und seine Augen suchten immer mutiger meinen Blick. Wohl um sich gleich auf gleich mit mir zu stellen, nannte er jetzt seinen Namen. »Jakob Elkan heiß ich.« Und er fügte noch einmal hinzu:

»Für mich komm ich nicht.«

»Warum also kommen Sie?«

Das unsympathische Gesicht wurde mir für einen Augenblick sympathisch, deshalb vielleicht, weil die Antwort langsam kam und aus der Tiefe herausgeholt:

»Der Herr wird nicht mir, sondern meinem Bruder helfen.«

»Ihr Bruder?« Ich war schon ungeduldig.

»Der Herr ist heut dort gesessen, wo mein Bruder gesessen ist.«

Ich gab mir den Anschein völligen Unverständnisses, trotzdem ich mich sehr wohl des blassen Rothaarigen erinnerte, der den Platz zu Füßen des Wunderrabbi mit mir getauscht hatte.

»Alle Flüchtlinge sind meiner Obsorge als Regierungsfunktionär gleicherweise anvertraut. Ich darf keine Ausnahme machen. Auch weiß ich nicht, wie, wem, womit ich helfen könnte.«

Etwas Verstohlenes und Vertrauliches zwinkerte mich aus den schwarzen Augen gegenüber an:

»Der Herr muß wissen. Mein Bruder ist besser als wir. Er ist krank.«

Und nach einer Weile mit großer Bescheidenheit:

»Er muß heraus... heraus!«

Was er mit diesem energischen »heraus« meinte, blieb mir unklar. Mir selbst war sehr wenig behaglich zu Mute bei dem Amtston, zu dem ich mich bequemte:

»Ich glaube nicht, daß ich für derartige Wünsche die zuständige Stelle bin...«

Jakob Elkan aber, der sich bisher aus seinem Winkel nicht fortgerührt hatte, bewegte sich auf einmal frech und frei auf mich zu:

»Der Herr wird helfen!«

Ich starrte den Menschen an, denn er schritt langsam an mir vorbei, langsam, als müsse er mit Kühnheit den feindseligen Widerstand der Luft überwinden. Jetzt stand er beim Schreibtisch. Und jetzt setzte er sich auf die Kante meines Schreibtisches und ließ die Beine niederbaumeln, genau so, wie er es auf dem Herde in der Stube des Rabbi getan hatte. Und es war derselbe geringschätzige, freche und belustigte Blick, mit dem er mich anschaute, während er die Worte sprach:

»Der Herr wird dem Bruder helfen. Denn der Herr ist selbst ein Jud!«

IV. Begegnung

Drei Tage später war ich bereit von B. abzureisen und in meinen Amtsort zurückzukehren. Den schnellen Abbruch meiner Tätigkeit würde ich gut damit rechtfertigen können, daß nun die Angelegenheiten der Flüchtlinge in Ordnung ihres Weges gingen und eine eigene Verwaltungsperson überflüssig sei. Dieser mein Entschluß mußte als ein rechter Unsinn gelten. Denn, erstens, hatte mir der Statthalter selbst die Sinekure zugewiesen. Vielleicht sogar mit einer gütigen Nebenabsicht. Ihm wie allen andern im Amte wird die nervöse Unruhe aufgefallen sein, die mich seit Monaten belästigte und auch die Frische meines Aussehens deutlich herabminderte. Und was würden, zweitens, meine Kollegen dazu sagen, daß ich das Vorrecht, den Frühling im B.'ner Tal zu erleben, so leichtfertig von mir stieß?! War ich zuerst beneidet, so wäre ich jetzt Gegenstand ihres Ärgernisses. Derartige Ärgernisse gegen mich lagen in der Luft. Wenn ein Unabhängiger auf Vorteile verzichtet, rechnen ihm das die Minder-Unabhängigen als Unkollegialität an!

Dennoch war die Flucht beschlossene Sache. Zum erstenmal hatte ich erlebt, daß von einer Örtlichkeit, einer Stadt, einer Landschaft nicht nur eine Beklemmung, sondern auch eine Warnung ausgehn könne. Diese Warnung erlebte ich auf Schritt und Tritt. Die Post brachte mir durchaus unangenehme Nachrichten, schwere Träume plagten mich, ich verlor meine Brieftasche, ich verlor ein mir liebes Andenken, ich glitt sogar vor allen Leuten auf der Treppe in dem Amtsgebäude aus und zerschlug mir das Knie. Ich hätte diese Warnungen alle wohl in den Wind geschlagen oder gar nicht bemerkt, wäre die unbestimmte Angst nicht gewesen, die in mir Wohnung bezogen hatte. Eine Teilschuld an dieser Angst schob ich der Person Romildas zu. Zwischen mir und ihr schwebte eine sonderbare Empfindung, ein Liebesgeist, den ich nicht stark und wirklich werden lassen wollte. Oft ertappte ich mich bei der Sehnsucht, der ich nicht nachgeben mochte, die mir sinnlos, trübe und verboten erschien, denn wenn sich auch das Liebesgefühl immer wieder in mir regte, etwas an seinem Gegenstand war mir feindselig und unsympathisch.

Über den tieferen Grund meiner Angst war ich mir noch nicht klar. Nur halb und halb ahnte ich, daß er in dem nächtlichen Besuch jenes Jakob Elkan zu suchen war.

Ich bin jetzt gezwungen, diese meine Studie über einen sehr feinen, schwankenden Boden zu führen, und es ist leider große Gefahr vorhanden, daß man mich nicht, oder nur falsch verstehen wird. Elkan hatte mich ins Gesicht »Jude« genannt. Mit einem frechen, vertraulichen Augenblinzeln hatte er gesagt: »Der Herr ist ja selbst ein Jud.« Nicht das Wort allein hatte auf mich diese unerwartete Wirkung geübt, nicht der freche Tonfall, nicht die zudringliche Geste, mit der sich der Mensch auf die Kante meines Schreibtisches setzte. Es war mir ja (nicht oft) aber hie und da schon begegnet, daß ich trotz meiner katholischen Konfession für einen Juden gehalten wurde, der ich der Rasse nach ja wirklich bin. Während meiner Gymnasialzeit war dies drei- oder viermal vorgekommen. Als ich Einjährig-Freiwilliger war, bekam ich diese Distanz ganz leise zwar, aber ich bekam sie zu spüren. Ich besitze Gott sei Dank eine vorteilhafte Gabe, unwillkommene Gedanken und Affekte bis zu einem gewissen Grade abweisen zu können. Da ich ja im alten Österreich aufwuchs, im Lande des Nationalitätenhaders und mithin im Lande loyaler Gemischtheit, da ich ferner um mich eine respektierte Einsamkeit verbreite, so drangen diese kaum spürbaren Distanzierungen nicht tief ins Bewußtsein vor. Ich füge hinzu, daß ich nicht etwa eine weitläufige Blutmischung bin, sondern durchaus reinrassiger Jude, wenn ich die Mutter meiner Mutter ausnehme, die einer Wiener Bürgerfamilie entstammt. Ich habe mich infolge der Erlebnisse für meinen Stammbaum interessiert. Mein Urgroßvater, ein Neffe jenes Minister-Literaten Sonnenfels, war zwar schon katholisch getauft, hatte aber ebensowenig wie mein Großvater und Vater eine Nichtjüdin geheiratet. Es war recht unbegreiflich, wie es meinem Vater gelungen sein mochte, den jüdischen Typus in sich äußerlich und innerlich so vollkommen zu unterdrücken. Ihn hat gewiß niemand bezweifelt. Zwischen seiner Natur und seinen feudalen Liebhabereien, ja seinen kirchlichen Anwandlungen, war nicht der geringste Widerspruch. Er bedeutet für mich die größte körperlich-seelische Entfernung vom Judentum, die ich jemals an einem Juden wahrgenommen habe. Nicht in seinen leicht snobistischen Spielereien lag diese Entfremdung, sie lag in seinem Wesen, seiner Haltung, seinem Antlitz, das ein vornehmes und heiteres Symbol des verlorenen Österreich war. Und ich, sein Sohn, wurde plötzlich zurückgeschleudert!!

Welche Gewalt hatte in jener Nacht Jakob Elkan über mich? Heute weiß ich es, daß er damals ein geheimnisvolles Schuldgefühl in mir getroffen hat. Fremd waren mir die Juden des Wunderrabbi von Hodow erschienen, fremd wie mir eine ähnliche Versammlung von Chinesen oder Arabern erschienen wäre. Nichts hatte ich mit ihnen zu schaffen, kein Zug meines Gesichtes, kein Wort meines Mundes, keine Regung meiner Seele glich ihnen. Doch einer aus ihrer Mitte, – er trug allerdings ein westliches Gewand – einer überfiel mich nächtlicher Weile und schlug meiner Lebenssicherheit eine tödliche Wunde. Wenn mich der Statthalter, wenn mich Graf Lajos, wenn mich ein Rüpel auf der Straße »Jude« genannt, ja geschimpft hätte, wäre mir dieses Wort wohl zu einer Trübung meines Empfindens geworden, aber so ins Herz meines Herzens getroffen hätte es mich nicht, wie mich Jakob Elkan traf. Denn aus dem Munde des Ostjuden sprach mich der ewige Stamm, dem ich angehöre, selbst an und verwirrte meine Seele.

Ich habe nicht um des Effektes willen die Erzählung der nächtlichen Szene an ihrem Höhepunkt abgebrochen. Alles Weitere war ja nebensächlich; nebensächlich, daß ich den Eindringling vom Tisch herunterwies, nebensächlich, daß ich schließlich über seinen Bruder Israel aus einer Schwäche schon ein paar Erkundigungen einzog, nebensächlich, daß ich ihn rasch verabschiedete, dennoch aber, wenn auch mit finsterer Miene, selbst zur Gartentür brachte, weil er sich vor den Hunden fürchtete. Wesentlich hingegen war die Schlaflosigkeit dieser, der folgenden Nächte, die Abspannung tagsüber und jener Fluchttrieb, der sich schmerzhaft steigerte. Ohne daß ich es wußte, war ich vor eine neue Tatsache gestellt, die mir grauenhaft, unbekannt entgegendrohte. Ich war also Jude! Ich war ein Andrer! Ich war nicht ein Mensch wie alle! Ich war ja nur aus der schmutzigen Stube des Hodower Rabbi entsprungen, wenn auch ein Jahrhundert vergangen sein mochte seither! Die übrigen Jahrtausende bin ich treu zu seinen Füßen gesessen. Und der Heringschwanz war die Speisung des Wiedergekehrten gewesen, des Verlorenen Sohnes. Aber verlernt, verlernt war alles! Vergessen die Heimat! Und in andern Landen wenig erworben! Fremd hier und fremd dort! Fremd über jede Vorstellung! Fremdheit, das Erzgefühl meines Lebens, auf ihren Grund nun konnte ich tauchen!! Nicht, daß ich diese Gedanken also faßte und formulierte! Es waren keine Gedanken, es war ein Druck, eine Last auf dem Zwerchfell! Es war eine wilde Sucht fortzureisen, in der Eisenbahn zu sitzen, als wäre es möglich, davonzulaufen vor jenem nächtlichen Wort, das mir meinen Platz im Nichts angewiesen hatte.

Der festgesetzte Tag kam und ich blieb. Ich blieb, trotzdem ich die Unannehmlichkeit hatte, die erfolgte Kündigung meines Zimmers wieder rückgängig zu machen. Beim Bezirksbureau hatte ich zum Glück von meinem Heimkehrplan nichts verlauten lassen. Warum ich blieb? Der schönste Frühling, den ich je erlebt hatte, der seligste Himmel blaute über dem Tal. Das Versäumnis, ihn nicht genug genossen zu haben, hielt mich wie ein Vorwurf zurück. So wenigstens erklärte ich mir, was mich zu bleiben zwang. Ich wollte noch einige Tage lang wirklich spazieren gehn, das gütige Geschick, das mir in furchtbarer Kriegszeit einen Frühling in solchem Paradies schenkte, nicht mißachten. Mir ging es ja so gut! Meine Front hatte ich glücklich hinter mir. Ich war schwer verwundet worden und daher aller Kriegs-Gewissensbisse und Verpflichtungen ledig. Alles, was mich bedrängte, die böse Serie äußeren Mißgeschicks eingeschlossen, war ja nichts Wirkliches, war Überreizung, Ausgeburt meiner Einsamkeit, zu der ich unwiderruflich in diesem Leben verurteilt bin. Aber hatte diese Einsamkeit nicht ihr Gutes? Einen Segen mußte ich sie nennen! Denn Einsamkeit hieß Freiheit! Keine

Frau erwartete mich daheim, unzufrieden und mißtrauisch, mein Kopf mußte sich nicht für jede Verspätung und Unregelmäßigkeit einen Alibibeweis zurechtreimen.

Dieses Freiheitsglück überwältigte mich, als ich plötzlich meinen Reiseentschluß wieder aufgegeben hatte und die Promenade vorwärts in diese schöne Welt wanderte. Am Ende des Zierweges kletterte ich hinab in das steinige Flußbett, das breit und trocken sich streckte. Aus der Tiefe empor erlebte ich eine ganz verwandelte Welt. Sie schien erst in diesem Augenblick erschaffen! Noch bebte das Werde-Wort in ihren Gliedern. Die Berge verkrampften sich starr unter dem furchtbaren Halt, das ihrem Wachstum Stillstand gebot! Und dennoch waren ihre Hänge übersät mit Türmen, Kirchen, Burgen, Gehöften, die nur mühsam von den braunen Fäusten des Gesteins zurückgehalten werden konnten, nicht auf und davon ins wilde Licht zu fliegen!!

Ich entsinne mich noch sehr genau dieses Eindrucks. Die ganze Natur schien mir in Unordnung zu sein, in einer begeisterten anarchistischen Unordnung. Oder war nur mein Blick so anarchistisch? Ich unterdrücke diese Bemerkung nicht, weil ich an die Maler jener Jahre denken muß, die in gleicher Unordnung die Welt sahen wie ich an jenem Nachmittag. Der Krieg ging seinem Ende entgegen und in ihren Wurzeln war die Menschheit gelockert. Hat die Natur ihr sekundiert?

Mein Weg führte nun an einer Burg vorbei, die sich über mir ballte. Ich passierte eine Wegsperre mit Mauthäuschen und geriet in ein dunkleres Revier. Wasser tönte heran. Ich mußte eine kleine holzgedeckte Brücke überschreiten, und jetzt lief der Pfad die Schlucht des Wildbaches entlang. Die Felsen wölbten sich oft wie ein Laubengang über mich und traten immer näher an mich heran. Der Wassergesang wurde stürmischer und stürmischer. Ich schildere dieses Landschaftsbild nicht nur, weil die Erinnerung daran mir Freude macht, sondern weil mich Felsen, Schlucht und Wellenbraus damals in eine sonderbare Erregung versetzten. Eine Woche lang hatte ich in einem lethargischen Zustand gelebt und jetzt löste ihn eine unsinnige Begeisterung ab, eine wiedergefundene Kindheit, daß ich nicht anders konnte, als meine Stimme laut in den Lärm des Wassers mischen und, wie ich es als Knabe getan, große Steine in den tanzenden Schlamm schleudern. Was mich bedrückte, schien vergessen zu sein. Ich war glücklich, meinen Aufenthalt nicht abgebrochen zu haben.

Auf einem Seitenweg verließ ich die Schlucht und stieg über Stock und Stein eine steile Anhöhe hinan. Ich hatte das Gefühl, oben müsse sich eine der verborgenen, weltvergessenen Hochebenen hinziehen, wie man sie im Gebirge hie und da auf geringster Höhe findet. Gerade diese Art versteckter Plateaus hat seit jeher mich zauberhaft angezogen. Ich hatte recht geraten. Meilenfern jeder menschlichen Stimme, geheiligt und unbetreten, fand ich vor mir einen freien Plan, der wie ein Traum mitten im Wachen stehen geblieben war. Keine Ähnlichkeit zeigte dieser Traum mit der recht südlichen Landschaft ringsum, mit den bevölkerten Bergen, denen Zypressen nicht fremd waren. Nicht hierher gehörte dieser Plan! Aber wohin gehörte er? Er bestand aus einer Flucht von großen Lichtungen, die wie eine Flucht von offenen Sälen einen Durchblick hatten. Die Wände dieser Säle waren aus übermäßig hohem und dichtem Gebüsch gebaut, in dessen Wildnis sich Bäume, Buchen, Eschen und Weiden einfügten. Der Boden, der blumigste, sanfteste Rasen, den ich je gesehen hatte, schwang unter jedem Schritt, als wäre das Felsgerippe darunter elastisch, gefedert; durch die weiche und doch feste Nachgiebigkeit der Erde unter den Füßen wurde das Traumgefühl nur noch gesteigert. Ich hielt den Atem an. Fast war es Scham, die mich bannte. Ich glaubte in einen separierten Raum der Natur eingedrungen zu sein, in eine Geheimkammer, wo sie mit sich allein sein will. Ich mußte eine Schüchternheit in mir überwinden, ehe ich weiterging. Die Nachmittagssonne stand auf der Scheidehöhe, die alles Licht in Gold verwandelt. Es war die Stunde, da Luft und Erde von einem geisterhaften Honig gefärbt und durchsüßt sind, der aus geheimnisvollen Waben niedertropft. Zwei Lichtungen hatte ich schon durchquert, als mich ein starker unerwarteter Schreck aufs Haupt schlug. Ich rührte mich nicht, ich suchte sogar Deckung. In der dritten Lichtung, der kleinsten von allen, stand ein Mann. Und dieser Mann trug einen verschossenen runden Sammethut auf dem Kopf. Heute noch ist es mir unerklärlich, warum ich damals so übermäßig erschrocken bin! War es Ahnung? Oder hat der menschliche Geist ein Organ, in dem prophetisch das Wissen um das Schicksal ruht? Zuerst glaubte ich mich zu ärgern! Spürte ich doch für meine Flüchtlinge eine gewisse Verantwortung. In die Geheimkammer der Natur vorzudringen, in ihr abseitiges Gelaß!? War das am Ende eine jüdische Zudringlichkeit! Diese flüchtige Erwägung muß mir der Kaftan eingegeben haben. Denn »Kaftan«, das ist doch jenes Kleidungsstück, das am auffälligsten der Natur widerspricht. Kaftan ist ein Kleid der engen Gassen, der Gewölbe, der Stuben und der dumpfigen dazu. Ein Kaftan im Freien, ein Kaftan in schöner Landschaft, das ist ja grotesk.

Jetzt machte der Mann im Kaftan, der mir bisher den Rücken zugekehrt hatte, eine kleine Wendung und ich erkannte, während neuerlich ein wirklicher Nervenriß durch meinen Körper ging, ich erkannte Elkans Bruder, Israel, den jungen Rothaarigen, dem der Rabbi die andere Heringshälfte zugeworfen hatte. Es geschah nichts. Es sei denn, daß Israel sein sommersprossiges Gesicht mit geschlossenen Augen zum Himmel hob, und, als wollte er vom unsichtbaren Vater wie ein Kind aufgehoben werden, mehrmals verlegen seine Arme emporstreckte. Es geschah nichts als das, aber bis zum Grund erschütterte es mich. War es die goldene Stunde, war es der traumhafte Hain, ich belauschte aus meinem Versteck nicht Israel Elkan, einen jungen polnischen Juden, ich belauschte eine heilige Gestalt. Dieses Gesicht mit dem rötlichen Bärtchen gehörte nicht Elkan, es gehörte der Welt, dieses Judengesicht, das schmerzlich verklärt zur Sonne des Vaters sich hob. Und diese kranke Gestalt im schwarzen Kaftan, sie stand so schüchtern in säuselnder Natur, ausgestoßen und doch ihr hingegeben.

Nicht Elkan, Israel belauschte ich hier. Wie eine bebende Stimme klang diese Erkenntnis in mir. Und ich mußte die Zähne zusammenbeißen, als ich mich leise davon machte. Während des Heimwegs war ich nicht bei mir. Nicht Schlucht und Bach, nicht Berg noch Welt sah ich mehr. Ein dumpfer, fast rachsüchtiger Gedanke wütete in mir: Wer hat diesem Volk das angetan? Wer hat es dazu verurteilt, nicht wie Menschen in der Natur zu stehn, heiter und übermütig mit der Erde nicht zu leben wie alle? Wer hat es zum Kaftan verurteilt!? Und er dort ist doch der Beste! Er ist die Seele! Er ist der Höchstfall! Allen gehört die Lichtung, allen, die sie finden! Warum ihm nicht? Warum hat er emporgeschaut, statt umherzuschauen!? Wer hat uns verurteilt zu dieser Fremdheit?

Auch wer diesen Fragen von Natur aus fremd gegenübersteht, wird zugeben, daß sie ganz falsch gestellt waren! Verwunderlich ist es nur, daß ich sie das erstemal im Leben als Fragen empfand, die mich etwas angingen; (Gingen sie mich wirklich etwas an?) Oder war ich in diesen Tagen der Überreizung allzubereit für jeden Konflikt? Ich hatte nichts gesehn als einen Juden, der verloren dastand auf weichem Rasenplan und mit mattem Flügelschlag die Arme zum Himmel streckte, wie ein Kind, das aufgehoben werden will. Und das hatte genügt, mich aufzuwühlen, mich Ästheten, der schöngebundene Bücher liebt, mich, einen kalten Kopf, der sich gerne mit statistischen Spielereien abgibt, mich, einen phlegmatischen Staatsbeamten Österreichs.

Noch am selben Abend schrieb ich einen Brief, der Jakob Elkan zu mir beschied.

Der Tod des Kleinbürgers

Novelle

I

Die Wohnung besteht aus Zimmer, Küche, Kabinett im vierten Stock eines Hauses der Josefstädterstraße, dicht am Gürtel. Das Ehepaar Fiala schläft im Kabinett, Klara, Frau Fialas Schwester, hat einen Strohsack in der Küche, in der allerdings kein Raum mehr für ein zweites Lager wäre, und Franzl darf sich im Zimmer auf dem Wachstuchsopha betten. Dieses Zimmer geht nicht auf die Straße hinaus, sondern auf einen größeren Lichthof. Aber wenn der lichtspendende Hof seinem Namen auch keine Ehre macht, so behaupten geduldigere Anwohner doch, daß in seiner sagenhaften Tiefe ein Akazienbaum sein Fortkommen finde und die Wohnräume zwar finster, aber dafür ruhig seien. Heute übrigens, da frischer Winter die Straßen füllt, hat die Sonne hierher einen Vorstoß unternommen und ein paar fiebrische Flechten Lichts an die Wand des Zimmers geworfen im Augenblick, da es Herr Fiala betritt.

Der Mieter mustert seinen Raum nicht unbefriedigt. Andern geht es schlechter. Wie viele liegen auf der Straße! Und Herrschaften, die unendlich höher gestanden haben als er: Offiziale und Majore! Was da geschehen ist in diesen Jahren, wer kann das verstehen?! Stillhalten muß man, das ist das Einzige. Und ein Glück ist es, wenn einer mit Vierundsechzig noch einen Posten hat. Es ist zwar nur eine Halbtagsarbeit, aber die Firma baut täglich ihre Angestellten ab. – Gott ist gnädig und der Lohn eines Magazinaufsehers zu klein zum Abbauen! – Alles geht ja ganz gut. Ein Vierundsechziger und eine Zweiundsechzigjährige haben nicht viel Hunger. Die Klara, das Luder, verköstigt sich in den Häusern, wo sie bedient. Bleibt nur das Unglück mit dem Franzl.

Der Gedankenablauf Herrn Fialas, täglich und nächtlich der gleiche, ist an sein Ende gekommen. Und nun schickt er sich an zu tun, was er immer tut, wenn er nach Hause und in das Zimmer tritt. Zuerst geht er zu dem Ständer mit den Pfeifen. Er fährt mit der Hand über die Porzellanköpfe. Niemals hat er Pfeife oder etwas anderes geraucht. Der Ständer ist das Geschenk eines früheren Vorgesetzten, der auf diese Weise seine Wohnung von der ominösen Rauch- und Schmuckgarnitur befreien wollte. Herrn Fiala freuts, die Glasur der Pfeifen zu berühren. Es fühlt sich kostbar und gemütlich an. Man greift bessere und langvergessene Zeiten mit der streichelnden Hand. Von den Ständern weg wendet sich nun der Alte und tritt zum Tischchen, das vor dem Fenster steht. Es ist dem Anschein nach ein Nähtisch, dessen Zweckmäßigkeit durch allerlei kühne Architekturen getrübt ist. So laufen die vier Kanten der Platte in vier Fabeltiere aus, Seepferdchen oder gotischen Wasserspeiern ähnlich. Auf dem Tische liegt aber kein Nähzeug, sondern eine Schreibmappe und daneben eine Löschpapierwiege. Auf diese Wiege stützt sich Herr Fiala ein wenig, als ginge von dem gebildeten Gegenstand ein leises Wohlbehagen aus, das ihn stets erquicken möchte. Die zwei Armsessel hingegen am Nähtisch beachtet er nicht. Denn er steht jetzt stolz vor seiner Kredenz. Sie hat er nicht hergegeben beim Verkauf der anderen Möbel. (Ehedem hatten Fialas vier eingerichtete Zimmer besessen, von denen sie zwei vermieteten.) Die Kredenz kann sich sehen lassen. Mit Säulen, Köpfen, Türmen steht sie da wie eine Festung. Sie stammt noch aus dem reichen Zuckerbäckerhause in Kralowitz, wo er seine Frau hergeholt hat. Wer diese Kredenz sein nennt, ist nicht verloren. Wenn er sie verkauft hätte, wären wohl zwei Millionen Kronen zu dem übrigen Erlös hinzugekommen. Aber man will doch ein Mensch bleiben. Ein schönes Geld hat ja der Verkauf seiner alten Wohnung getragen, Gott sei Dank! Aber wer kann in diesen Zeiten dem Gelde trauen? So dumm war er nicht, wie seine dumme Frau meint, es auf ein Sparkassabuch zu legen. Was seine zwei Sparkassabücheln wert waren, das hatte er erleben müssen! Wenn das Letzte verlorenging, was würde dann die Zukunft sein, was würde aus der Frau werden, was aus dem Franzl!? Für Marie das Versorgungshaus in Lainz, für den Buben die Anstalt am Steinhof! Was das heißt, weiß Herr Fiala sehr wohl. Haben die älteren Leute nicht immer von den Leiden der Versorgung gemunkelt? So schrecklich soll das Leben draußen sein, daß die alten Menschen aus dem Fenster springen, nur um ein Ende zu machen! »Tag und Nacht fahren die Leichenwagen hin und her.« Wenn das auch nur dumme Geschichten sein mögen, so ist und bleibt das Versorgungshaus Schande. Seinen Eltern, die anständige Leute waren und etwas gehabt haben, will er diese Schande nicht antun. Er war niemals ein Bettler und hatte immer zu essen. Seine Familie soll nicht in Lainz enden!

Hier ist Fiala, während die knorpligen Hände über den Bord der Kredenz wischen, bei seinem Geheimnis angelangt. Herr Schlesinger hat ihm den Weg gewiesen, Herr Schlesinger, Versicherungsagent bei der ›Tutelia‹, ehemaliger Landsmann und seit Jahren Wohnungsnachbar. Die zufriedene Stimmung Fialas hängt an dem Geheimnis, das er mit Schlesinger teilt. Ein Rest von Unruhe ist wohl der Zufriedenheit beigemischt. Aber sein Kopf ist müd und mürbe, das Mundwerk Schlesingers hingegen rasch und geübt. Und dann, Geheimnisse vor Weibern bewahren, ist das denn eine leichte Sache? Schlesinger hat recht gehabt: Nur sich nichts dreinreden lassen! Das Dümmste an den Weibern ist ihr Mißtrauen.

Herr Fiala reißt sich von der Kredenz los, um seinen gewohnten Zimmerrundgang dort zu beschließen, wo sein Herz sich am wohlsten fühlt, wenn es allein ist.

Ziemlich niedrig hängt die Gruppenphotographie, von uralten Zweigen umkränzt, deren braun-gläsernes Laub den Flügeln riesiger Insekten gleicht. In goldenen Lettern trägt sie den Aufdruck: »Herrn Karl Fiala, die Beamten der Finanzlandesprokuratur, Wien 1910.« Diese Gabe ist keine Gewöhnlichkeit, denn in der Regel lag es nicht, daß die vorgesetzten Herren ihr Bild einem Subalternen zum Geschenke machten. Wie oft dürfte es vorgekommen sein, daß die beiden mißgelaunten Hofräte selbst, mit geduldig-lächelnder Nachsicht zu einem ähnlichen Zweck ihr Antlitz dem Photographen überlassen haben? Aber an der Auszeichnung berauscht sich Herr Fiala jetzt nicht. Auch der Rechtfertigung, die ihm durch diese Photographie zuteil geworden ist, weiht er nur einen flüchtigeren Gedanken als sonst. Schuld an der vorzeitigen Pensionierung ist gewiß der Personaldirektor und Oberoffizial Pech gewesen. Wer weiß, wenn der Herr Oberoffizial damals sein Protektionskind nicht hätte unterbringen wollen!? Mit fünfzig Jahren geht man doch nur gezwungenermaßen in Pension. Und wäre er damals wirklich so krank gewesen, würde er dann heute noch leben? Hätte der Arzt, dem er auf Schlesingers Geheiß sich gestern vorstellen mußte, trotz findigster Auskultation ihn sonst für gesund erklärt? Nun, Gott weiß, ob Herr Pech, der böse Mensch, samt seinem Protektionskind nicht tiefer gestürzt ist als er!

Diese Dinge aber beschweren im Augenblick den Betrachter der photographischen Abschiedsgabe wenig. Er ist leidenschaftlich ins Anschauen der Person vertieft, die zwischen den beiden mageren Hofräten dasitzt, üppig und pomphaft. Diese Person hat als einzige auf dem ganzen Bilde den Kopf bedeckt, und zwar mit einem großen, silberbetreßten Dreispitz. Die Person trägt ferner einen dicken und verschnürten Pelz am Leib, der ihr Ansehen verdoppelt und verdreifacht. Die Manschetten des Pelzes sind goldgebortet wie bei einem General. Zu alledem halten die dickbeschuhten Hände der Person einen langen schwarzen Stab, der mit einer Silberkugel gekrönt ist. Im ganzen wirkt die Person wie ein stattlicheres Ebenbild einer anderen und allerhöchsten Person, die in jenen streng geregelten Zeiten das Reich regiert hatte. Und dieser Mann sollte damals ein Kranker gewesen sein? Er, der ruhig und gemessen aus seiner Portierloge trat, um wachsam fast das ganze Torbild des Amtsgebäudes zu füllen? Er, zu dessen einsamer Höhe die vorbeiwandelnden Schulkinder nur scheu emporblickten, er, der sich schon in seiner Kraft und Herrlichkeit leicht verletzt fühlte, wenn er in Ausübung seines Dienstes von den Parteien nach Stiege, Stockwerk und Büro gefragt wurde? Er, der seine Auskünfte nur mit eisig gedämpfter Stimme gab, nachdem er vorher dem Frager ein schmerzlichnachsichtiges Ohr geneigt hatte?

Herr Fiala saugt den Nachhall dieser Majestät ein. Er denkt nicht daran, den alten abgeschabten Menschen, der vor dem

Bilde steht, in Beziehung zu setzen zur breiten Prachtgestalt von Einst. Die Prachtgestalt und der Magazinaufseher heute, der im geflickten Kittel von anno dazumal schlottert, das ist zweierlei Menschheit. Nur daß diese beiden Wesen dieselbe Barttracht noch tragen! Aber wer dürfte den weitausgezogenen, selbstbewußten Kaiserbart des Uniformierten vergleichen mit den demütigen Bürstenbüscheln rechts und links, die heute dünn und grau von den Backen hängen?

Fiala selbst tut es am allerwenigsten. Er schaut nur und schaut. Das Bild ist ein Altar. Kraft und Freude strömt es aus. Darum auch schämt er sich und hat immer Angst, in seiner Versunkenheit betreten zu werden. Auch heute und jetzt drehte er sich furchtsam um, ob die Tür zur Küche nicht plötzlich aufgehe.

Und nun erst gewahrt er, daß eine festliche Veränderung in seinem Zimmer vorgegangen ist. Denn der Tisch vor dem Wachstuchsopha ist gedeckt. Mit einem feinen roten Kaffeetuch gedeckt. Servietten liegen sogar auf und die schönen Tassen sind hervorgeholt, die der Schwiegermutter gehört haben, der Zukkerbäckerin in Kralowitz.

»Wo die Weiber das Zeug nur immer versteckt haben?«

Solch eine Frage etwa will in Fiala entstehen. Aber es kommt nicht dazu. Sondern eine Wolke angenehmen Gefühls, rötlich fast wie das Kaffeetuch, umnebelt ihn. So war es ja immer gewesen, sonntags, ehe der Krieg kam. Was ist denn geschehen? Diese Tassen, diese Servietten, dieses Tischtuch, das ist ja die Auferstehung des Mannes auf der Gruppenphotographie in all seiner pelzverbrämten Kraft. Herr Fiala, noch immer fassungslos und rosig umwölkt, gibt sich ungläubig dem Traum hin. Das Geheimnis, der Pakt, durch Schlesinger getätigt, durch ärztlichen Machtspruch besiegelt, steigert die Freundlichkeit des Augenblicks. So kann man doch noch auf ein anständiges Ende hoffen. Dies und jenes ist da. Feine Tischwäsche darunter. In ihrer sauberen Faltung ruht aufbewahrt die alte Zeit, da man groß und gesund in einem Tore stand, da alles umsonst war und kein Mensch Entbehrungen kannte. Mit Gottes Hilfe wird alles wieder so werden, wie es gewesen ist. Das Versorgungshaus wirft keinen Schatten mehr über den Weg, und auch Franzl wird immer soviel besitzen, daß er nicht in eine Anstalt muß.

II

In seiner wohligen Geistesabwesenheit steht Herr Fiala noch immer da, als seine Frau mit dem Kaffeebrett sich durch die Tür müht. Er staunt dieses Brett an, denn es trägt nicht nur zwei niemals in Gebrauch befindliche Kannen für Kaffee und Milch, sondern auch einen Aufsatz mit künstlichen Bäckereien, Spanischem Wind, Nußkipferln, Kollatschen und Schnitten. Hierin ist Frau Fiala, die Zuckerbäckerstochter, Meisterin. Aber für wen hat sie diesmal ihre Kunst aufgeboten? Sonst bäckt sie doch nur, wenn sie sich bei den reichen Damen, die sie kennt und die ihr hie und da Wohltaten erweisen, bedanken will. Ganz verlegen ist Frau Fiala jetzt, da sie doch auch etwas sagen muß und ihr die feierliche Jause, auf die sie sich den ganzen Tag über gefreut hat, selbst ganz merkwürdig vorkommt.

»No, Karl, weils dein Namenstag ist!«

Aber plötzlich scheint ihr die Begründung nicht mehr stichhältig genug zu sein, denn sie schüttelt den Kopf über sich selber. Es war ihr der Einfall und die Lust ganz plötzlich gekommen. Die gute Wäsche besitzt sie ja noch. Und der Mann plagt sich, kommt immer traurig nach Hause. Nie geht er aus, nie verlangt er etwas. Er raucht nicht, er trinkt nicht. Das war ihr alles nahegegangen heute vormittag. Der Mensch muß doch auch einmal seine Freude haben, selbst wenn er alt ist. Vielleicht aber wars nicht nur dieser Gedanke. Vielleicht hat auch sie einen Blick auf die Gruppenphotographie geworfen und das Ihre dabei empfunden.

Herr Fiala hat sich noch immer nicht erholt. Er blinzelt wie aus dem Schlaf seine Frau an. Was ist das für eine schwarze Seidenbluse mit Jettknöpfen? Die stammt auch noch aus jener Zeit!

Und ihr falsches Gebiß hat die Frau im Munde, was doch sonst nicht vorkommt, da es ihr mittlerweile zu groß geworden ist.

Herr Fiala sieht die Seinige im längstvergessenen Staat. Er hört, daß sein Namenstag heute gefeiert wird. Zehntausend Karle gibts. Und alle Karle feiern den Tag. Das erfüllt ihn mit wohltuendem Stolz. Denn wenn andere Karle feiern, darf auch er noch feiern! Das Geheimnis fällt ihm ein und verwandelt sich sogleich in eine verschollene Polka. Ungeschickt geht er dem alten Takt nach, den er in sich verspürt und berührt die ärmliche Hüfte und Schulter der Frau. Zu einem Kuß reichts nicht mehr.

Sie sitzen nun am Tisch und genießen. Auf dem Kaffee schwimmt eine dicke Haut. Mit einer kleinen Hemmung des Zugriffs werden jeder Tasse zwei Stückchen Zucker geopfert. Auch das Zimmer spielt für einen Augenblick die Idylle des Behagens mit. Es mildert die hohläugige Krankheit des Lichts und lügt die Armut um zu einer behäbigen Dumpfigkeit, als würde es vorübergehend anerkennen, daß Karl Fiala und der ehemalige pelzvermummte Türhüter der k. k. Finanzlandesprokuratur ein und dieselbe Person seien.

Solange keines von beiden etwas spricht, dauert diese Verwandlung an. Aber leider läßt sich Herr Fiala zu einer aufrichtigen Bemerkung hinreißen, die dem Alltag sofort eine Tür öffnet.

»Gott sei Dank, daß die Klara nicht zu Hause ist!«

Frau Fiala hat zwar vor ihrer Schwester Furcht und solange das Wort nicht ausgesprochen war, hat auch sie sich des Alleinseins mit ihrem Alten gefreut, aber jetzt ist sie leider in die ewige Verteidigungsstellung gedrängt. Denn Klara bildet das Streitobjekt zwischen den Gatten. Auch Herr Fiala hat Angst vor seiner Schwägerin. In der Nacht liegt er oft da und fühlt ein Grauen vor dem Weib nebenan in der Küche. Hat sie nicht zweimal mit dem Besen gegen ihn ausgeholt? Und wenn er einmal alt und schwach sein wird, sie würde zuschlagen, erbarmungslos! Er kann die Vorstellung nicht loswerden, daß sie ihn wütend mit dem Besenstiel gerade ins rechte Auge trifft. Er fühlt genau, wie das Auge anschwillt und brennt, während seine Gute daneben ihre altbekannten Milderungsgründe erschöpft: daß Klara eine

Enttäuschte sei, daß sie dieses Bedienerinnenleben heruntergebracht habe, daß alle alten Jungfern Bisgurn wären, und daß sie schließlich ein gutes Herz und noch bessere Arbeitsarme besitze.

Herr Fiala lenkt von dem unerquicklichen Schicksal ab, gegen das sich nichts mehr wird tun lassen:

»Wo ist Franzl?«

»Um Holz ist er.«

Da läutet es an der Wohnungstür. Es ist Herr Schlesinger, der Versicherungsagent. Öfters kommt er auf einen Plausch zu Fialas. Denn erstens ist auch er ein Kralowitzer und zweitens wohnt er auf dem gleichen Gang. Er bleibt in der Tür stehen und schnalzt mehrmals mit der Zunge, ehe er seine Frage stellt, mehr an sich selbst, als an die alten Leute:

»Was tut sich?«

Fiala ist erregt über den Besuch. Seine etwas starren blauen Augen blicken verlegen den Agenten an, der Herr über sein eigenwilliges Geheimnis ist. Frau Fiala kann hingegen den Hausfrauenstolz nicht unterdrücken, einem Kenner und besseren Menschen Servietten, feines Geschirr und edle Bäckerei vorsetzen zu dürfen. Sie bringt eine neue Tasse, sie schenkt Kaffee ein, sie weist den Platz an, wie sichs gehört.

Aber ehe Schlesinger sich hinsetzt, gestikuliert er vielsagend mit dem ausdrucksreichen Kopf:

»Da sieht man, wo das Geld wohnt.«

Auch er ist schon Fünfzig, hat eine spiegelglatte Glatze und einen ganz kleinen an der Oberlippe grau-klebenden Schnurrbart. Er läßt sich nicht gehen und hält sich proper. Befriedigt mustert er das Gebotene. Auch zeigt er sich im Bilde über die Herkunft Frau Fialas. Der Name der Zuckerbäckerfamilie Wewerka ist ihm geläufig. Doch geht die Achtung vor diesem Namen nur so weit, daß er das Stichwort abgeben darf für einen andern, den seinen nämlich. Das Thema liegt ihm. Man spürts an der fast wehleidig gestellten Frage: »Die Firma Markus Schlesinger, Kralowitz, Ringplatz, haben Sie gekannt?«

Frau Fiala bejaht lebhaft.

»Wirkwaren, Schnittwaren, Tuchwaren, Delikatessen, Südfrüchte, Lebensmittel, Tabaktrafik. Ein Warenhaus schon damals, ich bitte! Ohne meinen seligen Vater wäre ganz Kralowitz und Umgebung erschossen gewesen. Was, hab ich recht?«

Die Alte blickt entzückt in ihre Vergangenheit.

»War mein Vater der angesehenste Kaufmann am Platz, oder nicht? Sagen Sie selbst, Frau Fiala?«

Frau Fiala hat niemals eine andere Meinung gehabt. Schlesinger aber senkt seine Stimme zu einer weichen und bitteren Melodie:

»Und jetzt frag ich Sie, Frau Fiala, ist mein Vater nicht ein Schlemihl gewesen, daß er das große Unternehmen verkauft hat? Nach Wien hat er müssen übersiedeln und das Kapital an der Börs' verspielen!!«

Herr Fiala hätte etwas Einschlägiges zu bemerken. Auch für ihn wäre es vielleicht besser gewesen, niemals den Heimatsort zu verlassen. Aber Schesinger winkt ihm ab. Er läßt sich in der Aufzeigung seiner Tragödie nicht stören:

»Vor meiner großen Auslage könnt ich jetzt stehn am Ringplatz. Vier Spiegelscheiben und dahinter alles prima arrangiert! Stehn könnt ich und auf den Platz schaun. Wenn die Kunde kommt, brauch ich mich nicht zu rühren. Dazu ist das Personal da... Schön schau ich jetzt auf den Platz hinaus! Weil mein seliger Vater ein Schlemihl war, bin ich ein Schnorrer.«

Schlesinger beißt verzweifelt mit seinen breit auseinanderstehenden Schneidezähnen die Spitze einer Kuba ab, saugt an ihr gierig von allen Seiten und zündet sie an:

»Ein Beruf, den ich da hab! Immer bei der Kunde einbrechen! Und die Kunde ist hart wie Müllers Esel. Die Menschen glauben, der Tod ist ein Schwindel. Warum sollen sie das Leben versichern lassen? Recht haben sie!«

Fiala schickt einen erstaunten Blick aus. Das veranlaßt Herrn Schlesinger, seinen geschäftlichen Zweifel gutzumachen, indem er jovial lächelnd ausruft:

»Ja, unser Herr Fiala da. Der hats mit mir getroffen!«

Da dieser Ausruf aber nicht recht verständlich ist, fügt er nach seiner Art unvermittelt und ächzend hinzu:

»Photograph wär ich lieber geworden!«

Niemand fragt, warum der Seufzende lieber Photograph geworden wäre. Er läßt sich auch auf keine weitere Erklärung ein, sondern erhebt sich von seinem Stuhl und redet, während er in dem kleinen Raum hin und her geht, unruhig an den Dingen rückt oder mit dem Ärmel drüberwischt:

»Wieviel Stiegen, glauben Sie, steig ich im Tag? Wenn ich um acht Uhr ins Kaffeehaus komm, bin ich kaputt, so kaputt, daß ich keine Karte mehr anrühren kann. Dabei sollten Sie die Provision kennen, die ich zu beanspruchen hab. Früher war das alles keine Last. Aber jetzt! Manchmal kann ich den linken Arm vor Schmerzen nicht mehr schleppen. Und bei jedem zehnten Schritt muß ich stehn bleiben, weil ich nicht mehr jappen kann. Ein Schnorrer bin ich und alt bin ich. Was will man mehr?«

Die Fiala widerspricht und rühmt singend die Jugendlichkeit Schlesingers. Er aber hält im Gehen inne:

»Wissen Sie was, Frau Fiala!? Ein Mann von Fünfzig ist älter als ein Mann von Siebzig. Mit Fünfzig, ich spürs, da wirds gefährlich. Der Ihrige, der hat den Punctus Spundus schon überstanden. Bis Hundert!«

Sagt es und hält das Schnapsglas, das ihm die Frau indessen eingeschenkt hat, salutierend hoch. Dann setzt er sich und stöhnt:

»Wir Juden rauchen zuviel.«

Sofort aber korrigiert er:

»Pardon! Ich bin gar kein Jud, wenn Sie das zur Kenntnis nehmen wollen. Ich habe für die heilige Jungfrau optiert.«

Schlesinger erschrickt sichtlich über seine Worte. Er wird sehr ernst und duckt sich zusammen. Aber die Fialas haben seinen gefährlichen Zynismus gar nicht verstanden. Sie blinzeln ihn an. So murmelte er mit plötzlicher Demut zum Abschluß:

»Ja! Es ist besser fürs Fortkommen!«

Dann schweigt er ahnungsvoll vor sich hin. Fiala ist unruhig, denn er hätte noch manche Frage an den Agenten zu stellen. Die Frau ist aus dem Zimmer gegangen, aber ihm bleibt zum Fragen keine Zeit, schon ist sie wieder zurückgekehrt. Schlesingers

Kralowitzer Prahlereien haben ihre eigene Prahlsucht angestachelt. Man kann unschwer bemerken, daß sie in aller Stille ihr Gebiß wieder abgelegt hat; doch bringt sie jetzt eine schwarze Holzschachtel mit. Ihre verschrumpelten Finger wühlen eilig ein Knäuel von Samtbändern, Seidenresten, Jettschnüren hervor, sie klimpern mit Schnallen und zerbrochenem Glasschmuck. Aber die Hauptschätze ruhen auf dem Boden der Familienschatulle. Auch Marie Fiala ist nicht von der Landstraße und hat Angedenken an Kralowitz und ihre Verwandten vorzuweisen. Und schon muß Herr Schlesinger eine Photographie entgegennehmen, was er mit unverhohlener Nachlässigkeit und gemessener Ermattung tut. Fialas, Mann und Frau, haben immer das Bedürfnis gehabt, die feierlichen, ach, so seltenen Momente des Lebens im Bilde festzuhalten. In ihrer Existenz erfüllt die photographische Kunst einen hohen Sinn. Er hat sein Herzensbild, sie hat ihr Herzensbild, dasselbe, welches der Vertreter der ›Tutelia‹ jetzt nervös und gleichgültig hin und her fächelt. Frau Fiala erklärt:

»Das Grab meiner Eltern, bitte, am Friedhof von Kralowitz.«

In der Tat, dieses Bild in Kabinettgröße zeigt ein Grabmonument und selbst der absprecherische Sinn Schlesingers muß zugeben, daß es ein wohlhabendes Grab ist, ein prächtiger Rasen von ernsten und ehrenhaften Ketten umzirkt. Achtungsvoll wiegt er den Kopf und meint in seiner unpräzisen Art, die immer ein Dunkel über die Worte breitet:

»Am Zentralfriedhof könnten S' zuschaun...«

Aber das Bild zeigt noch mehr. Es zeigt Frau Fiala selbst in einem stolzgepufften Kleide mit einem Federhut, von dem ein Schleier niederhängt. Es zeigt sie zwischen der ebenfalls geschmückten und noch hochbusigen Klara und Karl, der ihr den Arm gereicht hat und Handschuhe sowie einen steifen Hut trägt.

Schlesinger denkt zwar bei sich »Gusto das«, tut aber gutmütig eine leichte Anerkennung kund. Plötzlich kreischt Frau Fiala auf, als würde sie jetzt zum erstenmal den Schimpf und Spott entdecken, den man ihr angetan hat. Ihre Stimme überschlägt sich:

»Der Lausbub, der Lausbub!«

Und wirklich, man kann die Schmach nicht übergehen und wegtäuschen. Auch ein Lausbub hat sich zu gleicher Stunde auf dem Friedhof von Kralowitz eingefunden, und hinter dem schönen Grabmal hervor, im Rücken der sich verewigenden Familie, bleckt er eine höhnische Fratze und Zunge dem Photographen entgegen. Nun und in alle Ewigkeit, wie das Schicksal!

Was bleibt Herrn Schlesinger anderes übrig, als den tückischen Gassenbuben auch zu verurteilen und das Bild in die Hände der Besitzerin zurückzulegen? Diese klappt die schwarze Schachtel eilig zusammen, denn an der Wohnungstüre hat es geklopft. Keine Zeit mehr ist übrig, dem Besuch das Bild der beiden schönen und luftiggekleideten Nichten anzubieten, die als Varietétänzerinnen große Karriere gemacht haben und jetzt nach Südamerika engagiert sind.

Grußlos ist Franzl eingetreten, geht mit unbeteiligtem Blick an den Alten vorbei in die Küche, wo er die Holzlast von seinen Schultern auf den Boden poltern läßt. Franzl wird der lange, trübe Mensch genannt, der seine Zweiunddreißig zählt. Frau Fiala behauptet, daß die Fraisen an allem schuld seien. Denn Franzl ist Epileptiker, hat häufig Anfälle, vergißt, was man ihm aufträgt, und ist daher in keinem Beruf brauchbar, wenn er auch tagelang herumstreift, um eine Arbeit zu finden. Derartiger Geschöpfe entledigt man sich zu allgemeinem Vorteil, indem man sie den dazu bestimmten, gemeinnützigen Anstalten anvertraut. Es muß gesagt werden, daß Franzls Mutter des öfteren schon willens war, für ihr Kind die öffentlichen Wohlfahrtseinrichtungen in Anspruch zu nehmen. Sie hätte gehört, so erklärte sie bei solcher Anwandlung ihrem Mann, daß jetzt, nachdem die roten Stadtväter das Regiment über den Steinhof führen, das Essen ausgezeichnet sei, besser, als der Bub es zu Hause bei ihr haben könne. Aber da versteht Herr Fiala keinen Spaß, da kann er, der Sanftmütige und Geduckte, zurückfinden in die grobe Rolle von Ehemals. Hierbleiben wird der Franzl. Solange er selber noch Atem hat, wird er für den Buben sorgen, und wer weiß, auch noch länger!

Inzwischen bietet Frau Fiala ihrem Sohne von den Speisen an: »Willst was haben, Franzl? Kaffee oder Bäckerei?«

Franzl aber sieht die Alte nur an, stumm, mit einem toten Blick, als wollte er sagen: ›Hab ich mir das verdient?‹ Dann setzt er sich in die Küche auf eine Kiste und starrt, wie alle Tage, in das Werden der Dämmerung. Zugleich mit der Dämmerung überschleicht Frau Fiala Angst. Jetzt wird die Klara nach Hause kommen. Sie huscht mit dem Geschirr in die Küche, wo sie Tassen und Kannen umsichtig versteckt. Mit gejagten Händen faltet sie die feine Wäsche zusammen und trägt sie ins Kabinett.

Auch Herrn Schlesinger wandelt Ungemütlichkeit an. Die Erscheinung Franzls beraubt ihn immer aller Suada. Er kann kein Leid sehen. Er ist persönlich gekränkt, wenn in seiner Gegenwart Tod und Krankheit sich vordrängen. Schließlich ist es sein Beruf, die Menschen vor diesen Schäden der Natur zu versichern. Schnell bedankt und verabschiedet er sich von Herrn Fiala. Der aber folgt ihm gierig auf den Hausflur nach. Dort kann er beruhigt nun seine Fragen stellen, denn er behält die Übersicht der Treppe, auf der Klara kommen wird. Mit erregter Hand tastet er die Assekuranzpolizze aus der Brieftasche.

»Alsdann, ist es gut so und in Ordnung, Herr Schlesinger?«

Der Agent setzt für alle Fälle einen ausgedienten Zwicker auf und wechselt aus dem persönlichen in den Geschäftston hinüber, der das Werkzeug ist, mittels dessen er alltäglich »bei der Kunde einbricht«:

»Lieber Herr Fiala! Versicherungstechnisch gesprochen, haben Sie einen Haupttreffer gemacht.«

Der Alte hängt an dem geschwinden und wortbegabten Munde. Er bekommt zuerst ein paar gewiegte »versicherungstechnische« Wissenschaftlichkeiten zu hören. Dann packt ihn Schlesinger beim Knopf:

»Sie haben sich ein paar mistige Millionen zusammengekehrt. Millionen ist gut! Nicht einmal Hellerwert hat das Glumpert. Wenn Sie zu mir gekommen wären und hätten gefragt: Schlesinger, soll ich das Geld aufessen? Was, glauben Sie, hätt ich Ihnen gesagt?«

Fialas trübblaue Augen erwarten gespannt die Antwort, die er auf solche Frage bekommem hätte.

»Ich hätte Ihnen gesagt: Essen Sie das Geld auf! Denn was wollen Sie damit anfangen? Auf eine Bank legen, den Bettel? Fett wären Sie schon von den Zinsen geworden! Aber, mein Lieber, alle Banken gehen heute zugrund. Das ist eine Zeit, wo die größten Menschen Gottes ihre Zahlungen einstellen! Also erstens hätten Sie nichts von dem Geld gehabt und zweitens wären Sie darum gekommen!«

Herr Fiala ist von dieser Beweisführung restlos ergriffen. Er blickt mit großer Zustimmung drein.

»Nur aus Freundschaft hab ich mich für Sie interessiert, Fiala! Denn an Ihnen verdien ich nichts. Gott behüte! Schämen müßt ich mich. Also! Sie sind ein rüstiger Mensch in den besten Jahren. Sie haben nichts, wie man sagt, aber Sie können davon leben. Ganz gut leben. Man siehts. Heute und morgen werden Sie sich und Ihre Familie ernähren. Also wozu wollen Sie Ihr armseliges Gerstl aufessen oder es auf schlechte Zinsen verlieren? Jetzt geht alles gut, aber, mein Lieber, wenn Sie einmal nicht mehr kriechen können? Und wenn es noch schlimmer kommt...?«

Der alte Mann fühlt sich im Tiefsten durchschaut. Er beginnt leidenschaftlich zu Schlesingers Worten zu nicken.

»Was dann, Herr Fiala? Ja, für das ›was dann‹ hab ich schon gesorgt. Dann geschieht das Wunder. Sie haben Ihren Bettel nicht aufgegessen und nicht bei einer Bank oder Sparkassa verloren. Sie haben eine mäßige Summarprämie eingelegt. Die ›Tutelia‹ ist da und gibt Ihren Angehörigen nicht zehn und zwanzig Prozent Zinsen, sondern zweihundert, fünfhundert, tausend Prozent! Ein Kapital gibt sie zurück für Ihren Bettel!!«

Fialas Verklärung ist vollkommen. Das Dokument in seinen Händen vibriert. Mit mühsamer Zunge will er noch die letzten Erkundigungen einziehen:

»Und wann... wird dann... das Geld ausgezahlt?«

Sachlich, indem er den Finger näßt, beginnt Schlesinger in dem Pakt zu blättern.

»Da muß es stehn... Hier: ...Und verpflichten wir uns,

wenn das Ableben nach vollendetem fünfundsechzigstem Lebensjahr erfolgt...«

Schlesinger blickt begeistert von dem Blatte auf. Er lacht:

»Vierundsechzig sind Sie alt, hundert Jahr werden Sie werden. Und nach vollendetem Fünfundsechzigstem erfolgt schon die Auszahlung. Einjährige Lauffrist ist effektiv hochanständig. Überhaupt! Kulante Abschlüsse, Sie können mirs glauben, macht heut nur die ›Tutelia‹!«

Die Windungen der Stiege wandert ein scharrender Schritt empor. Hastig steckt Fiala den Kontrakt ein und verschwindet in seiner Wohnung. Herr Schlesinger zieht ächzend den Schlüssel zur seinigen aus der Tasche.

III

Das erste, was Klara tut, wenn sie nach Hause kommt, ist Schuhe und Strümpfe auszuziehen. Sie geht daheim, um Schuhwerk zu schonen, grundsätzlich nur barfuß. Ihre Füße sind verbeult und schreckenerregend. Keine andere Stiefelnummer taugt für diese Füße als die des unförmigen Zahnarztes, bei dem sie dient. Klara darf auch immer die abgetragenen Stiefel des kolossalen Mannes erben. Ihr Busen, auf den nicht nur sie, sondern auch die ältere Schwester einst so stolz waren, ist längst dahingeschwunden und hat die Haare ihres Hauptes zum größten Teil mitgenommen. Klara legt ihr schmutziges Kopftuch, das am Halse schief zusammengeknotet ist, niemals ab. Unter diesem Kopftuch spielt eine lange, knochige Physiognomie alle Farben und Mienen. Niemand kann so freundlich-scheinheilig blinzeln wie sie, wenn ihre Herrschaften sie dabei überraschen, wie gerade eine Näscherei des Tafelaufsatzes in ihrem Mund verschwindet. Wenn in einem der Häuser ihrer Bedienung eine Geldnote oder ein Schmuckstück in Verlust geraten ist, macht sich niemand leidenschaftlicher, ja verzweifelter auf die Suche als Klara. Doch auch niemand hat tückischere Wutausbrüche. Klara ist aus der Art geschlagen. Sie hegt in ihrem Herzen keine großen Lebensaugenblicke und deren Photographien. Sie kennt keine Sehnsucht nach feiner Wäsche und besseren Sachen. Ihr großer Holzkoffer, über dessen Schätze sie dann und wann Andeutungen macht, ist seit Jahrzehnten nicht ausgepackt worden. Sie täte nie, was ihre Schwester Marie heute getan hat, in einer heimlichen Schönheitsanwandlung dem armen Manne den Jausentisch seines Namenstags decken. Hingegen ahnt jetzt Klara etwas Außergewöhnliches und schnuppert und blinzelt:

»Was hast heut gekocht? Kaffee?«

Frau Fiala ist zu Tode erschrocken und ganz kleinlaut:

»Aber, Klarinka, Tee hab ich gekocht, dünnen Tee wie immer!«

Die unsichere Antwort ruft Klaras gefährlichen Zorn wach. Sie preßt die Lippen zusammen und beginnt die Küche ihren Gemütszustand fühlen zu lassen. Mit lautem Knall feuert sie dies und das in die Ecken. Auf dem Herd rückt sie die Töpfe, als wolle sie ihren Anteil von dem der Familie wütend separieren. Die Schwester lebt nicht mehr für sie. Endlich knotet sie das Bündel auf, das sie mitgebracht hat. Dinge kommen zum Vorschein, namenlose, wie sie sonst nur auf Abfallsorten zu finden sind: zwei vertrocknete Äpfel, Porzellanscherben, ein paar leere Sardinenbüchsen, Kerzenreste, Zigarettenschachteln, Bindfaden und als Hauptstück ein altes, schadhaftes Herrenhemd. Mit wildem Ruck schichtet Klara die Beute in ihrem Winkel auf, dem bei Lebensgefahr niemand nahe kommen darf. Um sich einzuschmeicheln und ihre Bewunderung erkennen zu lassen, fragt Frau Fiala nach der Herkunft dieser Schätze. Die alte Jungfer fährt scharf herum:

»Gestohlen hab ichs! Was? Eine Diebin bin ich! Eine Diebin nennst du mich, eine Diebin, wenn ich Geschenke bekomm...«

Ihr Mund verzerrt sich, Augen, Nase röten und nässen sich, in kurzen Stößen bricht Geheul aus und während sie Tränen und Schnupfen zurückschnaubt, hebt ihre Klage an: Unter böse Menschen sei sie geraten. Lange werde sie's nicht mehr aushalten. Es werde sich auch anderswo ein Schlafplatz finden. Keine Diebin sei sie, aber von Dieben allerorts umgeben. Mit Verschwendern und Durchbringern müsse sie leben, die heimlich Kaffee kochen und Gugelhupf backen, der ihr vorenthalten, dem Juden aber angeboten werde. Diese Verschwender hätten keine Ahnung mehr vom Leben. Nichts gelernt haben die Durchbringer in diesen Jahren. Dumme Leute, dumme Verschwender, wissen nicht, was die Sachen wert sind. Wenn sie ihre Geschenke nach Hause bringt, lachen sie die dummen Leute aus. Das hat sie davon, weil sie sparsam ist und die Preise kennt...

Frau Fiala, die schon weiß, daß jetzt nichts zu wollen ist, schleicht sanftmütig ins Kabinett.

Kaum weiß sich Klara allein, so stürzt sie sich auf die Verstecke, wo sie die verschleppten Süßigkeiten mutmaßt. Beim ersten Zugriff sind sie entdeckt. Drei Bäckereien nimmt sie vom Teller, eine läßt sie übrig. Ihren Raub aber versteckt sie in einer der vielen Sardinenbüchsen, die ihren Eigentumswinkel zieren. Dort wird auch dieses Gebäck vermodern, wie so vieles andere.

Damit aber niemand auch nur einen zweifelhaften Blick gegen sie unternehme, beschließt sie, ihre Diktatur heute furchtbarer auszuüben denn je. Zu diesem Zwecke schlägt sie einen neuen Lärm: Man habe ihren Koffer erbrochen! Nach einer Weile schrillen Geschreis hat Frau Fiala die Flennende zwar beruhigt, aber nicht überzeugt. Ihr Koffer ist und bleibt von frechen Händen entheiligt. Jeder Blinde sieht es deutlich an den Stricken, mit denen er verschnürt ist.

Dieweil sitzt Herr Fiala im finstern Zimmer. Licht wird nicht gemacht. Licht gibt es nur zum Imbiß und beim Schlafengehen. Wozu braucht er auch Licht jetzt? Die rosa Glückswolke schwebt immer noch um sein Haupt. So zärtlich hüllt sie ihn ein, daß er Klaras altgewohntes Keifen gar nicht mehr hört. Wer einer Lebensgefahr entgangen ist, wer eine schwere Mühsal überwunden hat, muß Ähnliches empfinden. Denn Fiala fühlt sich durch das Schriftstück in seiner Tasche wahrhaft gerettet. Keine grausame Zukunft droht mehr, kein tückischer Zufall lauert in jedem Haustor. Mag ruhig die Lainzer Elektrische nun des Weges fahren. Der Anblick ihres Schaffners und Motorführers wird ihn nicht mehr bis ins Herz erschrecken. Geborgenheit nach so vielen entsetzlichen Jahren, Geborgenheit, mit wollüstiger Schwerkraft zieht sie ihn auf den Armstuhl nieder, der beim Nähtisch steht.

Die Menschen! Wenn mans bedenkt, selbst aus dem Tode holen sie ihren Gewinn! In diesem Augenblick geht durch Fialas Kopf ein Staunen und fast so etwas wie Hochachtung vor menschlichem Fortschritt. Franzl wird nicht auf der Straße liegen. Franzl wird nicht in den Steinhof gesperrt werden. Dies ist ja die Hauptsache! Bleibt sonst noch etwas zu wünschen? Nichts!... Oh doch! Eine kleine Kleinigkeit, aber eine süße Kleinigkeit. Die Gruppenphotographie an der Wand ist erloschen. Fiala kann sich nicht mehr sehen in seinem einstigen Pomp und auch die dürftigen Hofräte nicht, zwischen denen seine Herrlichkeit thront. Aber einen andern sieht er jetzt ganz deutlich, ihn, der ihn einst um die Stellung gebracht, seinen einzigen Feind, den Inbegriff aller Erzfeindschaft, ihn, den Personaldirektor und Oberoffizial, ihn, Herrn Pech! Möchte Herr Pech doch Zeuge sein, daß ein anständiger Mensch, dem Unrecht geschehen ist, der mit sechzig Jahren Krieg und Hunger überleben mußte, dennoch anständig seinen Weg zu Ende gehen kann. Gewiß ist der Oberoffizial längst schon ein Bewohner von Lainz. Noch Mächtigere als er, Hofräte und Majore, gehen im Winter ohne Überzieher blaß und scheu in die Häuser betteln. Herr Fiala möchte mit Marie und Franzl durch den Garten des Versorgungshauses wandeln, an Herrn Pech, der elend auf einer Bank hockt, ganz langsam vorüberwandeln und auf sich und die Seinen zeigen: »Sehen Sie!«

So beglückend die Phantasie ist, auch dieser Traum wird unterbrochen von dem Skandal, der sich jetzt draußen auf dem Hausflur erhebt. Klara spielt ihren letzten Trumpf aus. Die gicksende Stimme der Bösen Sieben beschuldigt die Mietsparteien desselben Ganges, sie beraubt zu haben. Wie in alten Häusern so oft, müssen sich mehrere Mieter die Benützung eines notwendigen Ortes teilen, der außerhalb der Wohnungen den Gang abschließt. Klara behauptet, daß sie gerade an diesem Ort ein Versteck ausfindig gemacht habe, wo sie die Schachtel immer verberge, die nun geraubt sei. Kein Plätzchen des Hauses wäre vor diebischen Händen sicher, darum hätte sie jenen Raum gerade erwählt. Viele Stimmen lachen und schreien zu Klaras Diskant. Ein ordnungsstiftender Baß erkundigt sich milde, was für Pretiosen die so eigenartig deponierte und nunmehr entwendete Schachtel denn enthalte. Klara schreit:

»Vorkriegsspagat!«

Daraufhin löst sich der gefährliche Skandal in eine wilde Heiterkeit auf. Frau Fiala schlüpft ins Zimmer zu ihrem Gatten. Sie selbst erträgt willig jede Unbill durch Klara, aber wenn der Krach auf den Gang und unter die Leute getragen wird, da schämt sie sich der Schwester, da möchte sie sich verkriechen. Sie erwartet jetzt, daß auch der Mann sie wegen der Schwägerin anjammern werde. Sie ist sogar gewillt, in seinen Jammer einzustimmen, den Streit zu lassen, und ihm endgültig Recht zu geben. Aber was ist mit Fiala, er jammert nicht, er tröstet sie. Mit wegwerfender Geste sagt er:

»Laß sie gehn!«

Er erhebt sich, er steht stramm und feierlich da, wie ein junger Mensch, wie der Türhüter bei der Finanzlandesprokuratur vorzeiten. Er entfaltet in der Finsternis ein Papier, als ob er ihr etwas vorlesen wolle. Dann nimmt er ihre alte Hand und dem Schweigsamen fließen die Worte von den Lippen, wenns auch nur die Worte Schlesingers sind. Alles erklärt er nun der Frau. Das Geheimnis und das Wunder der Versicherung. Gerettet sind sie Beide für ewige Zeit. Nach seinem Tode wird Marie ein Vermögen ausbezahlt bekommen, ein Kapital, zweihundert, fünfhundert, tausend Prozent von dem mistigen Erlös aus der alten Wohnung und den überflüssigen Möbeln.

Es ist dies wahrhaft ein Fest- und Namenstag. Nicht ohne tiefere Ahnung hat Marie das rote Kaffeetuch aufgebreitet. Jetzt aber weint sie. Sie weint auch bei minder großen Gelegenheiten. Solche Freudentränen aber sind selten:

»Mein Mannerl!« schluchzt sie.

Doch schon nach einer Weile tut Klaras Schwester eine naheliegende Frage:

»Und wann wird... das Geld... ausbezahlt?!«

Gut nur, daß es jetzt finster ist. Fiala aber findet die Neugier der Seinigen selbstverständlich. Er deklamiert:

»Wenn das Ableben nach vollendetem fünfundsechzigstem Lebensjahre erfolgt...«

Und mit dem ganzen Selbstgefühl eines machthabenden Erblassers befiehlt er:

»Der Franzl, hörst, der bleibt hier! Der Franzl kommt nicht aus dem Haus!«

Der Franzl ist dem Geschrei seiner Tante entflohen. Er steht vor dem Haustor und sieht dumpf auf die Straße und auf die Stadt, die abgeschabt und geschunden von langem Leid, schlecht beleuchtet, der frischen Nacht sich anheimgibt. Unfreundlich und scharf klingeln die Elektrischen. Die Wagen, die nach dem inneren Wien fahren, sind leer, die zurückkehrenden dicht besetzt. Franzl ist müde. Den ganzen Tag hat er sich vor Auskunftsorten für Arbeitslose und bei Stellenvermittlungen herumgetrieben. Er weiß, daß er keine Arbeit finden wird, daß all sein Umherstehen sinnlos ist. Aber die Zeit, die lange, böse, bringt er um damit. Bei der Weiche, wo die Schienen zum Gürtel abbiegen, schreit ein Wagen hoch auf wie ein gemartertes Tier. Da zuckt auch durch Franzls schwachsinniges Hirn ein wilder Krampf. Fragen, Urfragen wollen empor, entsetzliche! Aber nicht einmal Fragen zu bilden, nicht einmal zur Frage »Warum muß ich leben« langt die Kraft. Den armen Menschen schüttelt Sucht, zu rennen, über den Gürtel, durch die äußern Bezirke, vor die Stadt, weiter, zu rennen, immer weiter in die Nacht hinaus, bis der Körper tot zusammenstürzt.

Aber Franzl schleicht nur mürrisch ins Haus zurück. Zu gut kennt er die verfluchte Befreiungssucht, die stets einen Anfall meldet.

IV

Zeit war vergangen, November da! Nichts hatte sich seit jenem Namenstag ereignet, das der Aufzeichnung also würdig wäre, wie die heimliche und feierliche Jause, die Frau Fiala ihrem Manne zugedacht.

Allabendlich kehrte Klara heim, geladen wie immer. Ihre Erfindungsgabe, Welt und Menschen stets von Neuem in Anklagestand zu versetzen, wuchs von Mal zu Mal. Am Ende aller Tage wird sie noch ihre Rechnung präsentieren, und wer weiß, ob man mit ihr fertig werden wird. Ihre Schwester aber hatte sich längst abgefunden und stritt für sie wider jedermann. Herr Fiala seinerseits stand Tag für Tag von acht Uhr früh bis zwei Uhr nachmittags im zugigen Magazin seiner Firma und notierte die abgehenden und remittierten Waren in ein fleckiges Journal. Wenn er dann heim in sein Zimmer kehrte, begann er den gewohnten Rundgang, der bei der Gruppenphotographie endete. Auch Franzl hatte die sinnlose Stellungssuche noch nicht aufgegeben, die immer damit abschloß, daß er auf die Frage »Sind Sie gesund?« schwieg. Kam die Dämmerung, so saß er unweigerlich in der Küche auf seiner Kiste.

Nur S. Schlesinger war eines Tages verzogen, unbekannt wohin.

Niemand konnte an Herrn Fiala eine Veränderung wahrnehmen. Keiner seiner Kontorgenossen, kein Fremder, und die Bewohner des Hauses schon gar nicht. Nur Franzl hatte seinen Vater ein- oder zweimal aufmerksam angesehen. Es war auch nichts Besonderes zu bemerken an ihm, es sei denn eine wachsende Wortkargheit – manche Tage sprach er überhaupt nichts – und eine neue Art von steifer Entschlossenheit, die sich in seiner Haltung kundgab. Vielleicht aber hatte Franzl seinen Grund gehabt, den Alten ein- oder zweimal aufmerksam anzusehen. November wars. Und wie an einem Vormittag dieses Monats am Lande draußen das nächste Haus – nicht zwanzig Schritte weit – durch einen ganz bestimmten grauen Nebel undeutlich gemacht und entrückt ist, so war auch Herrn Fialas Gesicht durch einen ganz bestimmten grauen Nebel undeutlich gemacht und entrückt.

Da geschah es, daß eines Nachmittags die Frauen nicht in der Wohnung waren. Was hatte auch Frau Marie Fiala und Fräulein Klara Wewerka am Allerseelentage zu Hause zu suchen? Nicht Weihnachten, nicht Ostern, nicht Fronleichnam, nicht Pfingsten bedeuteten Kalenderfeste nach dem Herzen der beiden Schwestern. Allerseelen allein war ein Freudentag. Leider besaßen sie in Wien kein angehöriges Grab, es dort draußen auf dem Simmeringer Plan mit Blumen und Lichtern zu schmücken. So groß auch diese Entbehrung war, sie hinderte die Beiden nicht, sich am frühen Nachmittag des Festes vor den Toren des Wiener Riesenfriedhofes einzufinden. Schon die Fahrt mit der Trambahn mutete anders und aufregender an als sonst: Ein Schaugepränge von Kränzen schwankte in allen Gelegenheiten des überfüllten Wagens. Von der Rückseite, Nummer und Scheinwerfer schön umrahmend, prahlte ein Riesenkranz weißer Astern die staunenden Fußgänger an. Von diesem strahlenden Totenopfer der Reichen bis zu den billigen Gewinden aus immergrünen Blättern und haltbarem Kunstlaub gab es alle erdenklichen Abstufungen des blühenden Weihegeschenks. Im Innern des Zuges selbst qualmte unerträglich der Geruch der Leichenflora. Denn Grabesblumen duften so dick und gellend, weil sie von der Verwesung angezogen haben, die sie laut verbergen wollen. Aber noch ein anderer Geruch preßte gegen die ratternden Wände und Fenster des engen Raumes. Dies war der Geruch von schlechten schwarzen Stoffen, regendurchnäßt bei vielen Grabbesuchen, der Geruch von muffigen Hüten, Schleiern, Maschen, Trauersachen, die man von einem Todesfall zum andern eingekampfert in dumpfen Kästen bewahrt; und über all diesen Gerüchen der Geruch von Schnupfen, Husten, Halsschmerz und Katarrh. Marie Fiala und Klara ließen sich durch nichts in ihrer aufgeregten Erwartungsfreude stören. Jegliches Gedränge liebten sie ja. Massenansammlungen versprachen immer wilde Schauspiele. Und ein riesiges Massenschauspiel bot der Platz vor dem Zentralfriedhof. In endlosen Zügen klirrten, schellten, schrien die roten elektrischen Wagen heran, machten die Schleife und klirrten, schellten, schrien in endlosen Zügen, entlastet, wieder zurück. Berittene Wachleute versuchten die regellose Flutung der Menge vergebens in Kanäle zu leiten. Hartnäckig und blöde wie ein Element, das sie ja ist, brauste sie immer wieder gegen die verstopften Eingänge. Auch der Verkehrsschutzmann, dem die Gemeinde eigens einen Turm errichtet hatte, konnte nichts anderes tun, als durch pathetische Signale die ratlosen Gefährte verwirren. Hinter einer Barriere stand eine dichte Kolonne von Sanitätswagen. Auf dem Jahrmarkt der Toten, bei der gut frequentierten Herbstmesse der Seelen ging es hoch her, und dem und jenem Schwachmatikus mochte da ein Unfall zustoßen, so daß er das nächstemal sich nicht mehr unter den Feiernden fand, sondern bei den Gefeierten dort unten.

Die Schwestern waren dank Klaras scharfen Ellbogen und erbarmungslosen Tretern bald durchs Tor gedrungen. Sie zwängten sich durch die Nobelallee der Toten, durch die strotzende Vorhalle wohlsituierter Mausoleen, traten für einen Augenblick in die Kirche, um sich schnell zu besprengen, zu bekreuzen und Gott anzuknixen, durchwanderten die Parkwege auf krachendem Welklaub und strebten weit hinaus, wo der Friedhof feldhaft im Nebel dalag und die jungen Bäume noch nicht viel höher standen als die dichtgestaffelten Schwarmlinien der Kreuze und Grabtafeln. Dort hofften sie ihre Bekanntschaft zu finden, andere alte Weiber, aus Böhmen gebürtig, denen sie ihre Visite machen wollten.

Denn alle kleinen Leute hielten heute Empfang. Sie gaben einander den großen Verwesungsrout. In gestrafft-lächelnder Gesellschaftshaltung, Grüße tauschend, trat man zu dem geheiligten Ort einer befreundeten Familie. Gern und oft fiel von seiten des Besuches die höfliche Bemerkung: »Schön liegt er da!« und dann senkten alle interessiert und höflich das Haupt, hinabzusehen auf das Rasengeviert, das für sie keinen Schauder barg. Auch Kuchen und Schinkensemmeln wurden gastfreundlich verteilt und aus gemeinsamer Flasche ein Rundtrunk angeboten. Die Hausfrau der Grabstätte lächelte entzückt, als hätte man ihren

Tisch oder ihre Einrichtung gelobt. Sie strich wohl über das Blumenarrangement mit der Hand hin, zupfte noch leicht an einer Masche und rückte die Lampen zurecht, um dem Ganzen die letzte Fasson zu geben. Aber alle warteten nur auf die große Stunde. Und bald kam sie, die große Stunde. Der Nebel wurde kaffeebraun und körperlich, daß man ihn hätte kauen können. Und über der weiten flüsternden Fläche tauchten langsam, eins fürs andere die schwächlichen Lampen und Lichte auf, unzählige, ein geheimnisvolles Feuerwerk der Tiefe, eine zärtlich-mystische Illumination, dicht am Boden hinkriechend, Grubenlampen vor dem Eingang des Bergwerks, Irrlichter eitlen Erinnerns, zuckend im Qualm der Jahreszeit.

Zu gleicher Stunde etwa saß Herr Fiala zu Hause in der Küche und trank dünnen Tee, den diesmal Franzl zubereitet hatte. Fiala hielt die Schale auf den Knien und brockte, langsam träumend, ein Stück Brot in den ungesüßten Aufguß. Sehr lange dauerte diese Mahlzeit, und weder Vater noch Sohn sprachen ein Wort.

Da erhob sich plötzlich Fialas Stimme gleich etwas Fremdem und klang hart, entschieden, wie ein Befehl:

»Franzl, geh hinüber ins Allgemeine Krankenhaus. Spring zum Wotawa, der bei der Verwaltung ist! Weißt eh schon! Frag ihn, ob ein Bett frei ist. Lauf aber, daß du gleich zurück bist... eh die Weiber kommen.«

Es kam nie vor, daß Franzl von seinem Vater einen Auftrag erhielt. Nichts verlangte er von dem Buben. Keinen Weg und keine Handreichung. Diesmal aber hatte er befohlen, kurz und barsch fast. Aber Franzl war gar nicht erstaunt. Es sah fast so aus, als hätte er lang schon diesen oder einen ähnlichen Auftrag erwartet. Es sah aus, als würden die Befehlsworte des Vaters eine dumpfe Spannung lösen, die zwischen Beiden lag, dem Unausgesprochenen endlich Namen geben und das Brütende bannen. Der Epileptiker nahm seine Kappe, ging, ohne zu grüßen, ohne sich umzusehn.

Fiala aber zündete mit neuartig festen Händen eine Kerze an –, durfte er heute so kühn sein? – und begab sich ins Zimmer nebenan. Diesmal verzichtete er auf den Rundgang, er hob die Kerze nicht zum angestaunten Bilde einstiger Kraft hoch, sondern setzte sich zum Sophatisch und zog den Kalender, den er mitgebracht hatte, aus der Tasche. Bedächtig riß er Blatt für Blatt von dem unberührten Block, in jeden Tag und seine schwarze oder rote Nummer umsichtig sich vertiefend, als hätten diese fettgedruckten Daten waswunder welche Ereignisse und Bedeutungen seinem Leben zugetragen. So gelangte er allmählich zum Novemberfest, darauf der gegenwärtige Tag lautete. Jetzt aber, da er nichts mehr abzureißen hatte, wurden seine Hände träger und träger, seine Augen starrten minutenlang auf jeden neuen Tag, der mit schwarzer oder roter Ziffer im Kalender anbrach. Umzublättern fiel ihm mit jeder Seite schwerer, wie wenn er mit dem Fetzen Papier die ganze Müh und Last der Zeit umwenden müßte. Nicht einfach war es so, weiterzögernd, den einunddreißigsten Dezember zu erreichen. Aber er ward erreicht, wie ein schweres Wanderziel. Zum Schluß nahm Herr Fiala noch ein paar Anfangstage des laufenden Jahres und fügte sie, unbekannten Zwecks, dem Abreißblock nach Jahresende an.

Viel Zeit war damit vergangen, und kaum mehr konnte der Aufbrechende in eine kleine alte Tasche ein paar Stücke stopfen, als Franzl dastand und meldete, Herr Wotawa, Fialas Bekannter, stehe zu Diensten.

Sie gingen mit lauten Schritten die Treppe hinab. Sie betraten die Straße. Der Sohn machte eine Wendung zur Haltestelle der Trambahn hin. Der Vater verschmähte es, zu fahren, er schlug vielmehr einen gestreckten Gang an, achtete aber wohl, daß er nicht aus dem Tempo falle, das er mit gesteiftem Rückgrat behauptete. Jetzt begann er sogar zu reden, dieses und jenes, wozu die Straße aufforderte, aber kein Wort, das zur Sache gehörte, kein Wort von Krankheit, Spital, etwaigen Folgen und Verfügungen. Selbst ein Auftrag an die Mutter erübrigte sich. Auch Franzl fragte nichts, was an des Vaters Befinden rühren mochte. Die Unterhaltung drehte sich darum, daß die 175er Linie heute nur mit zwei, anstatt mit drei Beiwagen fahren durfte, weil alle überflüssigen Waggons auf die Zentralfriedhofstrecke geleitet wurden. Sie drehte sich ferner um das aufgerissene Pflaster, um die Abkürzung des Weges, um das Problem, ob zur Stunde die Trafiken offenhielten. Als die beiden an einer solchen vorüberkamen, bat Fiala, Franzl möchte ihm die ›Kronen-Zeitung‹ kaufen. Und Franzl kaufte sie. Aber der Vater hatte nicht gewartet, sondern schritt schnell und gleichmäßig vorwärts, als hätte er Angst oder vermöchte es gar nicht, innezuhalten.

Bald waren sie an der Alserstraße. Sie durchquerten die Höfe der Krankenstadt. Sie fanden Herrn Wotawa in einer Kanzlei. Das war ein ehemaliger Kollege aus der Finanzlandesprokuratur. Er prüfte Fiala mit zweifelndem Blick:

»Sie kommen daher wie ein Husar und wollen aufgenommen werden. Mein Lieber, heutzutage möchten alle Leute zur Belohnung für einen Schnupfen drei Wochen lang Kost und Quartier mit erster Diät bei uns haben. Was fehlt Ihnen denn? ... Leicht wirds nicht sein! No, wir werden sehen. Kommen Sie mit!«

Der Macht Herrn Wotawas gelang immerhin einiges. In der Aufnahmskanzlei wurde Fialas Name in die Standesliste eingetragen. Das Aufnahmeblatt sollte ausgefertigt werden. Der Beamte fragte nach Geburtsdatum und Jahreszahl. Dabei machte er die mißgelaunte Bemerkung, daß alte Menschen Tag und Jahr ihrer Geburt meist selbst nicht wissen. Doch da hatte er sich in Herrn Fiala gründlich getäuscht. Mit metallener, bei ihm ganz ungewohnter Stimme machte er seine Angaben und wiederholte sie unaufgefordert, damit ja kein Irrtum unterlaufe:

»Geboren am fünften Januar 1860 bei Kralowitz in Böhmen. Seit fünfunddreißig Jahren wohnhaft in Wien. Jetzt optierter österreichischer Staatsbürger. Katholisch.«

Streng sah er auf die Hand des Schreibers:

»Am fünften Januar.«

Nach dieser Prozedur wurde der Patient in das ärztliche Dienstzimmer geführt, wo die Entscheidung über seine Aufnahme fallen sollte. Der diensthabende Arzt war ein ganz junger Mensch, der sein erstes klinisches Jahr abdiente. Als jüngster Sekundar war er, wie er es nannte, die »Feiertagswurzen«, das heißt, wenn ein freier Tag winkte, wollte es immer der Zufall, daß sich die Diensteinteilung ihn aussuchte.

Herr Doktor Burgstaller lag auf dem Sopha, die tabakgebräunte Hand mit der toten Zigarette weit von sich gestreckt, und schlief. In der peinlichen Voraussicht, während der Nacht öfters gestört zu werden, war er gerade dabei, »Schlaf zu sammeln«.

Fiala trat vor ihn hin, wie er als Soldat vor dreißig Jahren dem Regimentsarzt entgegengetreten war, Kopf hoch und Hände an der Hosennaht. Herrn Doktor Burgstaller verwirrten solche Vorfälle. Unsicher umkreiste er den Mann. Die gelassene ärztliche Gleichgültigkeit hatte er noch nicht heraus. Er sah in Fiala einen alten Burschen, die seine Autorität des öfteren verhöhnten. Etwaiger Nichtachtung zuvorkommend, fuhr er ihn an:

»Was gibt es da? Was wollen Sie? Was haben Sie? Was fehlt Ihnen?«

Fiala murmelte etwas und zeigte auf die Brust. Der Doktor befahl:

»Ziehen Sie sich aus!«

Da er aber sogleich erkannte, daß Diagnosenstellen ein gefährliches Wagestück sei, widerrief er:

»Bleiben Sie angezogen!«

Doch etwas Medizinisches mußte jetzt geschehen. Burgstaller griff daher nach Fialas Puls. Der Puls des alten Burschen schien, wenn der junge Mann seiner Uhr trauen sollte, über die Maßen beschleunigt. Er beschloß daher nach einem finsteren Blick auf den Störer, in seiner Pflicht fortzufahren, und legte Fiala ein Fieberthermometer unter die Achsel.

Während der Wartezeit tat er barsche Fragen an den Patienten, die das müßige Personal, das sich im Raume versammelt hatte, von seiner Überlegenheit und medizinischen Kombinationsgabe in Kenntnis und Respekt setzen sollten. Gleichmäßig und laut antwortete Fiala, mit jener steifen Entschlossenheit, die seit einiger Zeit sein Wesen angenommen hatte.

Endlich hielt Burgstaller das Thermometer unter die Lampe. Da wurde sein Gesicht auf einmal ganz kindlich aufmerksam:

»Mensch! Sie haben ja 39,3 Grad Fieber!!«

Und jetzt erst beginnt eigentlich unser Bericht von einem Tod. Denn wir hätten es nicht gewagt, den Leser in solch trübe und gleichgültige Welt zu führen, wenn unser Geschehnis nicht seine Absonderlichkeit hätte.

V

Im Augenblick, da Fiala das weiße Bett in einem dumpfdurchatmeten Saale der internen Klinik berührte, im selben Augenblick erst schienen die schweren Krankheiten seines Körpers auszubrechen, und es waren ihrer nicht wenige. Das Bett hatte sie wohl hervorgezogen, dieses schmale, weißlackierte Metallding, das kein Bett ist, in dem man ruht, schläft, träumt, liebt, sondern eine sinnreich knappe Maschine zum Kranksein. Es war nur zu verwundern, daß ein Mensch mit diesem Leiden im Leibe sich wochenlang aufrechthalten, seinem Berufe nachgehen und die Nahestehenden über den wahren Zustand seines Lebens so gründlich täuschen konnte. Es wurden von Anfang an mehrere Befunde nebeneinander aufgestellt und die schwarze Kopftafel zu seinen Häupten war mit Kreideschrift dicht bekritzelt wie keine andere im Saal.

Nachdem Frau Fiala sich von ihrem ersten Schreck erholt hatte, faßte sie einen ernsthaften Groll gegen ihren Gatten, weil sie selbst nicht bemerkt hatte, daß er so lange schon krank war. Als ihr irgend jemand Unachtsamkeit vorhielt, verstärkte sich dieser Groll in ihr. Verschlossen und tückisch war er immer, der Karl. Und aussehn tut er, als könne er nicht bis Drei zählen. Wer weiß? Diese Männer! In ihrem Unmut wurde sie von Klara lebhaft unterstützt. Für diese war es ausgemacht, daß sich hinter Bettlägerigkeit, Fieber, Hausflucht, eine verschlagene Absicht verberge, ein raffinierter Eigennutz, ein wohlüberlegter Plan, etwas Wertvolles in Sicherheit zu bringen. Wer geht denn so ohne jegliche Beratung aus dem Hause und legt sich ins Spital? Ein Mann dazu, der gestern noch wies Leben ausgesehen hat? Auch Frau Fiala war der Meinung, sie könnte ihren Mann trotz Enge und Armut daheim besser pflegen. Ihr Groll schlug über aufs Krankenhaus. Es war ja ringsum bekannt, daß die Ärzte, um ihre Studenten zu belehren, die Kranken der öffentlichen Kliniken gar nicht gesund machen wollen. Ganz im Gegenteil! Sie präparieren mit Fürsorge die Krankheiten im Leibe der Opfer, um sie säuberlich dann den Schülern vorführen zu können.

In der ersten Zeit legte Fiala unverwandelt seine entschlossene Geduld an den Tag. Er sah nicht verfallener aus als er am Allerseelentage ausgesehen hatte. Still und fast angespannt lag er in seinem Bette da, als wäre die Stille eine Arbeit, der man sich aufmerksam hingeben müsse. Wenn es notwendig war, stand er auf, auch zu den Mahlzeiten. In seinem blauweißen Kittel saß er dann am Tisch mit den andern »Beweglichen« und aß langsam mit fester Willensanspannung seine Portion bis zum letzten Löffel auf. Täglich kam die Seinige zur erlaubten Zeit. Er sah sie freundlich und abwesend an. Täglich brachte sie einen anderen Tee, einen anderen Absud in ihrer Markttasche, die sie mit übertriebener Ängstlichkeit an den Wärtern vorüber ins Zimmer paschte. Auch diese Tränke, Zaubermittel, in den Hexenküchen der Vorstädte gebraut, leerte Fiala gehorsam. Manchmal kam Klara mit. Aber sie begnügte sich nicht, am Bette des Schwagers Trübsal zu blasen, sondern scheinheilig-süß begann sie den Kopf hin und her zu drehen, den Sitz erregt zu lüften, bis es sie nicht mehr hielt und sie sich erhob, bei anderen Kranken zu hospitieren. Auf Zehenspitzen falscher Sachlichkeit trat sie näher und in ihren Mienen lag das Lächeln bitteren Mehrwissens und gründlichen Durchschauthabens der Dinge, das all die Ausgebeuteten ringsum zu gemeinsamer Verschwörung einlud. Und sehr bald war sie über eine Menge schändlicher Vorfälle in Kenntnis und Klarheit. Sie hatte gesehen, daß die Wärter das Beste vom Nachmittagskaffee wegtranken und den Rest mit Wasser verpantschten. Sie hatte andere Wärter beobachtet, die untereinander den

Krankenkuchen teilten. Den Oberwärter hatte sie betreten, wie er einen Patienten schlug und im nächsten Augenblick eine hübsche Schwester auf dem Gang abknutschte.

»Ich will nichts sagen. Ich habe nichts gesehen. Gar nichts! Was geht es mich an?!«

So pflegte die Spionin zu versichern, während sie mit zischender Zunge entsetzten Ohren ihre peinlichen Entdeckungen anvertraute.

Man weiß, daß Klara nicht ertrug, irgendein Ding nutzlos und nicht in ihrer Obhut verkommen zu lassen. Einmal mußte sie hier lange Qualen leiden. Vor ihren Augen stand ein Brett mit Speiseresten. Auf einem Teller war die Mahlzeit eines armen Kranken unberührt stehen geblieben. Die alte Jungfer bot ihre ganze Strategie auf, um endlich unbemerkt ein Stück Fleisch und drei kalte Kartoffeln in ihre Kleidtasche zu praktizieren. Fiala hatte es bemerkt, aber er sah fest und ruhig drein, denn zu anderem Kampfe sammelte er die Kräfte jetzt.

Bis gegen Ende November etwa hielt dieser Zustand an. Das Fieber sank und stieg wechselnd. Doch dann kam die doppelseitige Lungenentzündung und die des Rippenfells. Wie zwei Tigerkatzen prankten sie den Mann nieder. Er war verloren. Die Ärzte waren mit diesem Patienten fertig und ordneten seine Überführung in ein bestimmtes Krankenzimmer an.

Frau Fiala wurde in die Kanzlei des Primarius beschieden. Der Professor saß am Schreibtisch. Der erste Assistent stand bei ihm. Unwillig fetzte der klinische Machthaber seine Unterschrift vor sich hin. Er brummte zum Assistenten:

»Die Angehörigen?«

»Die Frau von dem Fiala, Herr Professor! Auf Nummer Drei...«

Der Primarius beschrieb auf seinem Drehstuhl einen Halbkreis und nahm die Fiala in Augenschein.

»Ja, liebe Frau...«

Da sah er den Unterkiefer der Alten in einem demütigen, ja kriecherischen Entsetzen herunterhängen. Er – ein schöner Mann noch immer – litt an körperlichem Ekel vor Altweiberphysiognomien. Und schon hatte er sich weggewendet zu seinen Schriftstücken, dem Assistenten bedeutend:

»Reden Sie!«

Der Assistent lächelte. Dann korrigierte er seine Miene zum Ausdruck resignierender Ohnmacht:

»Liebe Frau! Sie müssen sich gefaßt machen. Es ist ja alles Notwendige und Mögliche geschehen und soll weiter geschehen. Acht, höchstens zehn Tage wird der arme Mann noch leiden müssen. Seien Sie gewiß, es wird nichts versäumt werden. Aber gefaßt müssen Sie sich machen, wie gesagt...«

Die Alte starrte den Herrn an. Noch immer hing ihr in demütigem, ja kriecherischem Entsetzen der Unterkiefer herab.

Da sich der Assistent nicht zu helfen wußte, reichte er ihr die Hand:

»Guten Tag!«

Mit einem langgezogenen, respektvollen Winseln kroch sie zur Tür. Aber draußen schlug ihr Jammer empor und wuchs zu einem Geheul.

In jeder Spitalsabteilung gibt es ein paar kleinere Zimmer mit wenigen Betten, die für die Moribunden bestimmt sind. Man separiert gerne die Sterbenden von den übrigen Kranken. In ein solches Zimmer trugen die Wärter Herrn Fiala. Vier Betten standen darin den Todgeweihten zur Verfügung. Eines davon war leer. Im zweiten lag, kaum von dem Kissen zu unterscheiden, ein jüngerer Mensch, der nicht bei Bewußtsein schien. Aber im Nachbarbette, dicht neben dem Neuangekommenen, lag – so wollte es Gott – Herr Schlesinger. Der Agent hatte recht gehabt: »Die Juden rauchen zuviel!« Nun, das Rauchen wird nicht die Schuld allein haben an seinem verfallenen, versagenden Herzen, dem zersetzten Muskel des Lebens, an den entarteten Gefäßen. Er hatte sein Ende vorausgespürt, als der linke Arm immer lahmer und schmerzhafter wurde. Eher schon mochten die vielen Treppen Schuld tragen, die »zur Kunde« emporführen. Aber, Gott, da müßten viele Menschen mit Fünfzig sterben! Vielleicht wars die gierige Unruhe, die Angst, die krampfhafte Sucht, immer in Bewegung, immer auf Wanderschaft zu sein, und wäre es nur, daß man von einem Fuß auf den anderen tritt. Hols der Teufel, was immer am Krepieren die Schuld trägt!

Weder Herr Fiala noch Herr Schlesinger waren erstaunt, einander hier zu begegnen. Kaum, daß sie einen Gruß tauschten. Und dann lagen nebeneinander der Versicherer und der Versicherte. Und etwas abseits lag ein Dritter. Alle Drei hatten das Gefühl, in einem Schiff oder Automobil dahinzurasen, und sie gaben sich eifrig dieser Fahrt hin.

Wenn aber ein Gesunder in das Zimmer tritt und sieht die drei braungelb verschrumpfenden Antlitze, und hört diesen dreifachen Atem, einen Atem, der voll Arbeit ist, dann glaubt er plötzlich zu ahnen, daß die drei Atmenden an etwas nähen. Ja, ihr Atem ist der Faden, ein schwerer fetter Faden, sie bohren die Nadel in einen harten Stoff und ziehen den Faden durch diesen rasselnden, kreischenden Stoff. So nähen sie an ihrem Tode. Und dieser Tod ist ein Hemd oder ein Sack, aus dem gröbsten, gemeinsten Stoff der Unsichtbarkeit gewoben. Stundenlang nähen sie, unermüdlich, gleichmäßig.

Nur Schlesinger unterbrach hie und da seine Arbeit. Außer der ›Neuen Freien Presse‹, die ihm täglich gebracht wurde, lagen noch drei Bücher auf seinem Bett-Tisch. Zwei dieser Bücher waren pikante Romane aus den Beständen einer Leihbibliothek, das dritte eine große Ausgabe der Heineschen Gedichte in Goldschnitt und mit Illustrationen, wie sie vor Jahrzehnten sehr beliebt waren. Dieser Band bildete Schlesingers Erinnerung an die Jugend. Er hatte einmal neben Gebetbüchern die Bibliothek seiner Eltern in dem kleinen böhmischen Städtchen vorgestellt.

Nun griff er nach der Zeitung, nach den Büchern, aber er konnte nicht lesen und legte alles wieder zurück, nur den schweren Band voll Gedichten ließ er länger auf seiner Decke ruhen.

Da auf einmal öffnete sich die Tür und von einem mächtigen Wärter geführt, erschien auf der Schwelle ein ganz kleines Weib, das uralt sein mußte. So klein war die Greisin, daß ihr verschlissener Samtpompadour, den sie in der Hand schleppte, fast den Boden berührte. Schlesinger machte eine Bewegung. Er hatte seine Mutter erkannt. Der Wärter führte die zwerghafte Alte behutsam zum Bette und rückte ihr den Stuhl. Es vergingen Minuten, ohne daß ein Wort gesprochen wurde. Endlich erklang eine dünne, fast kindhafte Stimme in singendem Tonfall:

»Mein Kind! Ich seh nicht, wie du aussiehst!«

Und wieder eine endlose Pause, ehe der Sohn seinen Gruß sprach.

»Mammerl, was gibt es Neues?«

»Was wird es Neues geben?«

Mit fragender Antwort erledigt die singende Stimme alle Fragen nach Neuem in der Welt, so.

Frau Schlesinger nestelte aufgeregt an dem Pompadour:

»Hast du auch gut zu essen, mein Kind?«

Endlich öffnete sich der Verschluß und die hilflosen Hände in schwarzen Halbhandschuhen von Zwirn zogen ein Päckchen hervor:

»Kücherln hast du gern gegessen. Kücherln hab ich dir mitgebracht.«

Der Sohn gab keine Antwort. Lange Minuten der Stille.

»Mein Kind, du sollst essen! Iß, mein Kind!«

Doch jetzt kam ein fast jammernder Laut vom Bett her:

»Kann ich denn essen, Mutter?«

»Du sollst essen, essen ist gesund!«

Die Kinderstimme hallte ein wenig nach. Dann erhob sich neuerdings das Schweigen und nur der Atem der Sterbenden arbeitete emsig. Plötzlich aber ergriff Schlesinger den Gedichtband und gab ihn der Mutter in die Hand:

»Mammerl! Siehst du? Das ist noch aus Kralowitz.«

Und da geschah etwas Unbeschreibliches und Grauenhaftes. Die Alte befühlte das Buch von allen Seiten, fing mit sich selbst unverständlich zu reden an, glitt auf einmal von ihrem Stuhl und während sie erbärmlicher, verwachsener, ja kleiner jetzt erschien als im Sitzen, begann ihre Kinderstimme altklug wie in der Schule aufzusagen:

»Ich bin die Prinzessin Ilse
Und wohne am Ilsenstein,
Komm mit mir mein Geliebter,
Und laß uns glücklich sein.«

Umgebung, Krankheit, Sterben, alles war ungegenwärtig. Stolz und erheitert von dem Klingklang blickte die Mutter drein. Aber nicht genug damit. Von dem dritten Bette her, dort, wo der Unbekannte fleißig atmete, wieherte jetzt ein scharfes, fassungsloses Lachen her, ein Lachen höllischen Amüsements, das in pfeifende Laute und endlich in Wehrufe überging. Die Uralte war der Meinung, dieses Lachen fordere noch andere Strophen von ihr, doch nichts mehr fiel ihr ein, als ein böhmischer Kinderreim, den sie nun mit Ernst aufsagte:

»Houpaj, Čistaj, Kralowitz,
Unser Burscherl is nix nütz!«

Sie setzte sich nieder. Und wieder erhob sich die schweigende Pause endlos. Und es schien, Schlesingers Mutter beteilige sich nun auch an der Atemarbeit der sterbenden Männer. Als der dicke Wärter sie abholte, war es schon recht finster. Sie aber sagte jetzt:

»Mein Kind! Ich seh, daß du sehr schlecht aussiehst!«

Die Erscheinung war fort. Die Fiebernden glaubten wieder, in einem erbarmungslosen Blitzfahrzeug über aufdonnernde Straßen und Brücken zu jagen. Und Stich für Stich, Atemzug um Atemzug nähten sie weiter am Sack ihres unsichtbaren Todes.

Noch war das Zwielicht nicht aus dem Zimmer gewichen, als eine Stimme wiederum die Stille zerstörte, schleunige Fahrt und Arbeit unterbrach. Diesmal aber war es Fialas Stimme und sie klang gar nicht fiebrisch und benommen, sie klang sehr deutlich, sehr bei Sinnen. Diese Stimme rief Herrn Schlesinger an und oft mußte sie ihren Ruf wiederholen, ehe der Angeredete aufschrak und eine verzerrte Fratze hinüber zu Fiala wandte. Zu unrechter Zeit hatte die Stimme ihn aus dem Abgrund geholt, in dem er nicht die von neun Geburten schwachsinnige Greisin, sondern seine Mutter suchte. Aber dem Landsmann und Sterbegenossen war das ganz gleichgültig. Er sah ihn nicht einmal an, sondern formulierte streng und wohlüberlegt seine Frage, wie für ein Protokoll. Dabei lag auf der Decke seines Bettes kein Buch mit Gedichten, sondern ein Abreißkalender:

»Und wenn der Tod vor Vollendung des fünfundsechzigsten Lebensjahres erfolgt, was erhalten die Angehörigen dann?«

Diese Worte waren wahrlich die Frucht juristischer Überlegung und viele Tage lang geschliffen worden in Fieber und Schmerzen. Aber Herrn Schlesinger erfaßte, als er sie hörte, Tollwut, wie er sie nie bei gesundem Leib gekannt hatte. Wozu er aus Schwäche nicht fähig gewesen, er fuhr auf, er warf die Decke ab, er kniete im Bette. Die Augen quollen hervor, und seine Zähne schlugen aufeinander vor Haß. Denn dort im Nachbarbette lag nicht irgend ein Herr Fiala, dort lag solch ein Schwächling, wie er selbst, dort lag *sein* verpfuschtes Leben, dort lag der Mißerfolg, dort lag die stickige Wohnung, der er selber nie entronnen war, dort lag das Elend, die Fessel, die Sinnlosigkeit, das alltägliche Ersticken! Und trunken von diesem Haß, von gieriger Rachsucht, seine Worte nicht mehr kennend, schrie er auf:

»Vollenden Sie... vollenden Sie... gefälligst Ihr fünfundsechzigstes Lebensjahr! Widrigenfalls erfolgt ein Dreck, ein Dreck, ein Dreck!!! Wenn Sie auch zu Rothschild und Gott beten... ein Dreck erfolgt...!«

Nun aber wälzte sich Schlesinger zurück und begann leise zu jammern, zu flehen und um Hilfe zu rufen. Der Wärter kam. Der Arzt kam. Eine Injektion machte dem Weinkrampf ein Ende. Nach einer Stunde nähte er wieder, aber jetzt mit sehr eiligen Stichen, an seinem unsichtbaren Sack.

Doch Fiala nähte nicht. Noch immer lag der Kalender auf seinen Knieen. Das vom Fieber und von der Auflösung grauenvoll gezeichnete Altmännergesicht starrte, nun schon erhaben, auf die Glühbirnen oben. Aber zwischen den Brauen verschärfte sich deutlich die gewaltige Falte, ein düsteres Willensmal, das an dem Gesunden niemand je wahrgenommen hatte.

VI

Das Wunder ereignete sich, nachdem an Fiala schon die Sterbesakramente gespendet waren. Er hatte sie mit vollem Bewußtsein, doch mit kühler Sachlichkeit entgegengenommen wie eine Arznei, wenn auch eine himmlische. In der Nacht darauf schien er in Agonie zu verfallen und der verantwortliche Arzt gab den Auftrag, ihn ruhig sterben zu lassen. Bis zur nächsten Mittagsstunde werde sich der exitus wahrscheinlich vollzogen haben. Dies geschah in der zweiten Dezemberwoche. Man ließ Fiala ungeschoren und bei der Visitation am Vormittag widmete der Professor dem Sterbenden keinen Blick mehr.

Nach dem Mittagessen endlich ging der Wärter ins Zimmer, um nachzusehen, ob man den Assistenzarzt holen könne, damit er den Tod konstatiere. Der Mann liebte derartige Scherereien nicht und war entschlossen, nach Vorschrift die Leiche so schnell wie möglich sich vom Halse zu schaffen.

Tatsächlich trat er auch zehn Minuten später ins Zimmer des Assistenten ein, aber er meldete, der Kranke sei nicht tot, sondern säße selbsttätig im Bette und habe mit vernehmlicher Stimme Milch verlangt. Der Arzt war ernsthaft ungehalten über die Renitenz des Sterbenden. Es kam natürlich manchmal vor, daß man sich in der Zeitbemessung irrte. Aber Wohlwollen erzeugte solche Unpünktlichkeit der Natur keineswegs. Der Assistent sah drein, wie ein hoher Staatsbeamter, der einer Partei gegenüber sich irgendeinen Formfehler hat zuschulden kommen lassen, und eine ungezwungen ablehnende Haltung einnimmt, um ja keine Betretenheit zu zeigen. Es war ihm, als sei nicht nur die Medizin, sondern die Autorität schlechtweg blamiert. Er fand den Moribunden natürlich nicht im Bette sitzend vor, – das mußte der Wärter geträumt haben, – aber es war nicht zu leugnen, daß eine deutliche Stimme um Milch bat. Der Assistent stellte sich sogleich auf die neuen Tatsachen ein. Ein seltener Fall zwar wars, daß ein Mensch in diesem Alter so dicht vor der Pforte des Hades wieder umkehren wollte, aber dafür wars ein Fall, und an dem »Fall« konnte sich die verletzte Autorität schadlos halten. Der Doktor – nur nebenbei sei bemerkt, daß er am Anfang einer großen Karriere stand und übers Jahr die Dozentur erwartete, – der Doktor gab allerhand brummende Laute mutigen Zuspruchs und derber Ermunterung von sich, wie er sie sonst nur bei seiner Privatpraxis verwandte. Er stellte fest, daß Atmung, Herztätigkeit, Kräftezustand, wenn auch am äußersten Rand des Verfalls, so doch immerhin vorhanden waren, und daß zum Überfluß die Pupillen scharf reagierten, die Zunge sprach, das Sensorium also nicht für getrübt zu gelten hatte. In dem künftigen Dozenten erwachte eine wohlige Neugier, der wissenschaftliche Spieltrieb, und während er fast leidenschaftlich allerlei Labe-, Kraft-, Anregungs-, Aufpeitschungsmittel und deren Verwendung aufs Papier warf, durchblitzten seinen Kopf eigenartige Gedanken zu diesbezüglichen Publikationen. Der Assistent war jung und in seinem Gemüt hielt der literarische dem praktischen Ehrgeiz noch die Waage.

Während der nächsten Woche hatte es wirklich den Anschein, daß durch weise Injektionen, Kräftigungs- und Ernährungsmethoden das Leben des Verlorenen zu fristen, ja vielleicht zu retten sei, da auch die Symptome seiner Leiden abzuklingen schienen. Die Täuschung endete damit, daß einige Tage vor Weihnachten sich eine allgemeine Sepsis einstellte: Vergiftung des Blutes, Verwesung bei schlagendem Herzen.

Und jetzt wurde Fialas Organismus ein wirklicher »Fall« und fast eine Sensation. Denn noch immer starb er nicht.

Von Tag zu Tag wuchs das ärztliche Interesse und jeden Morgen wurden auf den Gängen Bulletins verlautbart, so, als kämpfe nicht Herr Fiala, sondern ein Held dieser Erde mit dem Tode. Einzelheiten sogar wurden mit größter Teilnahme angehört und weitergegeben:

Es hieß, der Kranke wehre sich selbst bei größten Schmerzen gegen Morphium. In den Stunden, da sein Bewußtsein umschleiert sei, strebe er immer aus dem Bette und mache den Eindruck eines Suchenden. Nahrung verweigere er niemals, trotzdem sein Inneres nur mehr eine Wunde, ein tobender Eiterherd sei. Unter diese wahren Tatsachen mischten sich natürlich auch Legenden, die beim Wartepersonal besonderen Anklang fanden. Sie schrieben dem Ärmsten herkulische Kräfte zu. Einer Krankenschwester habe er mit umklammerndem Griffe der Skeletthand fast das Gelenk gebrochen. Sie selbst könnte es jederzeit bestätigen.

Herr Wotawa, der durch so viele Jahre mit dem Kranken bekannt war, mußte immerzu den Kopf schütteln:

»Wenn mans bedenkt: Ein Siemandl! Hat sich immer vor seinen Weibern gefürchtet. Und will nicht sterben!«

Indessen lag das brennende und faulende Fleisch da, unwissend seines Ruhms, ein Museumsstück des Todeskampfes. Gerne hätten ihm Mitleidige den Rest gegeben. Aber selbst der Bewußtlose noch schlug um sich, wenn er die Nähe einer Morphiumspritze spürte.

Während des Vormittags wollte das Zimmer dieses Museumsstückes nicht leer werden. Neugierige, Spitalsbrüder, Ärzte kamen und gingen. Professoren sogar führten ihre Studenten herbei und suchten den absonderlichen Todesprozeß zu definieren. Auch die Psychiater ließen sichs nicht nehmen, einen Blick auf Fiala zu werfen, ob etwa sein phantasierender Mund aus dem dunkelsten Dunkel der so langsam absterbenden Seele nichts Brauchbares zutage fördere. Man erlebte ja hier den Tod unter Zeitlupe gleichsam.

Damals lehrte an der Universität ein alter Herr, ein Skandinavier, namens Cornelius Caldevin, ein sehr beliebter und gesuchter Herzspezialist. Er gab seinen Patienten unerklärlichen Mut, ganz jenseits ihres guten oder schlechten Zustands. Diese mutspendenden Kräfte mochten ein seelsorgerisches Talent in Caldevin sein. Denn tatsächlich war er ein in die Medizin entsprungener Theologe und dieser unterjochte Theologe meldete sich im Alter. Die Kollegen belächelten die leichte Salbung und die frei-angefrömmelten Allgemeinheiten seines Vortrages. Er war ein genialer Diagnostiker, eine Leuchte des Fachs, ein erfolgreicher Forscher, ein Arzt von reichster Erfahrung, so daß man ihm gern seine »unwissenschaftlichen« Nebenbemerkungen nachsah. Auch Caldevin kam mit einigen Studenten an das

Lager Fialas. Und es war eine höhere Schönheit in der Geste, mit der dieser alte Arzt seine Hand auf die Stirn des Elenden legte, von der er sie erst wieder löste, als er davonging. Auch sprach er leise, fast flüsternd, während es allgemeine Gepflogenheit in diesem Zimmer war, laut zu sprechen, da man nicht glaubte, hörende Ohren vor sich zu haben.

Dies waren die Worte Caldevins, soweit sie verständlich wurden, denn er flüsterte nicht nur, sondern hatte auch eine unklare und stockende Sprechweise:

»Sehen Sie nur ... meine Herren ... Sehen Sie nur dieses Herz!«

Und er lauschte dem Puls:

»Wohl, es arbeitet noch ... Etwas arbeitet noch ... Meine Freunde ... Das Herz des Menschen ... Das ist nicht nur ... Nun ja ... Das anatomische Herz ... Das funktionelle Organ ... Die Maschine, wie wir gelernt haben ... Angekurbeltes Leben, unabhängig vom Willen ... und so weiter ... Meine Herren ... Da ist etwas in uns ... was König des Herzens ist.«

»Herzkönig!«

Eine gemeine Stimme unter den Studenten hatte diesen Witz gemacht. Der alte Herr schwieg plötzlich ganz eingeschüchtert. Auch hatte ihn jetzt der Blick jenes strebsamen Assistenten getroffen. Das verwirrte ihn und er konnte kein Wort mehr sagen.

Der Assistent aber fühlte eine unerklärliche Wut und zischte in sich hinein:

»Trottel.«

Zu gleicher Zeit traten zwei junge Leute aus dem Tor in die Alserstraße: Doktor Burgstaller wars, derselbe, der am Allerseelentage Fiala ins Spital aufgenommen hatte, und sein Jahrgangskollege Doktor Kapper. Sie entschlossen sich, in ihr Stammcafé hinüber zu gehen. Kapper trank kleine Schlückchen von der Milch, die er bestellt hatte:

»Widerlich die Geschichte mit diesem Unsterblichen!«

Burgstaller war einer Meinung mit seinem Kollegen. Andere Menschen stürben auch nicht auf Befehl der Fakultät. Kapper fühlte sich mißverstanden:

»Hörst du! Ich meine etwas anderes. Schau einmal echten Proletariern beim Sterben zu. Das ist einfach erhebend. Sie haben keine Angst und keine Forderungen. Die Sache ist abgeschlossen. Sie sind ergeben, zufrieden, ruhig. Alle Proletarier sterben einander gleich. Nur die Spießer sterben differenziert. Die kleinsten selbst. Jeder Spießer hat seine eigene Art, nicht sterben zu wollen. Das kommt daher, weil er noch etwas anderes zu verlieren fürchtet mit dem Leben. Ein Bankkonto, ein schmieriges Sparkassabuch, einen angesehenen Namen, oder ein wackliges Sopha! Überhaupt: Bürger ist, wer ein Geheimnis besitzt...«

Kapper blickte überrascht und triumphierend vor sich hin. Eine dunkle, aber schlagende Sentenz war ihm geglückt. Burgstaller stülpte den zweiten Kognak hinunter, ehe er mahnte:

»Obacht, Kapper! Du kommst ins politische Fahrwasser und warum sollen wir schon um elf Uhr raufen?«

»Das ist gar nicht politisch!«

»Dann ist es literarisch! Und davon verstehe ich nichts.«

Zur Erklärung muß bemerkt werden, daß der junge Doktor Kapper in radikal schöngeistigen Zeitschriften manche Stücke seiner Feder schon veröffentlicht hatte. Sehr gedrechselte Gedankenprodukte von glänzendem Stil. Burgstaller schaute ihm, während er jetzt das Wort ergriff, gutmütig ins Gesicht:

»Mein Lieber, weil du schon von der Moral des Sterbens sprichst! Ich wenigstens habe bisnun erfahren, daß wirklich ungern nur e i n e Menschengattung stirbt. Willst du wissen welche? Ihr Juden!«

Kapper sah in seine Milch. Er fühlte sich nicht in der Laune, dieses Thema aufzunehmen. Was verstand auch Burgstaller davon. Nicht, daß er, Kapper, hätte ausweichen wollen! Das war nicht seine Art! Er hatte alle seine Arbeiten mit seinem wahren Vornamen: »Jonas« gezeichnet, wo doch die leichte Abänderung in »Josef« nahe genug lag. Gleichgültig überging er also den Angriff Burgstallers und begann von dem zu erzählen, was ihm nachstellte:

»Gestern war ich selbst zehn Minuten lang bei diesem Fiala drin. Es hat mich interessiert, den Fall zu beobachten. Ein kleiner Spießer! Nichts als ein muffiger kleiner Spießer! Aber einen Kopf hat er bekommen. Michelangelo, denke ich mir, und daß die kleinsten Spießer in diesem Zustande ›plastisch‹ werden. Da fängt er, natürlich bewußtlos, zu reden an. Und was er sagt!! Ich war starr, mein Ehrenwort!«

Burgstaller trank den dritten Kognak.

»›Es ist vollendet!‹ Ich kann nicht schwören, obs nicht gelautet hat: ›Vollendet‹, oder ›Vollendung‹, oder ›Nach Vollendung‹. Ach was! Hundertmal hat er geröchelt: ›Es ist vollbracht.‹«

Da haute Burgstaller ingrimmig mit der flachen Hand auf den Tisch:

»Altes Weib, jetzt schweig endlich! Laß mich aus mit dem Schwesterngewäsch und den Wärtermärchen! Ruh will ich haben! Nichts hören will ich heute mehr von dieser gräßlichen Klinik. Schau lieber hinaus!«

Und wirklich! Auf der Straße strömte das Leben hin. Kein Schnee, kein Schmutz behinderte den Verkehr. Und das Leben hatte die Gestalt von aberhundert bis zum Knie entblößten Frauenbeinen angenommen, deren üppigwarmer Melodie Burgstaller mit zitternden Lippen nachhing. Es fiel ihm nicht ein, beim Sprechen den Blick abzuwenden:

»Was machst du heute abend?«

»Ich? Heute abend? Wieso?«

Burgstaller schaute und schaute durchs Fenster:

»Mensch! Bist du verrückt? Es ist doch Sylvester! Heil, Sieg und Rache! Morgen bin nicht ich die Feiertagswurzen. Kapper! Weißt du was? Komm mit heut abend!«

Aber Doktor Kapper schlug hochmütig und trist die Augen nieder:

»Ich kann nicht. Ich muß arbeiten.«

In diesen Tagen floh Frau Fiala gern die Einsamkeit ihrer Küche. Sie besuchte Nachbarn, sie saß bei der Hausbesorgerin, sie stand bei der Greißlerin, und je mehr Mitleid sie fand, je mehr weinte sie. Allen erzählte sie von den schrecklichen Erlebnissen, die ihr Tag und Nacht begegneten. Einmal hatte sie sein Hut angeschaut als wie mit wilden Augen. Ein andermal war sein Rock dagehangen, still und leer, aber plötzlich verwandelte sich der vorwurfsvolle Rock, und sie sei in Ohnmacht gefallen. Auch war er ihr schon »erschienen«.

Man sieht, noch während der lange und seltsame Todeskampf wogte, glaubte Frau Fiala ihren Mann schon abgeschieden. In gewissen Stunden wiederum schaute sie die Leute höhnisch an und rief, ganz aufgebracht, man werde schon sehen, das Mannerl könne noch sehr leicht gesund werden und der ganzen bösen Welt einen Possen spielen. Wie aber auch immer die Stimmung war, sie weinte, weinte mechanisch und regelmäßig.

Weniger regelmäßig und mit der Zeit immer seltener wurden ihre Krankenbesuche. Sie konnte ja nicht helfen, der Weg war weit, sie alt, die Elektrische teuer; Speisen zu bringen hatte keinen Sinn, und vor allem, sein Anblick erschütterte sie so fürchterlich, daß sie selbst vor Gram jedesmal krank ward.

Von den drei Nächsten wars also nur Franzl, der Tag und Nacht im Spital verbrachte. Anfangs hatte man ihn fortweisen wollen, aber er verstand es, sich nützlich zu machen, so nahmen denn die Wärter, wenn Inspektion kam, ihn selbst unter ihren Schutz.

Ein Glück war es, daß Fialas Gehalt weiterlief und die Firma aus eigenem Antrieb eine Remuneration von drei Millionen gesandt hatte. Die Alte verwandte bei ihren Unterhaltungen einen Teil dieses Geldes schon für das Begräbnis. Denn es war klar, daß dem Ihrigen ein schönes Begräbnis dritter Klasse gebühre, und daß trotz Ungunst der Zeit sein Grab kenntlich gemacht werden müsse.

Der Geist Frau Fialas war leider ebenso kurzsichtig wie ihre Augen weitsichtig waren und zum Lesen nicht taugten. Jetzt, da sie mit Klara allein lebte, da sie die Schwester nicht mehr verteidigen mußte, jetzt wuchs die Angst vor ihr namenlos und auch ein hilfloser Haß: denn das spürte sie doch, daß sie der Bösen nun ohne Schutz für immer verfallen war.

Sie hatte Klara bisher nicht eingeweiht. Aber so schwer zu entziffern war die Schreibmaschinenschrift, so schwer zu verstehen die klauselreiche Sprache der ›Tutelia‹. Stundenlang saß sie in der Küche und buchstabierte. Doch wie sehr sie auch die Brille rückte und an der Schürze putzte, sinnlos wolkte der Schriftsatz vor ihren Augen. Klara war jünger, hatte bessere Augen und einen besseren Kopf. »Hat ja immer gut gelernt und gerechnet, die Kluge!« Aber gerade diese Klugheit war die Gefahr. Frau Fiala kämpfte noch eine Weile um ihre Selbständigkeit. Doch von Tag zu Tag unwiderstehlicher ward Klaras Übermacht, wenn sie heimkam, ihren Beute-Pack in die Ecke schleuderte, wie ein Teufel um die Küche fuhr, wild in die Töpfe guckte, Diebstahl und Koffereinbrüche feststellte und schallenden Skandal auf den Gang trug.

Eines Abends konnte Frau Fiala Unsicherheit und Geheimnis nicht länger ertragen. Und sie zeigte der Schwester die Polizze. Klara ging vor die Wohnungstür und hielt das Papier unters Stiegenlicht. Schief, fast beim Ohr saß der Knoten ihres schmutzigen Kopftuches, ihre Augen blinzelten, die Nase schnaubte und im offenen Munde zeigte sich eine begehrliche Zunge. Sie las das Dokument zweimal und dreimal, dann steckte sie es ein:

»Gleich gehe ich damit zu meinem Herrn Doktor!«

Frau Fiala wurde mißtrauisch:

»Was willst du, Klarinka?«

Klarinka aber lachte auf und machte empörte Anstalten, ihrer Schwester das Papier ins Gesicht zu werfen:

»Da! Glaubst du, ich will deinen Schmutz behalten! Kriegst ja eh nichts dafür!«

Marie Fialas Stimme begann demütig zu zittern:

»Was sagst du? Warum kriege ich nichts?«

Klara aber verbarg den gehässigen Triumph nicht:

»Weils da steht! Wenn der Karl vor dem fünften Jänner stirbt, kriegst nichts...«

Eine tiefe Kränkung wandelte Klara an, als sie den Kontrakt wieder zu sich steckte:

»Nur weil ich brav bin, nur weil ich eine Gute bin, gehe ich zu meinem Herrn Doktor.«

Frau Fiala kehrte in ihre Küche zurück. Sie setzte sich auf die Kiste, dort wo immer Franzl sitzt, und versuchte einen Gedanken, den Gedanken zu fassen. Nach einer halben Stunde etwa dämmerte es in ihrer grauen Seele. Wie ein elektrischer Strom ging ein Schreck ihr durch den Körper, so stark, daß sie Metall auf der Zunge schmeckte. Es war der erste und einzige Schreck vor Gott, den sie in ihrem Leben empfand.

Etwas Ungeheures ging vor. Man konnte es gar nicht erdenken. Ihr Mann, der schon längst tot war, starb nicht. Wegen der Versicherung erzwang er das Leben. Ihretwegen, die ihn längst aufgegeben und vertan hatte! Sie taumelte auf, kleine sinnlose Schreie stieß sie aus, und wie sie war, ohne Umhang, lief sie in den Winter. Hausbesorger und Greißlerin starrten ihr nach.

VII

Fiala aber steht fest und eisern da im Tor, in seinem Wappentor. Für keinen steht er als für sich allein. Das Tor ist breit und hoch. Er füllt es aus. Gewaltig warm umwuchtet ihn der Pelz. Sein Dreispitz stößt oben an den Bogen. Der Stab in seiner Hand hat große Kraft. Hier hat er auszuharren. Wer den Befehl gegeben, weiß er nicht mehr. Aber Befehl ist Befehl. Und was nicht vollendet ist, hat zu erfolgen. Es ist herrlich, unter Befehl zu stehn. Es ist herrlich, einen Auftrag zu haben. In Küchen bei den Weibern wird man alt. Fiala ist nicht alt, nicht müde. Frisch und lustig ist er wie ein junger Bär. Um Fünf wird er abgelöst werden. Mit dem Schlage der Uhr kommt die Ablösung. Die Uhr auf dem Kirchturm flammt und wie beim Lottospiel springen die schwarzen und roten Nummern der Stunden heraus. Schnell hintereinander, ungeduldig springen sie heraus: Zwölf und Siebzehn, Acht und Hundertsechsundzwanzig. Tausend Stunden verkündet so die Uhr, nur die fünfte Stunde nicht. Fiala kennt begeistert seine Pflicht: Hüter sein und sich nicht fortlokken lassen! Von Niemand! Hüter sein und Niemandem den Eintritt gewähren! So lautet der Befehl! Weiß der Himmel, was sie oben im Sitzungssaal beraten. Den Herrn Oberoffizial hat er schon abfahren lassen. Kommt da Herr Pech:

»Treten Sie zur Seite, Fiala!«... »Das ist mein Platz!«... »Ich muß doch ins Amt.«... »Haben Sie einen Passierschein?«... »Ich gehöre ja zum Amt!«... »Das geht mich gar nichts an. Befehl ist Befehl!«...

Und immer wieder kommt Pech, manchmal allein, manchmal mit einem kleinen Jungen, den er durchs Tor schwindeln will. Aber Fiala ist auf seinem Posten. Pech zieht einen Gulden aus der Tasche, einen runden Silbergulden. Fiala kennt keine Bestechung. Nur das Seine, das Seine will er haben, die Gebühr und basta! Aus der Uhr springen die Stunden, schwarz und rot. Wie Schwimmer erscheinen sie oben auf dem Trampolin, sich in den Fluß zu stürzen. Und die Straße fließt hin mit ihrem Leben, das er kennt von Anfang her. Scheu blicken die Schulkinder, die vorüberziehenden, auf zu seiner Macht. Aber er bewegt keine Miene. Sie sind für ihn nicht da, die Fratzen. Sie wollen seine Aufmerksamkeit erregen. Sie klappern mit ihren Schlittschuhen, sie stoßen kleine Bälle vor sich her. Mögen sie nur! Den Mädchen schenkt er keine Beachtung, die dicht und innig an ihm vorbeistreichen, ihn anflüstern. Das kennt er schon. Das kitzelt und bedrängt ihn nicht. Alles zu seiner Zeit! Schwer wird es nur, schwer, wenn das Regiment vorbeizieht: K. u. k. Infanterie-Regiment Nr. 11, graue Aufschläge! »Bataillon ha–a–alt!« Der Herr Oberst Swoboda selbst hebt, im Sattel sich spreizend, den gezogenen Säbel zum Kommando. Tannenreisig trägt er auf der Kappe. Alle Doppelreihen strotzen von Tannenreisig. Dann gellt der Ruf die Straße entlang: »Zugsführer Fiala!« Aber Fiala ruft nicht: »Hier!« Er weiß: nicht melden darf er sich. Und immer weiter hallt der Schrei! »Zugsführer Fiala!« Die Regimentsmusik formiert sich. Sie spielen den Hausmarsch, sie spielen: ›O du mein Österreich.‹ Fiala erkennt das Maultier, welches die große Trommel zieht. Die Musik setzt sich in Bewegung. Die Burschen schwenken und schlenkern die Instrumente im Takt. Und die Glieder der Kompagnien schwenken und schlenkern im Marschtritt, sonnenüberglänzt. Mit Tschinellenkrach ziehen sie dahin. Zur Schießstätte, zum Manöver, vielleicht auch nur zu einer Lustbarkeit. Seine Freunde hat er wohl erkannt. Diesmal darf er mit ihnen nichts ausfressen: Nicht Karten spielen, nicht zum Tanz gehen, nicht beim Bier die Nacht durchschwärmen. Er muß stehen und stehen in seinem Tor. Weit sind sie schon dahin. Und nur der wachsende Tschinellentakt! Er pocht in seinem Leib und Blut.

Aber oft auch ist es Nacht. Immer wieder ist es Nacht. Und dann springen die Stunden, rot und schwarz, nicht mehr aus der Kirchturmuhr wie die Krampusse. Der Kirchturm steht nicht da. Aber vor allen Toren, die ganze Straße entlang, sind Aschenbutten aufgestellt. Asche ist hingestreut überall. Fiala hält Wacht. Schwer, entsetzlich angstvoll lastet der Befehl auf seinem Herzen. Er steht im dicken Pelz wie in einem Faß ohne Boden, das ihn aufrecht hält. Die goldenen Borten sind erloschen. Hut, Fell, Gewand bedecken und hüllen ihn ein wie Gram. Franzl kommt und schleppt eine Markttasche. Franzl ist ein kleines hohlwangiges Kind, ein Krüppel und er ist sein Vater. Deshalb auch muß er für den armen Krüppel etwas Furchtbares tun. Er muß zu jeder Zeit den Tee austrinken, den ihm der Bub in der schwarzen Markttasche bringt. Aber das ist kein heißer Tee, es ist ein siedender Tee, nein nein, es ist bläuliches Feuer, ungesüßtes Feuer, das er nicht in einem Zug, sondern Schluck für Schluck hinabschlingt. Und die Spiritusflämmchen beginnen an den Innenwänden seines Leibes zu lecken, zu fressen. Doch die Außenwände, die Haut bleibt eiskalt. Könnte er die Augen jetzt schließen, würde er von nichts mehr wissen. Aber er soll ja wissen, weiter wissen, solange die Ablösung nicht da ist. War er nicht Wachtposten oft genug beim Elferregiment? Und jetzt ist es ihm, als sei eine Strafe über ihn verhängt wegen schlechten Dienstes, schlechten Lebens. Torarrest muß er abbüßen. Wer hat nur den Befehl gegeben? Doch auch das Denken ist ja verboten. Denn wer denkt, schläft ein. Wieder steht Pech neben ihm: »Ich verstehe Sie nicht, Fiala! Strecken Sie sich doch einfach aus! Sogleich ist alles gut. Das Ganze ist ja so leicht!« Für ihn ist es gar nicht leicht. Nicht mit der Miene darf er zucken zu solchen Unordentlichkeiten und Aufwiegelungen. Da schon lieber hinausschauen auf die aschgraue Straße. Beklemmendes zieht dahin. Er sieht den Dechanten Kabrhel, den Priester seiner Heimat. Er ist dick und hinkt. Kabrhel trägt wie beim heiligen Umgang den Leib des Herrn im silbernen Strahlenschrein. Zwei Kapläne gehen ihm zur Seite. Voran aber wandelt der Lehrer Subak, eine Kirchenfahne hoch in der Hand. Und hinterher ein paar Fromme. Sie tragen Bauerntracht. Fiala schaut willentlich zur Seite. Den Anblick dieser Gestalten mit ihren großen Hüten und silbernen Knöpfen fürchtet er, als stünden diese alten Bauern in väterlich-drohender Beziehung zu ihm und seiner Strafe. Aber im Zuge gehen auch fromme Tiere hinterdrein. Die schwarzen Ochsen und Kühe des Verwalters, die Fiala genau kennt. Nun wendet sich der Dechant gegen das Tor: »Knieet!« befiehlt er. Und die Prozession kniet nieder auf offener Straße. Auch die Ochsen und Kühe knieen andächtig. Da hebt Hochwürden Kabrhel das Heiligtum gegen den ungehorsamen Firmling und seine Stimme zittert: »Knieet alle!« Aber Fiala, so gern er es täte, er darf nicht knieen. Er weiß: Noch muß erfolgen, was nicht vollendet ist. Ach, eine große Sünde hat er damit begangen, daß er nicht mit den anderen auf die Knie gesunken ist. Dafür auch wird er von den frechen Tieren gestraft. Die ärgsten sind die Gänse, die aus dem Dorfteich plötzlich zu Hunderten heranwatscheln, seine Füße umdrängen und ihn jähzornig anschnattern. Er weiß, wie gefährlich diese gereizten Bestien sind. Vielleicht würde er davonlaufen, wenn er die Beine bewegen könnte. Aber dann fängt die Straße an zu rauschen und ist das Flüßlein seiner Heimat. Er erkennt genau die Büsche, die Angelplätze, die Badeplätze, die Krebsplätze. Aber warum ist jetzt das andere Ufer so weit? Das wundert ihn nicht. Soll denn die Donau am Praterspitz schmäler sein? Es ist schön, daß ihre kleinen Wellen an sein Tor drängen. Doch der Strom meint es nicht gut mit ihm. Die Fischpest ist ausgebrochen. Tausende von Hechten, Karpfen und noch größeren Fischen schwimmen auf dem Wasser mit schuppenlosen, scheußlichen Bäuchen. Der Geruch des Aases durchdringt die Welt bis zu den Wolken. Da beginnt der Geprüfte zu Gott zu beten:

»Lieber Gott! Ich stehe hier, weils befohlen ist. Nicht weil ich für mich etwas will, stehe ich hier, nicht um Lohn. Ich hab mir von Kind auf doch ein kleines Haus gewünscht. (Aber Sonnenblumen müssen im Garten sein.) Das Haus wirst du mir nicht schenken. Keine Freude werde ich gehabt haben. Ach, warum muß ich so viel erdulden, ich, der Fiala, und kein anderer!?«

Fiala weiß es längst, daß innige Gebete im richtigen Augenblick immer helfen. Er hat gut getan, zu beten. Denn jetzt fällt der Nebel ein. Guter Herbstnebel liegt über nackten warmen Äckern, so dicht, daß man die Kartoffelfeuer nicht sehen, sondern nur riechen kann. Und der gute Nebel dringt auch in das Schicksalstor. Und das beruhigt des Türhüters Seele. Denn nichts mehr sieht er ringsum. Groß und einsam darf er nun mitten in Gottes unsichtbarer Welt stehen und ausharren. Sein Stab mit der Kugel an der Spitze stützt ihn, sein starrer Pelz hält ihn aufrecht. Nichts mehr muß erfolgen. Wenn er noch ein Lied kennte, ein altes böhmisches Lied, er würde es singen, denn wohlig ist es zu stehen im Nebel und Erdrauch, süß ist es stehend zu liegen im Raum. Da schläferts ihn. Da schließt er die Augen...

Aber nicht so ist es gewollt. Man ruft ihn an. »Fiala!« glaubt er zu hören, aber es gellt »Tutelia!« Der Schreck eines ertappten Verbrechers durchzischt ihn! »Zu Befehl!« Und er reißt die Augen auf. Die Kirchturmruhr ist fort. Das kreisrunde Loch läßt eine Scheibe roten Himmels sehen. Von allen Seiten Trompetensignale. Die Manöver werden abgeblasen mit den letzten Rufen des Zapfenstreichs. Und ein wildes Getrappel kommt näher. Er kennt das lustig-majestätische Getrappel, die festliche Fahrt, die von Schönbrunn her die Mariahilferstraße herabbraust. Voran die berittene Polizei, dann die Leibgarden und zwischen ihnen der schimmelbespannte Hofwagen mit goldenen Rädern und Laternen. Die Volkshymne schmettert durch fahnenberauschte Lüfte. Ein grüner Federbusch schwankt leutselig fern. Fiala weiß, daß die Ablösung näherdonnert. Jetzt heißt es, sich zusammenreißen, im richtigen Augenblick vortreten und dem erstbesten Vorgesetzten entgegenschreien:

»Melde gehorsamst, Ableben erfolgt!«

Man wird ihm seinen Ort anweisen im goldenen Zug, der durch die Straßen fliegt.

Höchste Zeit ist es schon. Der Nebel hat sich verwandelt. Im Hausflur herrscht er als dicker Rauch, von Glut und Flammen durchflochten. Aber wer vertritt jetzt den Weg? Die Straße hat frei zu sein! Hier wird kein Spalier geduldet. Zwischen ihm und dem Herannahenden, dem Herrlichen, muß offene Bahn sein. Doch die Menge umtanzt ihn. Sie will den Erlösten zurück ins qualmende Tor stoßen, wohin er nicht mehr gehört. Und jetzt sieht er die Menge. Da kocht sein ganzes Leben auf in Zorn und Verzweiflung. Hundert Maries und fünfhundert Klaras drängeln ihn in sein Gefängnis zurück, da er doch ausgeharrt und längst gesiegt hat. Alle Maries tragen Kränze in der Hand und weinen. Alle Klaras schwingen tückische Besen gegen sein Gesicht. Sie versuchen heimlich seine Hände mit Vorkriegsspagat zu fesseln. Die Hexen sind schuld. Immer haben sie ihn eingesperrt. Jetzt, wo die Ablösung näher und näher dröhnt, auch jetzt wollen sie flennend und fluchend ihm den Weg verstellen. Aber Gott sei Dank! Sein Arm ist wieder stark und die Kugel seines Stabes blitzt...

Zusammengesunken auf dem Stuhl sitzt Frau Fiala und starrt auf das Grauen des Todes, der nicht kommen will. Mit Gewalt mußte man die Schreiende in den letzten Tagen, wenn der Abend kam, aus dem Zimmer zerren. Jetzt ist Fiala längst kein »Fall« mehr. Auch diese Sensation hat sich abgebraucht. Ein Herzmuskel ist stärker, der andere schwächer, und Roßnaturen sind selten, aber noch lange kein Wunder. Das Weib starrt regungslos auf den Hügel Verwesung dort unter der Decke, der mit jagendem Atem in seiner eigenen Jauche liegt, ohne daß jemand ihn reinigt. Auf dem Kissen ruht das gelbe Haupt, die Riesenstirn eines Kirchenvaters. Die Frau kennt dieses fremde Haupt nicht mehr. Manchmal zuckt der Dulder zusammen und versucht, Bewegungen zu machen. Die Hände wollen unters Kissen fahren, und die Beine rühren sich unter dem Tuch.

Klara ist eingetreten und beginnt der versteinerten Schwester eine Standpredigt zu halten, sie solle jetzt endlich nach Hause gehen, das Sitzen und Schauen bringe nichts ein. Alle drei Minuten erscheint Franzl in der Tür. Seine Augen starren vorwärts, als müsse er mit sich kämpfen, den Vater anzuschaun. Plötzlich, im Verlauf ihrer Rede, erhebt Klara nach gewohnter Art scharf ihre Stimme. Da ist es, als ob das Wesen, das den Namen Fiala trägt, erwachen würde. Aufgerissene Augen stieren die Weiber an und es sind fremde Augen nicht mehr. Der Körper bäumt sich im Bette, und jäh, mit einem Ruck unmöglicher Kraft, fahren graue behaarte Stöcke unter der Decke hervor und versuchen heldenhaft Boden zu fassen. Und jetzt, einen kehligen Siegeslaut ausstoßend, steht hoch aufgerichtet ein wüster Riese da, der die Spinnenarme hebt wie zum Schlag. Ein stampfender Schritt gelingt noch, dann stürzt die Gestalt in sich zusammen, ein Knochenhaufen.

Hier endet der Bericht vom Sterben des Kleinbürgers Karl Fiala. Zwei Tage über sein Ziel war er hinausgerannt wie ein guter Läufer. Denn man schrieb den siebenten Januar schon. Unverzüglich schafften die Wärter, nach flüchtiger Todesfeststellung, die Leiche an den Ort, wohin sie gehörte, gleich einem Unrat, der allzu lange im Wege gelegen war.

Als die Witwe das fremde Gesicht nicht mehr sah, konnte sie zu ihrem Glück wieder weinen. Das Sterbebett stand nun leer. Klara, die so oft bemerkt hatte, daß die Hand des Gequälten etwas unterm Kissen suche, und die, wenn sie ein Traum nicht täuschte, einmal ein Goldstück hervorblinken sah..., sie trat nun, Tränen hinaufschnaubend, wie unversehens an die Lagerstatt. Laut klagend und mit schmerzzuckenden Fingern begann sie das verödete Kissen zu streicheln. Da fühlte sie plötzlich die suchenden Gelenke ehern umkrallt. Sie keifte auf: »Du verdammter Bub! Ich will dir nichts nehmen! Marinka! Gib Achtung!«

Franzl hob stumm das Kissen auf und steckte die beiden wertlosen Gegenstände in seine Tasche. Es war ein leerer Kalenderblock und die schmutzige Borte irgendeiner verschollenen Uniform.

Kleine Verhältnisse

Hugo hatte sein elftes Jahr vollendet. Durch zwei besondere Umstände hervorgerufen, war in der Erziehung des Knaben ein Interregnum eingetreten. Erstens hatte Miß Filpotts plötzlich das Haus verlassen, und zweitens – was weit mehr ins Gewicht fiel – war Hugo rasch hintereinander an Scharlach und Diphtherie erkrankt. Diese bedenklichen Übel, die ihn wochenlang ans Bett gefesselt hielten, erweckten in ihm zugleich mit den Wallungen des Fiebers die Lust an ungezügelter Träumerei.

Aus keinem andern Grunde als aus Angst vor Kinderkrankheiten war der verzärtelte Junge nicht zur Schule geschickt und daheim unterrichtet worden. Trotz der bitteren Erfahrung aber, daß es keinerlei Schutz vor dem Schicksal gebe, blieben die überängstlichen Eltern unentschlossen, wie sich Hugos Erziehungsgang ferner gestalten solle. Eines aber verstand sich von selbst, daß man einige Wochen lang dem blassen, geschwächten Kinde von jeder Art Einwirkung und Unterricht Ruhe lassen müsse. So wurde denn weder ein pädagogisch geschulter Hofmeister, noch auch eine präzise Engländerin zu Miß Filpotts Nachfolge ausersehen, sondern auf ein gewöhnliches Zeitungsangebot hin, das Hugos Mutter angenehm berührte, Fräulein Erna Tappert als Erzieherin aufgenommen. Gegen Fräulein Tappert schien die Tatsache zu sprechen, daß sie eine Mitbürgerin war und in ihrer Zeitungsofferte keine Sprachenkundigkeit ins Treffen führen konnte, – für sie sprach die bestandene Lehrerinnenprüfung und ihr wunderschönes blondes Haar, das die gnädige Frau gleich bei der Vorstellung entzückte. Man trug damals den Kopf noch nicht geschoren und dick-lastendes Blondhaar galt als Sinnbild eines vertrauenerweckenden Herzens. So war denn auch in den Augen der Dame Ernas schwerer goldener Knoten ein Beweis verhaltener Tugend, bürgerlicher Wohlanständigkeit und beruhigender Gemütsverfassung.

Fräulein Erna bezog die Stube, die an das Kinderzimmer stieß. Dieses Kinderzimmer war überaus geräumig, hell und in blendendem Weiß gehalten. Der gummibelegte Fußboden, die blitzenden Turngeräte, die mächtige Schulbank und -tafel, die Anordnung der eingebauten Wandkästen, das weiß-geschmeidige Bett, all dies erweckte den Anschein, als hätten sich in diesen Räumen Hygiene, Erziehungskunst und Luxus zusammengefunden, um aus einem gesegneten Kinde einen Vollmenschen ohnegleichen zu modeln.

Man sieht, dieses Haus und seine Herren gehörten zu den Auserwählten, denen die Zeichen der Zeit nicht näher kamen als es für einen ernsthaften Gesprächsstoff notwendig ist. Ihr Schicksal war so gut gedämmt, daß es die Sturmflut nur vom Hörensagen kannte. Der schwere Wermutstropfen der Zeitläufte hatte hundert immer feinere Siebe passiert, ehe er als zerstäubter Duft ins Bewußtsein dieser Glücklichen trat, wo seine Bitterkeit sogleich als edle Gesinnung die Lebensmeinungen würzte.

Miß Filpotts hatte seinerzeit das Kinderzimmer mit ihrem Zögling geteilt. Fräulein Tappert aber erhielt nach einer kurzen Besprechung der Herrschaften ein eigenes Zimmer zugewiesen, weil Hugo immerhin elf Jahre alt war und die fortgeschrittene Wissenschaft allerhand Lehren über das frühzeitige Erwachen des Menschen verbreitete. Trotz dieser Maßregel war Hugos Mutter von der Überzeugung durchdrungen, daß jenes von der fortgeschrittenen Wissenschaft angedrohte frühzeitige Erwachen nur das Merkmal der unkultivierten Stände sei und bei ihrem wohlgeratenen Kinde nicht in Betracht käme.

Fräulein Erna Tappert wurde dahin belehrt, daß während der Nacht die Verbindungstür von ihrer Stube zum Kinderzimmer offen stehen müsse, damit Hugo unter Aufsicht bleibe und nicht, wie es einige Male schon geschehen, ganze Nächte mit Lesen verbringe. Während seines langen Krankenlagers nämlich hatte sich der Knabe das übermäßige Lesen angewöhnt. Mit der ausgehungerten Leidenschaft der Lebensleere, unter der die Kinder der Reichen so oft leiden, verschlang er Bücher, gleichviel welcher Art und welchen Inhalts: Klassiker, Schmöker, Zeitschriftenbände, Hackländer, Karl May, Kriegs-, Reise- und Abenteurergeschichten. Durch Bitten, Tränen, Zorn, ja selbst durch Ansteigen der Fieberkurve wußte er sich diese Nahrung von Eltern und Wärtern zu ertrotzen. Es war jedoch eine sonderbare Art von Lektüre, die Hugo trieb. Er verfolgte nicht Seite für Seite den Gang der Erzählungen, die er oft nur zum geringen Teil verstand, er las kreuz und quer in den Büchern. Oft las er nicht einmal, sondern starrte ekstatisch auf die wimmelnden Seiten, oft auch hielt er einen Band lange, mit saugenden Fingern gleichsam, in der Hand, während er die Lider zusammenpreßte. Zwischen den beiden Deckeln des armseligen Dings, das nur ein Buch war, lagen unausschöpfliche Welten, die nur zum kleinsten Teile dem Verfasser angehörten, Welten, die sich Hugo selber immer neu und immer wieder anders erschuf. Der Text, den man nicht schnell genug buchstabieren konnte, diente nur als Sprungbrett für des Knaben innere Bilderflucht, die jede Zeile mit raschen, gespenstischen Phantasiegeschwadern überholte. Jede Seite (starr vorwärtsdrängende Truppenordnung der Worte) war durchflochten von wilden Jagden, Geisterritten, Mordtaten, Aufschreien, Tropenlandschaften, die nicht zum Gelesenen gehörten und aus des kleinen Lesers Seele stiegen, die doch weder Zeit noch Gelegenheit gehabt hatte, all diese ausschweifenden Dinge in sich aufzunehmen, die ihr so verschwenderisch entfieberten.

Miß Filpotts, die unbestechliche Anhängerin eiskalten Wassers, körperlicher Ertüchtigung und starrer Nervenruhe, hatte diese Lesewut gehaßt. Hugo aber spürte mit der feinen Witterung, die Kinder für die persönlichen Antipathien in den Grundsätzen der Erwachsenen haben, daß sich hinter diesem Haß nicht das Wohlwollen der Erzieherin verbarg, sondern eine hochfahrende Verachtung für seinen Lieblingszustand, das Träumen.

Erna Tappert hingegen gewann Hugos Sympathie schon in der Minute, da sie ihren Koffer vor seinen Augen auspackte, wobei eine Anzahl von Büchern, ein ganzes Bündel ausgeschnittener Zeitungsromane, zwei Alben mit Photographien und Ansichtskarten und ein Stammbuch voll gepreßter Blumen zum Vorschein kamen. Zudem hatte das Fräulein große, langsame Augen, die keine gefahrbringende Energie verrieten, eine hohe, gar nicht magere Gestalt, die sich ein wenig träge bewegte, was wiederum daraufhin deutete, daß die Turngeräte nicht überanstrengt werden würden. All diese Zeichen erfüllten Hugo mit Zuversicht. Hatte er sich Miß Filpotts gegenüber als ein Gefangener oder Untergebener gefühlt, der sich mit knirschendem Zorn gegen eine hochmütig-eckige Übermacht behaupten mußte, so lernte er in Fräulein Erna ein Wesen kennen, das seine Gleichberechtigung anerkannte, das nachgiebig schien, ja mehr als dies, sich vor seiner männlichen Überlegenheit zu beugen bereit war.

Es war demnach kein Wunder, daß mit Ernas Einzug die Fülle von Streitereien, Anzeigen und Klagen gegen Hugo aufhörte, mit denen die verdrießliche Engländerin die Eltern bedrängt hatte. Dies vor allem: Mama forderte, daß beim Bad und der Morgenwaschung des Knaben die Erzieherin anwesend sei, die Reinigung beaufsichtige und, wenn nötig, selber Hand anlege. Durch diese Anordnung hatte sich Hugo in seinem Stolz erniedrigt gefühlt und jeden Morgen war zu Miß Filpotts Zeiten Streit und Geschrei ausgebrochen. Dies wurde nun mit einem Schlage anders. Ernas weiche Hände verletzten Hugos Stolz nicht; sie waren so wohltuend, noch in den harten Strichen der Badebürste, mit der sie des Knaben Rücken abrieben, blieb die gelassene Milde ihrer Finger fühlbar. So verwandelte sich die Morgenwaschung aus einer verhaßten Zeremonie in einen erwünschten Vorgang. Erwachend lag Hugo im wohligen Bette und freute sich auf Ernas Kommen. Und wenn sie dann eintrat, selber noch nicht angekleidet, ihren blauen Schlafrock übergeworfen, die Haare flüchtig aufgesteckt, sprang Hugo sogleich auf die Beine. Nun krempelte Fräulein Tappert die weiten Ärmel über die morgenfrische Haut ihrer Arme auf und tauchte Schwamm, Bürste und Seife ins Wasser. Hugo aber blinzelte mit gespielt-gleichgültiger Schläfrigkeit und gab dadurch, die Ehre wahrend, den Verzicht auf eigene Betätigung seiner mannhaften

Person kund. Er vergaß sogar seinen Abscheu vor kaltem Wasser und zuckte nicht zurück, wenn Erna ihm Hals, Brust und Arme, die er willig darbot, eifrig abschrubbelte. Er sah seinen kleinen, abgemagerten Leib im Spiegel. Erna aber bewegte sich laut atmend um ihn her, sie war ganz verloren in ihrer Arbeit, herrliche Kraft drang aus ihr, die den Knaben von allen Seiten einhüllte, wie eine volle duftige Wolke.

Ungetrübte Freundschaft entspann sich zwischen beiden. Erna hatte eine wunderbare Art, den Phantastereien Hugos zuzuhören. Kein Schimmer von Unaufmerksamkeit stand in ihren Augen, kein Fältchen von überlegener Duldung auf ihrem Gesicht, wenn er seine Absonderlichkeiten vor ihr ausbreitete:

»Kennen Sie vielleicht das Theaterstück ›Der böse Geist‹, Fräulein?«

Solche Fragen stellte der Knabe, ohne ein Werk dieses oder ähnlichen Titels selber zu kennen. Es genügte schon, daß ihm in dem Dickicht seiner Lektüre so etwas wie ein böser Geist einmal begegnet war. Ernsthaft verneinte Erna diese Frage. »Es ist aber doch von Schiller«, pflegte Hugo festzustellen, ohne an der Wahrheit dieser Behauptung zu zweifeln. Er hatte es ja auch nicht nötig zu zweifeln, denn schon begann er mit leidenschaftlicher Stimme und in tragischer Haltung sinnlos prächtige Worte übereinander zu türmen. Erna verfolgte mit angestrengten Augenbrauen und hingegebener Bewunderung den begeisterten Schwall, aus dem oftmals die Namen griechischer Gottheiten sie anblitzten. Warum sollte dies nicht klassisch sein? Man verstand es ja nicht. Sie empfand dumpf-erstaunt: »Schiller!« und »Welch ein Bub!« Aber den Elfjährigen erfüllte der Sturm dieser bewußtlos sich selber zeugenden Worte und die Andacht der großen erwachsenen Frau wie ein giftiger Rausch, dem Kopfschmerzen folgten.

Sie selber erzählte ihrem Zögling nur selten von ihrem eigenen Leben; und dann waren es meist belanglose und kurz angebundene Dinge. Fräulein Tappert sprach überhaupt nicht viel. Ihre Schweigsamkeit aber war durchaus verschieden von Miß Filpotts ablehnender Verschlossenheit, die der verachtungsvollen Anmaßung einer Herrenrasse entsprang, die in Dienst gehen muß. Ernas volle, etwas schwerfällige Erscheinung hingegen lebte so ruhig an Hugos Seite, als besäße sie kein eigenes Schicksal und keine anderen Gedanken als ihre kleinen Tagesverrichtungen. In der schönhäutigen Ausdruckslosigkeit ihres Gesichts aber lag manchmal der erstickte Zug eines Träumers, der nach Worten ringt und stumm bleiben muß. Der Bund zwischen Erzieherin und Kind wurde von den Eltern nur selten gestört. Papa war viel auf Reisen und Mama hatte in sich die Leidenschaft für kunstgewerbliche Arbeiten entdeckt. Sie besaß nun ein Atelier und einen Lebensinhalt.

Es war Frühling. Erna und Hugo machten zweimal des Tages auf Anordnung Mamas ausgiebige Spaziergänge. Die Stadt war jetzt von zahlreichen und bezaubernden Gärten durchbrochen. Erna liebte am meisten die »Hasenburg«, jenen Park, der sich mit labyrinthischen Wegen, weiten Rasenflächen, Terrassen, künstlichen Grotten, Springbrunnen, blühenden Heimlichkeiten an die Lehne eines Berges schmiegt. Auch Hugo mochte diesen weitgedehnten Ort gerne, von dessen sich überstufenden Wandelflächen und efeuumklammerten Brüstungen man die dichtgedrängte Stadt bis zu den nebligen Vorbezirken am Horizont betrachten konnte. Der schwere schläfrige Fluß halbierte das altertümliche Gedränge des Zentrums. Die vielen steinernen und eisernen Brücken schwangen verschiedenartige Melodien von Ufer zu Ufer. Die älteste unter ihnen hielt den erstarrten Schmerz ihrer gefesselten Statuengruppen ins braune oder silberne Licht, das sich sekündlich verwandelte. Düsteren Kristalldrusen glichen diese bewegten Gestalten, die der Druck der Geschichte aus den felsigen Brückenbögen emporgetrieben hatte. Hugos Auge aber hing vor allem an der mächtigen Kuppel des Nationaltheaters, die breit und grün mitten unter dem gotischen Emporstreben der hundert Türme in der Sonne brütete oder die wie ein architektonisches Tiergespenst aus dem Nebel tauchte, den die Stadt gegen Abend immer von sich gab. Er war zwei- oder dreimal schon in dieses Theater mitgenommen worden. Seitdem umlauerte sein Herz das Gebäude, dessen grünspäniger

Kuppelsturz Dinge enthielt, die ihn tief entzückten: den pathetisch bemalten Vorhang, die lichterfüllte Wölbung, die Stimmen der Instrumente, den einzigartigen Geruch, aus feinem Staub, Moder, Parfum, Frauen gemischt, und das Zaubergeheimnis der Bühne, das Geheimnis eines unwirklichen Raumes, der den wirklichen schneidet, mächtiger noch als der göttliche Raum den irdischen der Kirche durchdämmert. Allein nicht nur die erhabene Sicht auf die schöne Stadt zeichnete die Hasenburg aus. Sie besaß ja außerdem noch die mysteriöse »Hungermauer«, die den blühenden Garten von einer wüsten lehmigen Hochfläche abgrenzte, woher manchmal die militärischen Hornsignale wehten, um mit goldgelb gespreiteten Flügeln einen Augenblick lang über dem Tal der Stadt schweben zu bleiben. Dieses alte traurige Gemäuer war, wenn man den Chroniken glauben durfte, ein geschichtliches Denkmal. Irgend ein mittelalterlicher König hatte es aufführen lassen, um zur Zeit der Hungersnot das Problem der Arbeitslosigkeit auf ebenso harmlose wie märchenhafte Art zu lösen. Wie dem auch immer sei, die Hungermauer bot für Hugos Phantasterei einen schönen Anlaß, und er log der willigen Erna mancherlei von Pest, Krieg, Sturmwiddern, Breschen und nächtlichen Überrumplungen vor. Dies aber gehörte zum Wesen der einzigartigen Stadt: Ein alter Stein irgendwo, ein Holzgeländer, ein Brunnen in einem Hof, eine ausgebrannte Mühle, die man stehen gelassen hatte, ein grauer augenleerer Turm, in dessen Höhlung ein Alteisenhändler sein Warenlager besaß. Ein unverhoffter Durchgang, ein trauerndes Wappentor, in dem ein frecher Bierschank lärmte, greise tagblinde Winkel, die der verlotterten Nacht entgegenlauerten. Nichts, Gerümpel, oft ohne Schönheit, meist ohne Kunst! Aber die Toten huschten über den Stein, die Toten schmiegten sich an das Holzgeländer, die Toten der Jahrhunderte hockten in der ausgebrannten Mühle, die Toten stiegen über die rostigen Eisenstangen, die Toten mischten sich in das Straßengedränge, ein Licht in Händen, das den Tag verfinstert, die Toten verließen diese Stadt nicht. Alter Sandstein, brüchiges Gemäuer nur! Aber auf einmal zitterte im Mittagsstrahl ein kranker Schatten, ein unsagbar blasses, abgezehrtes Bildchen drüber hin, wie aus der Laterna magica unserer Kinderjahre geworfen, die in irgend einer Rumpelkammer vermodert.

Erna freilich war auf den sonnigen Kieswegen dieses Parkes, auf den Bänken und Terrassen nicht so ganz bei der Sache, wie es Hugo schien, sie war sogar recht eingenommen, wenn sie gegen halb fünf Uhr nachmittags den Blick unruhig aussandte. Denn zu dieser Stunde pflegte sich Herr Oberleutnant Zelnik einzustellen. Hugo hatte bereits soviel Wohlgefallen an dem Offizier gefunden, daß auch er eine freudige Regung verspürte, wenn die uniformierte Gestalt, in schmalen Hüften sich wiegend, auf dem Parkwege in der schattenübersprenkelten Ferne sichtbar wurde. Der militärische Glanz wirkte auf ihn wie auf jeden anderen Knaben, er erfüllte ihn mit eigentümlich ehrfürchtigen Schreckgefühlen, die, wenn Zelnik ihn mit einem herablassend näselnden »Servus« begrüßte, in angenehmen Stolz umschlugen. Doch diesem Stolz war das Bewußtsein beigemischt, daß die Vertraulichkeit des Offiziers eine Gabe blieb, nur auf Widerruf verliehen und sogleich zurückziehbar, sollten die Umstände es erfordern. Zelnik erschien trotz aller Liebenswürdigkeit hocherhaben und unerreichlich. Hugo aber – und das unterschied ihn von anderen Jungen – dachte trotz dieser schneidigen Freundschaft nicht daran, nun selber Soldat werden zu wollen. Er verehrte den Glanz eines Oberleutnants mit frommem Erschauern, aber er verehrte ihn als etwas Fremdes, dem nachzustreben ihm nicht gebührte. Er liebte es sehr, wenn Zelnik die strammen Ausdrücke des Dienstes in seine Rede flocht. Dann prägte er diese Worte seinem Gedächtnis ein wie etwas Kostbares und Vornehmes, dessen Gebrauch auszeichnet. Der Oberleutnant pflegte in der Unterhaltung mit Erna jeder Bitte das Wörtchen »gehorsamst« anzuhängen. Diese Ritterlichkeit gefiel Hugo ausnehmend gut, und als sie nach und nach verschwand, vermißte er sie.

Eines aber war klar, um vor den Augen dieses strahlenden Mannes zu bestehen, mußte sich Hugo in acht nehmen. Er mußte beweisen (wenn er auch durch Zufall noch unerwachsen und schwächlich war), daß er sich doch wie ein Mann benehmen konnte. Männliches Benehmen aber, was war es denn anderes als höfliche Feinfühligkeit? Hugo verstand es also, das Paar in unauffälliger Weise allein zu lassen, indem er sich – und das war geradezu ein Opfer – am Spiel einiger anderer Jungen beteiligte. Meist aber setzte er sich nur abseits und träumte in die Luft hinein, wenn er sich nicht in ein Buch versenkte, das die fürsorgliche Erna heimlich mitgenommen hatte. Er war auf den fremden Mann nicht eifersüchtig, ganz im Gegenteil, er war stolz auf ihn, er war stolz, daß sein Fräulein Erna gar manche wichtige Angelegenheit flüsternd mit dem Oberleutnant auszutragen hatte, während er selbst sich freiwillig und ohne Neugier wie ein guter Wächter abseits hielt. Er machte sich dabei keine Gedanken über die Angelegenheit, die also eifrig beflüstert wurde, nur die aneinandergedrängte Nähe Zelniks und Ernas, der vom Entzückungshauch beschlagene Aufblick der Frau, ihr unbewußt im Winde spielendes Haar, des Mannes zuckende Nüstern, sein grausam lächelnder Schnurrbart, – all das erregte Hugo mit knisternder Ausstrahlung.

Sonntags hatte Fräulein Tappert immer Urlaub. Sie verließ das Haus nach Tisch und kehrte erst um Mitternacht wieder heim. Diese einsamen endlosen Sonntagsnachmittage quälten Hugo mit ihrer Trauer und Langweile. Selbst die verbissenste Lektüre half ihm nicht darüber hinweg, daß er Erna und Zelnik vermißte. Er sehnte sich danach, von ferne die beiden großen Gestalten auf der grünen Parkbank zu bewundern, hinter der ein roter Rhododendronstrauch sein Rad schlug. Wenn dann spät abends das Fräulein auf leisen Zehen durch sein Zimmer in das ihre schlich, lag er stets wach und rief sie an.

Es war aber ein ganz gewöhnlicher Wochentag, als ihn auf einem der gemeinschaftlichen Spaziergänge Herr Oberleutnant Zelnik am Arm faßte, während Erna Tappert zurückblieb und sich mit blinzelndem Interesse in das lichtzerklirrende Spiel eines Springbrunnens vertiefte, der seine kristallene Palme lockend entfaltete. Zelnik drückte den Arm des Knaben:

»Sie sind ein tapferer kleiner Mann, Hugo, was? Das hab ich schon längst heraus.«

Diese Worte beglückenden Lobes sprach der Offizier zu Hugo, der von seinen Eltern zwar oft sorgende Ängstlichkeit, aber kaum jemals eine Aufmunterung zu hören bekam. Der Knabe sah leicht geblendet auf den nickelblitzenden Korb des Salonsäbels, der an der Hüfte des Mannes schwankte.

»Also Hugo, merken Sie auf, es ist ein wichtiger Auftrag, den ich Ihnen hiermit erteile...«

Hugo empfand ein starkes Bedürfnis, den Säbelkorb oder das goldene Portepee zu berühren, das an seiner Seite auf und nieder spielte. Verwegene Lust durchzuckte ihn, als könnte er durch diese Berührung einen wohltuenden Strom zwischen sich und dem prächtig erklirrenden Herrn schließen. Der Oberleutnant fuhr mit geneigter Bedeutsamkeit fort, während sein Schritt sich bemühte, den Schritt des Jungen kameradschaftlich ernst zu nehmen: »Es ist das, ich bitte, eine Sache, die Sie noch nicht ganz verstehen können. Aber, Hugo, nicht nur ein Zivilist, selbst ein Offizier erhält täglich eine Menge von Befehlen, deren Zweck er nicht versteht. Unsereins sagt sich dann: Befehl ist Befehl und Dienst ist Dienst! Die Sache übrigens, um die es sich hier handelt, geschieht einzig und allein im Interesse von Fräulein Erna, wofür wir beide ritterlich einstehen müssen... Na, da brauch ich Sie ja nicht extra zu belehren.«

Hugo berührte unauffällig das goldene Portepee, ängstlich, als wäre es glühendes Metall. Er machte große Schritte. Zelnik legte seinen Arm um die Schulter des Knaben:

»Es ist unbedingt notwendig, daß Fräulein Erna bei den Verhandlungen anwesend ist, die im Interesse ihrer Zukunft geführt werden. Und jetzt machen Sie die Ohren auf, junger Mann, es sind nämlich geheime Verhandlungen... Streng reservat... In der Nacht... Versteht sich...« Zelnik blieb stehen und sah Hugo an, als wäre damit mehr als genug gesagt:

»Sie wissen, was das bedeutet, geheime Verhandlungen?« Vor Hugos Augen zogen rasche Traumbänder dahin. Der Oberleutnant seufzte befriedigt:

»No also! Sie verstehen mich, Hugo! Und Sie, niemand anderer als Sie, haben den Auftrag, dafür zu sorgen, daß kein Mensch etwas davon erfährt, wenn Fräulein Erna in der Nacht nicht zu Hause ist. Vor allem Ihre Herren Eltern nicht! Das möcht ich gehorsamst erbeten haben. Sie geloben mir in die Hand, wie das Grab zu schweigen und Fräulein Erna somit vor allen gefahrvollen Weiterungen zu schützen.«

Hugo fühlte, wie seine Hand im Druck der großen Männerrechten hinschmolz. Er hatte geschworen. Erna näherte sich. Der Oberleutnant trat anmutig an ihre Seite:

»Unser Freund Hugo hat den Eid geleistet...«

Und lächelnd, während er selbstzufrieden mit zwei Fingern den Uniformkragen lockerte:

»Zu Wasser, zu Lande und in den Lüften.«

Am Abend – Hugo lag schon zu Bette – trat Erna, die kein Wort mit ihrem Zögling über diese Sache gewechselt hatte, schön gekleidet und duftend aus ihrem Zimmer. Sie sagte nur:

»Also, ich geh jetzt, Hugo!«

Dabei zog sie seine Hand an ihre Brust und sah ihn bittend an. Ihre Erregung durchschauerte seinen Körper. Dieselbe Szene wiederholte sich in den nächsten Wochen an so manchem Abend. Ehe Fräulein Tappert Hugos Zimmer verließ, waren ihre Wangen von Angst wie von einem scharfen Wind rot und aufgerauht. Und jedesmal sagte sie:

»Also, ich gehe jetzt, Hugo!«

Wie viel lag doch in diesen stummen Worten. Der Junge spürte es und spannte alle Muskeln an, als müsse er jeden Augenblick bereit sein, Erna vor lauernden Feinden zu verteidigen. In solchen Nächten lag er mit brennender Haut schlaflos oder unter einer dünnen Decke unruhigen Dämmerns. Fernunten hallte der Trab nächtlicher Pferdewagen über das Pflaster. Wie das rhythmisch-hohle Glucksen von Wasser aus einer Riesenflasche drang dieser Trab in sein übertreibendes Gehör. Erst wenn die Heimkehrende mit angehaltenem Atem durch sein Zimmer huschte, legte sich ein stolzer Friede über seine Augenlider und die Müdigkeit eines Siegers beschlich ihn mit gerechtem Schlaf. Oft, wenn das geheimnisvolle Ausbleiben sich allzulange hindehnte, konnte Hugo es vor Angst um Erna kaum mehr aushalten.

Schreckbilder von Überfall, Mord, Entführung würgten ihn, in denen Erna das Opfer, Zelnik aber keineswegs der Übeltäter war. Alles, was er jemals von Kriminalverbrechen oder Selbstmord gehört und gelesen hatte, jagte in solchen Augenblicken vorüber. Er sah Ernas Körper deutlich vom schmutzigen Fluß immer wieder gegen das alte Wehr geschleudert werden. Gewiß! Der Oberleutnant stand verzweifelt am Kai und blickte nach Rettung aus, dachte aber nicht daran, seinen kakaobraunen Waffenrock mit den roten Artillerieaufschlägen abzuwerfen und ihr nachzuspringen. Man konnte solch eine Tat von einem gestiefelten und gespornten Herrn auch nicht verlangen. Derartiges schickt sich nicht für einen Offizier. Das Schrecklichste aber war, daß er, Hugo, sich selber die Schuld an dieser Tragödie geben mußte.

Erklang dann im Morgengrauen Ernas leiser Schritt, so stellte sich Hugo aus einer plötzlichen Scham schlafend. Manchmal aber konnte er sich nicht halten und rief durch die offene Tür:

»Fräulein! Sie können heute ruhig liegen bleiben! Ich werde mich schon selber waschen.«

Fräulein Tappert aber hielt es wie alle Tage. Frischduftend, ohne jegliches Zeichen von Übernächtigkeit, waltete sie kräftig mit Bürste und Schwamm ihres Amtes. Hugo bemerkte, daß die Gefahren der Nacht Ernas Wesen nicht ermüdet, sondern gestrafft hatten. Sie hatte geschwindere, energischere Bewegungen als sonst. Sie glich nach solchen Nächten den edlen Segelbooten, die mit vollem Wind über jene sonnigen Wasserflächen schießen, an deren freudegesegneter Küste Leute wie Hugos Eltern den Sommer verbringen. Keine Abspannung sah er in ihren Zügen, keine Leere auf ihrem Gesicht, nein, es war bis zum Rand gefüllt von einem gereiften inneren Licht, das den Knaben blendete. Er aber wurde immer blasser und magerte ab. Die Eltern zogen Ärzte zu Rat. Man bekämpfte die allgemeine Körperschwäche mit Lebertran, Hämatogen und ähnlichen Bitternissen.

Zwischen den beiden Verschworenen war wie durch festes Übereinkommen niemals die Rede von dem Geheimnis der

Nächte. Tag und Nacht blieb zweierlei und wußte nichts voneinander. Mit innig-geneigtem aufmerksamem Ohr hörte Erna zu, wenn Hugo zu deklamieren begann und ihr seinen phantastischen Schiller zum besten gab. Sie lauschte sogar um eine Spur hingebungsvoller als früher. Es schien, als gehöre sie bis zum Nachmittagsspaziergang gänzlich Hugo an; erst dann trat der Oberleutnant in seine Rechte, die der Knabe freudig anerkannte.

Zweimal aber drohte dem nächtlichen Geheimnis ernste Gefahr, die Hugos Tapferkeit und Geistesgegenwart auf die Probe stellte. Eines Abends hatte Hugo Ernas Abwesenheit benutzt und sich schrankenlos in ein Buch verloren. Gott weiß, wie spät es sein mochte, als er Schritte hörte. Er erkannte sogleich: Mama! Blitzschnell riß er den Schalter der Bettlampe aus dem Kontakt und wühlte den Kopf ins Kissen. Mama, die das Licht in Hugos Zimmer bemerkt haben mußte, beugte sich tief über ihn, lauschend, lange. Er atmete gleichmäßig, tief, und zitterte, die Mutter werde ihn anrühren und bemerken, daß ihm der Schweiß aus allen Poren drang. Nach einer Ewigkeit richtete sich Mama auf und rief: »Fräulein Erna!« Da keine Antwort kam, wiederholte sie den Ruf leise, so als habe sie keine andere Absicht mehr, als sich von Ernas festem Schlaf zu überzeugen. Dann strich sie die Decke des Sohnes glatt, aber schon mit achtlosen Händen, gleichsam nur, um sich selbst ein wenig konventionelle Mütterlichkeit vorzuspielen, und ging.

Weniger harmlos aber drohte ein anderes Ereignis zu verlaufen.

Einmal war Hugo gegen seinen Willen fest eingeschlafen. Plötzlich fuhr er auf. Seinen ganzen Körper durchströmte die Gewißheit, daß Erna in schwerer Bedrängnis schwebe. Es war wie eine Einreibung mit Äther oder Alkohol. Er sprang aus dem Bette, ratlos, was zu tun sei. Im Zimmer konnte er nicht bleiben, dies war sicher. So öffnete er die Tür und fand sich allein, im Nachthemd, barfuß dem erloschenen Raum seines Vaterhauses gegenüber.

Dieses Haus war einer der kleinen zierlichen Adelspaläste, die der Stadt zum Ruhme gereichen. Hugos Vater hatte ihn vor einigen Jahren gekauft und renoviert, das heißt, die steife Pracht feudaler Jahrhunderte war um einige weißblitzende, kachelbelegte Örtlichkeiten modernen Komforts vermehrt worden.

Hugo überlegte nichts. Es zog ihn zum Haustor, zur Einfahrt hinab. Er mußte, um zur Haupttreppe zu gelangen, die sogenannte »Galerie« durchlaufen. In dieser Galerie standen und hingen Papas ganz einzigartige Schätze. Diesen Kunstschätzen zollte man Ehrfurcht, nicht weil man ihre Schönheit verstand, sondern weil man immer wieder ihren Wert und ihre Seltenheit hatte rühmen hören. Hugo war seit frühester Kindheit mit jedem dieser unvergleichlichen Stücke bekannt, aber gerade deshalb kannte er keines so recht. Denn nichts entfremdet mehr als täglicher Anblick. Er hätte sie kaum herzählen oder beschreiben können, die Bildwerke der väterlichen Galerie. Sie waren trotz ihrer alltäglichen Gegenwart nicht in sein Bewußtsein gedrungen. Das Verbot, sich ihnen zu nähern, die eingetrichterte Schreck-Erkenntnis ihres unermeßlichen Wertes hatte sie so gut wie unsichtbar gemacht. Es schien fast, als hätten all diese Heiligen und Madonnen für die Riesensummen des an ihnen vollzogenen Kunsthandels auch ihre Seele mitverkaufen müssen. Sie machten unglückliche Mienen, wenn das Sonnenlicht durch die Fenster wogte, und freuten sich der Schatten und Dämmerungen, in denen sie ihre Schmach verbergen konnten. Für Hugo trugen sie immer Tarnkappen. In der kurzen Minute jedoch, da er die Galerie in unverständlicher Angst um Erna durcheilte, bekamen sie ein blasses, und man muß es so nennen, ein verworfenes Leben. In dem Raum brannte immer Licht. Dort, diese uralt-zerschmetterte Holzpuppe mit dem ausgemergelten Leichengesicht, welch ein Christus war das? Und weiter links davon der asiatische Götze, der seinen scheußlich gefalteten Bauch betrachtete? Die unermeßlich wertvollen und unermeßlich gottlosen Götter jagten diesem halbnackten Kind keine Angst ein, sie erfüllten es mit leisem Haß und mit einer dumpf aufkeimenden Wut.

Hugo tappte den weichen Teppich der Treppe hinab. Er stand im hochgewölbten Flur neben der Rokokosänfte, die ihn zierte.

Da fuhr ein Schlüssel ins Tor und knackte im Schloß. Der Knabe hatte kaum mehr Zeit, sich in der Sänfte zu verstecken. Papa war heimgekommen und schaltete die altertümliche Hängelaterne des Flurs ein. Nicht anders als vorhin die wertvollen Götter und Heiligen sah Hugo nun Papas Gesicht zum erstenmal. Dieses Gesicht war ja immer um ihn gewesen, aber er hätte nicht einmal sagen können, ob Papa helle oder dunkle Augen habe. Jetzt sah er, daß, in dieser jenseitskühlen Beleuchtung wenigstens, Papas Augen wasserblau zu sein schienen. Und er verwunderte sich darüber. Er wunderte sich überhaupt, daß dieser fremde Herr im Abendanzug eins mit jenem Wesen war, das er Papa zu nennen pflegte, dem er oft einen Gutenachtkuß entbot, den er täglich bei Tische sah. Dieser Vater stand jetzt minutenlang im Flur und brütete in tiefen Gedanken vor sich hin. Unbeachtet, wie er sich glaubte, schien er zu hoffen, daß nach einer Weile sein wahres, durch den verlogenen Muskelkrampf der Geselligkeit entstelltes Wesen sich in seinen Zügen wieder bilden werde. Aber nichts anderes bildete sich in diesen Zügen als ein gelblich-apathischer Überdruß, der sich schließlich in einem langen mißvergnügten Gähnen entlud. Hugo bemerkte mit Erstaunen, daß Papa nicht offen gähnte, sondern die Hand vor den Mund hielt. Er selbst benahm sich, wenn er allein war, in gewissen Dingen anders als unter Menschen. In Papas Leben gab es derartige Schwächen nicht.

Hugo, in den Fond der Sänfte gedrückt, atmete kaum. Papa machte langsam ein paar Schritte, dann blieb er wieder in quälenden Gedanken stehn, zog das Etui heraus und zündete eine Zigarette an. Er wippte dabei leicht auf den Fußspitzen, welche Geste Hugo, trotz seines rasenden Herzklopfens, wiederum als vorbildlich auffiel. Warum verließ Papa den Flur nicht? Vielleicht wartete er, daß sich zwischen dem Teil der Nacht, den er außer Haus verbracht, und dem Rest ein genügend dichter Zwischenraum, eine neutrale Zeitmasse ansammle, die es ihm erleichtern sollte, sich an Mamas Seite zur Ruhe zu begeben. Hatte Papa etwa auch geheime Verhandlungen zu erledigen?

Hugo, der unter den Sitz der Sänfte gekrochen war, sah nichts mehr. Nach einer unerträglich langsamen Minute atmete Papa, der fremde Herr, plötzlich laut und abschließend auf und schritt, von seinen düsteren Gedanken erlöst, leichtfüßig die Treppe empor. Die Flurlaterne erlosch. Hugo hörte Papas Schritte, die ihm vertrauter und wirklicher jetzt erschienen als der Vater selbst, in der Galerie auf und ab gehen.

Da fuhr wieder ein Schlüssel ins Tor und knackte im Schloß. Der sich öffnende Flügel zeigte auf dem bläulichen Grunde der ersterbenden Nacht Ernas Gestalt. Schon war Hugo bei ihr. Erna schrie vor namenlosem Schreck auf. Dann krampften sich beide starr aneinander, der ausgekühlte Körper des Knaben in seinem dünnen Hemde und der erhitzte Körper der Frau in unordentlichen regenfeuchten Kleidern. Der nasse Stoff brannte auf Hugos Gliedern wie Brennesseln. Beide standen sie regungslos aneinandergepreßt, bis des Vaters Schritt die Galerie verlassen hatte und in seine Räume eingegangen war.

In Hugos Zimmer wurde Erna von einer sinnverwirrten Besessenheit angefallen. Sie herzte den Knaben, sie küßte seine Hände, sie schrie laut auf, ohne sich zu fürchten. Hugo zitternd, das Haus würde erwachen, floh ins Bett. Sie setzte sich an den Rand. Ihr Haar fiel herab. Hugo flehte: »Um Gottes willen, Ruhe!« Sie stammelte: »Alles eins!« Ihr Kopf taumelte hin und her. Plötzlich schleuderte sie die Schuhe von den Füßen. Dabei lachte sie unersättlich und verströmte aus Mund und Haaren Weingeruch. Endlich warf sie sich über das Fußende des Bettes, wühlte den Kopf in die Decke und wiederholte immerzu in gefühllosem Singsang:

»Es ist aus, Hugolein, es ist aus!«

Hugo wunderte sich sehr, als Erna anderen Tages nicht den Weg zur Hasenburg einschlug, sondern plötzlich behauptete, sie habe den alten Spaziergang satt und die Belvedere-Anlagen seien weitaus schöner. Etwas im Herzen des Knaben verbot ihm, diese Verwunderung zu offenbaren. Stumm klommen sie den steilen Kiesweg zur Belvedere-Anhöhe empor. Erst einige Tage später fragte Hugo nach dem Oberleutnant. Er sei versetzt. Erna nahm aus ihrem Täschchen eine Ansichtskarte, die ihr Zelnik geschrieben hatte. Hugo vermied es, einen Blick auf diese Karte zu werfen. Gestern, als er mit Mama eine Besorgungsfahrt durch die Stadt machte, hatte er den Oberleutnant erkannt, wie er langsam auf der Korsoseite der Ferdinandstraße dahinschlenderte. Diese Begegnung wirkte wie ein sonderbar-leichter Schlag gegen sein Herz. Ihm schwindelte ein wenig. Er wußte, daß er eine Freundschaft verloren hatte und daß ein Mensch, den er bewunderte, nun kalt gegen ihn gesinnt war. Und dennoch, in der Nacht fühlte er sich freier und ruhiger, denn er mußte nicht mehr um Erna bangen, deren Atem er durch die offene Tür lange belauschte.

Es kamen stillere Tage. Denn die neue Bekanntschaft, die Fräulein Tappert und er auf dem Belvedere geschlossen hatten, war weit weniger erregend und kam an Glanz der vergangenen militärischen Episode nicht nahe. Statthaltereikonzipist Tittel verstand es nicht so gut wie Oberleutnant Zelnik, mit Knaben umzugehen. Der junge Offizier hatte Hugo durchaus ernstgenommen, er hatte oft und sachlich mit ihm gesprochen, ihm manches erzählt und erklärt, ohne allzu belehrend zu werden. Niemals pflegte er die Redewendungen seines Standes für das Knabenverständnis zu verändern und ins Kindliche zu übersetzen. Und vor allem: Hugo war einbezogen. Tittel hingegen richtete fast niemals das Wort an ihn; Hugo war für ihn Luft, schlimmer noch, ein lästiges Anhängsel Ernas. Dieser erwachsene Hochmut hatte die Wirkung, daß sich Hugo auf dem Belvedere zu langweilen begann und die Hasenburg mit dem freieren Blick auf Stadt, Türme und Kuppeln zurücksehnte. Ferner war der Konzipist im Gegensatz zum schönen Zelnik ein kleiner Mann mit verkniffenem Nußknackergesicht, das von einer uneingefaßten Brille in zwei symmetrisch blitzende Hälften geteilt wurde, die trotz oder gerade wegen ihres Funkelns augenlos zu sein schienen. Die Genauigkeit dieses Gesichts mißfiel Hugo. Ebenso mißfielen ihm gewisse Einzelheiten an Tittels Kleidung, ohne daß er sich darüber Rechenschaft gab. Aber als Kind seiner Eltern beleidigte ihn alles Armselig-Praktische und Peinlich-Geschonte. Tittel bekleidete seinen abgetragenen Hals mit einem

Zelluloidkragen und um seine behaart ausgemergelten Handgelenke gewahrte man Manschettenschützer. Er trug auch bei trockenem Wetter Galoschen und zeigte sich bei jeder Gelegenheit um seinen Gesundheitszustand besorgt. Was die Hygiene anbelangt, besaß er einen reichlichen Vorrat goldener Worte, die er Erna nicht vorenthielt: »Der Schlaf vor Mitternacht ist der beste.« »Wer sich früh erhebt, ein hohes Alter erlebt.« »Ruhe vor Tisch, nach der Mahlzeit mache Bewegung.« »Liebe die Sonne, aber hüte dich vor ihr.« »Vermische Essen und Trinken nicht!« In seinen Gesprächen mit Erna medizinierte er, was es nur anging, ja es schien sogar, wenn sie irgendwelche »Zustände« eingestand, daß sein halbiertes Brillenantlitz leidenschaftlich und fast zärtlich wurde. »Allgemeine Anämie«, stellte er fest und seine Stimme streichelte dieses Wort wie seine pulsfühlende Hand Ernas Gelenk streichelte. Rechts und links in seinen Westentaschen steckten zwei Dosen, die er öfters hervorzog. In der einen war Speisesoda in Pastillenform, in der andern lagen schwarze Lakritzenbonbons. Die Pastillen nahm er selber ein, von den Lakritzen bot er auch Erna an, während Hugo übergangen wurde. Oft auch holte er seine Uhr aus der Tasche, ein ziemlich großes goldenes Ding, das erst einem rehledernen Säckchen entnommen werden mußte. Ohne irgendwelchen Anlaß verlor sich dann Tittel schweigend in die Betrachtung der unerbittlichen Zeit, die sich nicht minder pedantisch betrug als er selbst. Nahte der Sonntag und mit ihm die Möglichkeit eines Ausflugs, den der Konzipist gemeinsam mit Erna zu unternehmen gedachte, so begann das zerlesene Kursbuch eine bedeutende Rolle zu spielen. Es war Tittels Lieblingswerk, das Epos seiner unerfüllbaren Sehnsucht, der Abenteuerroman seiner versäumten Romantik, denn alle Strecken Europas standen darin verzeichnet. Der Besitz dieser weltumfassenden Druckschrift reihte ihren Eigentümer gewissermaßen unter die erlauchten Kosmopoliten des internationalen Reiseverkehrs ein. Wer sie mit eingeweihtem Griff aus der Tasche zog, verwandelte sich insgeheim in einen homespunbekleideten Lord. Das Auge durfte die fürstlichen Expreßstrecken nach Paris, Ostende, London, Rom und Lissabon gelassen in Erwägung ziehen, ehe es bei den preisermäßigten Sonntags-Lokalzügen nach Kuchelbad und Beneschau entschlossen halt machte. Mit Abscheu sah Hugo Tittels kleinen Finger, einen braunen mumienartigen Finger, der aus einem Grab auferstanden zu sein schien. Aber dieser Finger lief in einen überaus langen, gelben und an der Spitze sich krümmenden Nagel aus, der die betreffenden Verbindungen in den Tabellen langsam unterstrich. Vielleicht war dieser Finger daran schuld, daß Hugo niemals ein Kursbuch recht zu lesen lernte.

Dies aber war noch nicht alles. Auf der Hasenburg hatte sich Hugo abseits gehalten, er hatte sogar das Opfer gebracht, trotz seiner Schüchternheit und seines Ungeschicks, sich am Spiele anderer Jungen zu beteiligen. Fast hätte er sich gefürchtet, Erna und Zelnik, dem schönen Paar unterm Pfauenrad des Rhododendronbaumes, nahe zu kommen, wie man sich fürchtet, einen elektrisch geladenen Gegenstand zu berühren. Aber zugleich hatte die glitzernde Strahlung dieses Paars ihn beunruhigt und begeistert. Tittel jedoch und Erna Tappert waren nichts elektrisch Geladenes. Man konnte ohne weiters bei ihnen auf der Bank sitzen bleiben und dem vernünftigen Geschwätz zuhören. Warum? Hatte Tittel nicht in den ersten Tagen schon gemeinsame Bekannte, ja sogar einen entfernten Verwandten entdeckt, den er mit Erna teilte? Das Fräulein allerdings schien von dieser Tatsache nur wenig erfreut zu sein, denn sie suchte weiteren Entdeckungen auszuweichen. Stammten beide aus der gleichen Welt, die sich Hugo gar nicht vorstellen konnte? Wenn Erna einst Hugo gegenüber Zelnik erwähnte (dies war fast niemals vorgekommen), so hatte sie nur vom »Herrn Oberleutnant« gesprochen. Über Tittel sprach sie ohne jede Scheu und gebrauchte sogar dabei dessen Vornamen: »Karl«. Diese Nennung erfolgte meist in einem Zusammenhang, der Hugo dunkel blieb. Erna sah mit mühsamer Verständigkeit durch die Fenster des Kinderzimmers in die Ferne und meinte, Tittel habe eine schöne amtliche Zukunft vor sich, er stehe als Konzeptbeamter hoch über ihr und den meisten übrigen Menschen, während sie selber leider schon einundzwanzig Jahre alt sei, schlechtgerechnet.

Hugo hörte das und sagte sich: Einundzwanzig Jahre! Wie herrlich, wie traurig alt! Ihre schwere Schönheit schien durchtränkt zu sein von einem goldgelben sinkenden Licht, das sie ihm schmerzlich entrückte. Sie lebten nebeneinander. Aber er würde sie wie etwas Göttliches niemals einholen können. Und dann geschah es, daß er sich in einem wehmütigen und bewunderungsvollen Überschwang nahe an Erna drängte.

Tittel seinerseits redete täglich auf einer bestimmten Bank des Belvedere, ohne sich um den Knaben zu kümmern, eindringlich und gemessen auf Fräulein Tappert ein. Seine Rede wirkte auf Hugo einschläfernd, kaum daß ihn hie und da ein ungewöhnliches Wort erweckte. Hugos Leidenschaft waren ja ungewöhnliche Worte. Sooft Oberleutnant Zelnik auf früheren Spaziergängen militärische Ausdrücke angewendet hatte, war Hugo ganz Ohr gewesen. Wie schneidig klang es, wenn er einen eigenen Irrtum durch das Wort »herstellt« sogleich widerrief. »Mischung«, »Mullatschag«, »Durchmarsch«, in diesen dunklen Begriffen klirrten Waffen und Champagnergläser. Wenn man durch den Park wandelte, gab Zelnik die Wegrichtung mit heiterem Kommandoton an: »Direktion Dackel von alter Dame!« Für ihn gab es keine Pferde, sondern »Krampen«, keine Droschken, sondern »Landesübliche Fuhrwerke«. Als Artillerist kam er sich sehr gelehrt vor und gebrauchte Bezeichnungen wie: »Flugbahn«, »Endgeschwindigkeit«, »gleichschenklig« in den lustigsten Bedeutungen. Er sagte niemals Krieg, sondern immer nur Ernstfall. Und dieser Ernstfall war für ihn einer der erfreulichsten Fälle, da der »lebhafter« arbeitende Tod die Avancementsaussichten wesentlich verbessert. Oh, wie anders klangen die ungewöhnlichen Worte, die Hugo von Tittel hörte. Zum Teil bezogen sie sich auf die Gesundheit und rochen nach Apotheke, zum andern Teil auf Erscheinungen, deren Art Hugo nicht ganz erfassen konnte: »Pensionsberechtigung«, »Witwenbezug«, »Bekleidungszulage«, »Remuneration«, »Krankenkasse« und »achte Rangsklasse«. Einmal, als die bezwingende Folge dieser und ähnlicher Worte wieder auf Erna eindrang, durchzuckte es Hugo, als hätte er endlich den Sinn all der Rederei begriffen:

Erna sollte ihm entrissen werden! Brachte ihr Tittel nicht dann und wann Geschenke mit? Freilich waren es nur Malzzelteln und Hustenbonbons in zerknitterten Papiertüten oder kleine räudige Veilchensträuße, die aussahen, als hätte sie der Kavalier irgendwo aus dem Staub aufgelesen. Aber Geschenk bleibt doch Geschenk. Der schöne fröhliche Zelnik dachte an keine Geschenke. Es war klar, Tittel warb ernsthaft um Erna. Tittel war eine größere Gefahr als alle Oberleutnants der Welt.

Auf dem Heimweg überwand sich der Knabe:

»Erna«, seit jener abenteuerlichen Nacht duzte er Fräulein Tappert, »Erna, wirst du jemals von uns fortgehen?«

Sie kokettierte schwermütig: »Du wirst mich ja selber bald loswerden wollen, Hugo!«

Aber Hugo konnte, da er nicht weinen wollte, keinen Laut mehr hervorbringen auf dem ganzen Weg.

Nachts erwachte er aus irgend einem schmerzlichen Schlaf. Da hörte er, daß Erna in ihrem Zimmer mit bloßen Füßen umherging. Er spürte das Licht im Türspalt, aber er hob den Kopf nicht. Mit angehaltenem Atem lauschte er diesen nackten Schritten. Das weiche Tappen der Sohlen, von dem die Gegenstände des Zimmers so leise, so eigen, so menschlich bebten, es klang anders als sonst. Ziellos wandelte Erna durch den Raum. Was war geschehen? Was bereitete sich vor? Worauf sannen diese traurig-unruhigen Tritte? Diese lieben innigen Tritte. Hugo bekam von bangem Vorgefühl einen trockenen Mund. Erna unterbrach ihren ziellosen Umgang, sie suchte etwas, sie füllte Wasser in einen Krug. Dieser Krug beschwichtigte Hugos Kümmernis. Gott sei Dank! Sie war da! Keine geheimnisvollen Angelegenheiten hatte sie draußen in der Nacht zu ordnen, keine Verhandlungen mit fremden Männern abzuwickeln. Dies tröstete. Dies gab Hoffnung, daß sie ihn niemals verlassen würde.

Dennoch geschah es in der nächsten Zeit – wenn auch nur ein einziges Mal –, daß sich wiederum geheime Notwendigkeiten einstellten und Fräulein Tappert um halb zehn Uhr abends, schön gekleidet, aus dem Zimmer trat und mit dem gewissen langen Blick auf ihren Zögling sagte:

»Also, ich geh jetzt, Hugo.«

Kurz darauf begab sich etwas höchst Peinliches. Einer der katzenjämmerlichen Sommertage war's, von katarrhalischen Himmeln überwölbt, denen so stumpf zu Mute ist, daß sie sich zu keinem Regen entschließen können. Kurze Windstöße husteten durch die Straßen, aber auch sie konnten nicht helfen. Obgleich kein Tropfen fiel, stieg aus dem Parkboden ein sumpfiger Dampf auf, der die Muskeln erschlaffte. Die Kastanienkerzen waren längst abgeblüht. Die großen Blätterhände hingen aus kraftlosen Kindergelenken herab. Da und dort war schon eine der stachligen Früchte zu sehen, noch saftig und unerwachsen. Hugo dachte an die braunen Roßkastanien, mit denen er so gerne gespielt hatte, als er noch klein war.

Aber nicht nur die obere Natur, auch die Unterwelt warf dem Ereignis ominöse Schatten voraus. Solang die Bonne und ihr Zögling die schmalen Serpentinen der Belvedere-Anhöhe emporstiegen, war noch alles in Ordnung. Zu beiden Seiten des Weges dämmten hier künstliche Felsen den wuchernden Stauden- und Farnwuchs ein, der von der unheimlichen Feuchtigkeit dieses tropischen Tages vollgesogen war wie ein schwarzgrüner Schwamm. Dann aber, knapp bevor die Hochfläche erklommen war, kam eine Bresche in dem spielerischen Felsengebirge der Anlage, die der grünen Zuchtlosigkeit dieses städtischen Dschungels freie Bahn gewährte. Und hier schleppte sich ein braunes widriges Tier über den Weg, gerade vor Ernas und Hugos Füßen.

»Eine Kröte, Hugo!« Diesem Ausruf in der höheren Tonlage des leichten Schreckens folgte sogleich ein warmer Nachsatz des Erbarmens: »Schau, sie ist verwundet, die Arme. Jemand muß sie getreten haben.«

Hugo preßte die Ellbogen an den Leib und streckte sich steif. Das tat er in unangenehmen Augenblicken immer, wenn ihn zum Beispiel seine Eltern ihren Bekannten vorstellten. So gerne hätte er die Augen geschlossen oder abgewendet. Doch er verharrte in seiner gezwungen höflichen Stellung und starrte gebannt auf die todwunde Kröte, die trotz ihrer Furcht nicht vom

Platz zu kommen schien. Für das Stadtkind, das nur eine gezügelte und halbverfälschte Feriennatur kannte, waren die Gattungen der Tiere nichts Gleichberechtigtes und Selbstverständliches. Vielleicht hatte Hugo bis zu dieser Stunde noch nie eine Kröte in Wirklichkeit gesehen. In seinem Geiste aber lebte längst schon die Kröte als ein Bild, das bestimmte ekelvolle Empfindungen und Gedanken wachrief, als ein Fabelwesen des Scheußlichen und Bösen in Nachbarschaft der Giftschlangen. Der Anblick bestätigte nun das innere Bild. Und doch, auch das Böse und Häßliche mußte so furchtbar leiden. Ein Kranz schwarzer Fliegen surrte über dem Leib des sich dahinschleppenden Tieres. Die kleinen Aasgeier der billigen Verwesung begleiteten ihre Beute. Hugo langte nach Ernas Hand. Sie war schlaff von Geistesabwesenheit und Mitleid.

An dem gewohnten Ort, es war ein Rondell mit einem kleinen, aber aufgeregten Denkmal in der Mitte, ging Tittel schon auf und ab. Es geschah zum erstenmal, daß er früher zur Stelle war als Erna. Sein Aufzug hatte heute etwas Neuartiges, Abweisend-Entschiedenes. An seinen kanariengelben Schnürstiefeln trug er wie immer Galoschen, durch die er seinen Körper von der unheilbringenden Erde isolierte. Überm Arm hing der verbrauchte Paletot, der ihn vor kommenden Unwettern schützen sollte. Seine Hand – sie glich einem von schlechter Seife verwaschenen und eingegangenen Ding – hielt einen Stock. Dieser Stock lief in eine absonderlich geformte, geradezu dreiste Krücke aus, die schief vorwärts gebogen einem Marabuschnabel glich und aus irgend einem gefährlichen Tierhorn geschnitzt zu sein schien. Der ganze Mensch war gewaffnet und versperrt wie eine Festung, zugleich aber entsichert wie eine scharfgeladene Waffe. Sein großer dünngekniffener Mund schien das ganze Gesicht verschluckt zu haben. Es war gar kein Gesicht vorhanden, sondern nur jenes symmetrische, von der Nase entzweigeteilte Brillenblitzen. Auf der rechten Wange fiel mehr als sonst ein großer Durchzieherschmiß auf, weil er heute kriegerisch erglühte. Tittel steckte umständlich und vorwurfsvoll seine Uhr ins Lederfutteral, dann grüßte er mit ersterbender Stimme:

»Mein liebes Fräulein, ich habe mit Ihnen ernsthaft zu reden, aber schon sehr ernsthaft...«

Er hatte »Mein Fräulein« gesagt. Hugo erschrak vor dieser giftig-matten Stimme, die ihn nach wie vor nicht beachtete, bis ins Herz. Der Ankläger aber säuselte weiter: »Nehmen wir Platz!«

Wie langsam erstarrend Erna sich niederließ! Hugo rückte an das äußerste Ende der Bank. Tittel aber, der beide Hände auf die gefährliche Stockkrücke stützte, begann weit auszuholen:

»Ich war aktiv bei einer schlagenden Verbindung, Marbodia! Sie wissen es ja...«

Das war so hingemurmelt wie die Erwähnung einer Heldentat, von der man, mit gespielter Gleichgültigkeit, kein Aufheben macht. Auch offenbarte die immer leiser werdende Stimme eine Atemnot, eine Seelenerkältung, die sich Tittel an der Schlechtigkeit der Welt zugezogen hatte:

»Die Anforderungen, die an einen Farbenstudenten gestellt werden, sind gewiß keine Kleinigkeit. In manchen Belangen eine volle Beanspruchung der Persönlichkeit... Aber, mein liebes Fräulein, in punkto Gesundheit habe ich niemals Spaß verstanden. Was das anbelangt, habe ich immer gewußt, was ich will. Schließlich bin ich ein moralischer Mensch...«

Tittel fröstelte, erhob sich, und, obgleich der Garten unter der Last dumpfer Hitze seufzte, begann er seinen Paletot mit fiebrischen Bewegungen anzuziehen. Er knöpfte ihn von oben bis unten zu, fuhr in die Taschen und streifte ein Paar alter brauner Glacéhandschuhe über die Finger. Nun zitterte seine Stimme von verhaltener Erbitterung: »Ein einziges Mal bin ich vertrauensvoll und unvorsichtig gewesen in meinem Leben... Ja, ja... Und daß Sie es sind, Erna, gerade Sie,... auf die ich Schlösser gebaut habe! ...Luftschlösser allerdings, wie es sich zeigt... Eine herbe Lebensenttäuschung und ein unabsehbares Unglück... ja, ja...«

Und plötzlich zischte er durch die Zähne:

»Sag mir sofort, mit wem du in der letzten Zeit verkehrt hast, du, du...«

Erna packte Hugos Hände:

»Schweigen Sie! Sie sind ja verrückt!« Und sie flehte: »Der Bub hier...«

Tittel keifte jetzt hemmungslos auf:

»Du lügst, du lügst! Ich werde mich schon vergewissern... Es gibt Mittel, dir das Schandwerk zu legen... Es gibt die Polizei... du gemeine Person, du!«

Erna riß den Knaben hoch und stürmte davon. Mit schweren Tropfen erbarmte sich jetzt ein Regen der Welt. Hugo rannte, ohne Erna einholen zu können.

Hinterher erscholl Tittels Haß:

»Mein schönes Fräulein, Sie haben mich petschiert...«

In dem Regenpavillon des Parks fanden sich beide, Hugo und Erna. Das Mädchen weinte nicht, aber ihre Zähne klapperten. Die große, ein wenig schwere Gestalt lehnte keuchend an der Holzwand. Sie flüsterte wie von Sinnen:

»Es ist nicht wahr, Hugo, es ist nicht wahr, was er sagt, um Gottes willen, Hugo, glaub es nicht, es ist nicht wahr!« Auch Hugo keuchte von Anstrengung, das Rätsel zu lösen. Ach, wie konnte er denn Erna helfen, da er ja nicht verstand, was die Wahrheit, was die Unwahrheit sein mochte! Die Knie der großen Frau zitterten, sie klammerte sich an den schmächtigen Körper des Kindes:

»Es ist nicht wahr, Hugo, aber etwas anderes ist wahr, etwas Furchtbares, ja, etwas Schreckliches kommt, Hugo! Was soll ich tun? Ich muß ins Wasser gehn!«

Scharfe Windstöße töteten den Platzregen. Der aufgeschürfte, durchgewetzte Wolkenhimmel war mit hundert blauen Wunden übersät.

Zu Hause sperrte sich Erna in ihrem Zimmer ein. Hugo las keine Zeile. Er hatte sich in seine breite Schulbank gesetzt und brütete. Daß Tittel ein Schurke war und irgendwelche niedrige Zwecke verfolgte, daran zweifelte er nicht. Erna hatte beteuert: »Es ist nicht wahr.« Was auch immer nicht wahr sein mochte, er glaubte ihr. Welch ein schweres Leben lastete auf ihr! Sie war in irgend eine Verschwörung dieser erwachsenen Männer verstrickt, die das Werkzeug ihrer Absichten wegwarfen, wenn sie es nicht mehr brauchten. Man hatte ja dergleichen schon gelesen. An Zelniks »geheime Verhandlungen« glaubte Hugo nicht mehr. Er vergegenwärtigte sich den kleinen, grausam zuckenden Schnurrbart des Oberleutnants. Gewiß, er war zum Narren gehalten worden. Man hatte schließlich auch manches von Liebe und Liebesleid gelesen, aber »Liebe und Liebesleid«, das war etwas Unbestimmt-Prächtiges, wie ein Sonnenuntergang, wie ein Theatervorhang mit Genien, Kränzen und nackten Gliedern, wie das Zusammensingen mantelumwallter Menschen in der Oper, es war etwas, was es gab und doch auch nicht gab. Man nahm dieses Unbegreifliche hin, wie man es hinnahm, daß einen die Mutter »unter dem Herzen getragen« und eines Morgens »mit Schmerzen geboren« hatte. Während Hugo grübelte, ritzte er, wie es seine schlechte Gewohnheit war, mit einem Taschenmesser allerlei Runen in die grüne Platte der Schulbank. Zelnik war immerhin Zelnik. Aber von Tittel war Erna feig und niederträchtig beleidigt worden. Es sah fast so aus, als hätte der Nußknacker aus Tücke diese Szene vom Zaun gebrochen. Nein, nein, es sah nicht nur so aus, sondern ganz sicher steckte verruchte Absicht in Tittels teuflischem Benehmen. Wer konnte sie ergründen? Sollte er, Hugo, seine Eltern bitten, Erna vor drohender Schmach zu retten!? Um Gottes willen, das war ja unmöglich! Warum konnte er mit ihr niemals über diese Dinge sprechen? Warum war seine Kehle zugeschnürt vor Scham und Erregung? Nie würde er ein Wort herausbringen. Aber auch sie schwieg ja. Nein, sie hatte doch heute aufgestöhnt. Groß tauchte der Klageruf empor: Ich muß ins Wasser gehn! Hugo gedachte der unglücklichen Liebe jener klassischen Heldinnen, die er kannte. Ach, diese Heldinnen sprachen in herrlichen Versen und der Weihrauch ungewöhnlicher Worte verhüllte köstlich die nackten Tatsachen ihres Schicksals. Bisher hatte Hugo das Verwischte in den Worten geliebt. Man konnte den schreitenden Worten nachträumen wie ziehendem Gewölk. Jetzt aber auf einmal schien alles, alles Gewölk zu sein und Dampf. Man wollte einen geröllübersäten Abhang emporklimmen (eine Erinnerung

Hugos) und rutschte immer wieder zurück. Immer weiter rückte die Wahrheit. Der Junge hatte das Gefühl, als wären ihm Nase und Ohren mit dicken Wattepfropfen verstopft. Das erstemal erlebte er die körperliche Verzweiflung, welche die Unerschwinglichkeit aller Erkenntnis hervorruft. Es mußte ja etwas Gräßliches sein, um dessentwillen Erna ins Wasser gehn wollte. Sich in das Meer, in den Ozean stürzen, von einer hohen Klippe herab, weißgewandet womöglich wie Sappho – das war noch zu begreifen. Aber der braune Heimatfluß, das dicke ekelhafte Wasser, aus dem die Typhusepidemien kommen! Oh, alles war Geröll und Gewölk! Die Schulbank umdrängte, umpreßte Hugo von allen vier Seiten wie ein Kerker, wie ein Folterverlies, wie die Kindheit selbst. Einen unfertigen Körper zu haben, den alle (insbesondere Papa) mitleidig belächeln, etwas, das in der Nacht weiterwächst, ohne daß man es merkt! Und alles zu wissen, alles schon erlebt zu haben, alles in sich zu tragen, und doch von dieser mächtigen Fülle nichts zu verstehn, gar nichts! An Ernas Seite dahinzuleben, alltäglich ihr den Körper zur Waschung darzubieten, in der Nacht ihren nackten Frauentritt zu belauschen und doch ihr ewig fremd zu bleiben und niemals ihre Wahrheit erkennen zu dürfen, o Gott, warum!?

Als Hugo am andern Morgen erwachte, stand Fräulein Tappert schon fertig angekleidet im Zimmer. Es fiel dem Knaben auf, daß sie verwandelt, ja unhübsch aussah. Augen und Wangen waren verschwollen, sie duftete nicht frisch wie alle Tage, und hatte für Hugo keinen Blick. Sie trieb ihn an – was sie sonst niemals tat –, schnell aufzustehen und sich anzukleiden. Unvermittelt sagte sie, als wäre es eine Sache ohne Wichtigkeit:

»Ich muß heute auf einen Sprung nach Haus gehn. Du kommst doch mit mir, Hugo? Aber sag es niemandem, bitte! Nicht wahr?«

Nach Haus! Dieses Wort berührte Hugo so sonderbar. Erna hatte also ein Zuhause! Bisher war es immer so gewesen, als gäbe es kein anderes Zuhause, als das seine. Natürlich wußte er, daß jeder Mensch, daß jedes Kind in irgend einem Gebäude, in irgend einer Wohnung zu Hause ist. Aber er wußte ja auch, daß

Kamele die Wüste durchqueren und in Amerika Indianerstämme leben. Zu Hause, das war ja nur dieses Haus hier, dieses Zimmer mit Schulbank und Turngeräten, die Galerie, die Einfahrt mit der Sänfte, der Speisesaal. Erna hatte zwar manchmal eine Bemerkung über ihre Mutter, ihren gelähmten Bruder gemacht. Aber mochte sie auch in der gleichen Stadt ein Heim haben, in dem er aufgewachsen war, für Hugo hatte es keine Geltung, es bildete eine nebensächliche Vorbereitung auf ihre wahre Existenz, hier, bei ihm, bei seinen Eltern, in dem einzigen, eigentlichsten und endgültigsten Zuhause der Welt. Als er nun hörte, daß ihn Erna in die mütterliche Wohnung mitnehmen wollte, faßte ihn ein leichter Schauer an. Etwas ähnliches mögen Weltreisende empfinden, wenn sie sich anschicken, einen exotischen Tempel zu betreten. Hugos Mutter hatte den jeweiligen Erziehern und Gouvernanten stets eingeschärft, sie sollten es vermeiden, den Knaben in fremde Häuser (von Wohnungen ganz zu schweigen), überhaupt an unbekannte Örtlichkeiten zu führen. Miß Filpotts war so weit gegangen, daß sie Hugo nicht einmal in die Kaufläden mitnahm, wo sie Besorgungen zu machen hatte. Der Arme mußte in solchen Fällen immer in Sehweite der Miß vor der Tür stehen bleiben, ohne sich zu rühren. Jetzt aber winkte ihm zum erstenmal im Leben das Fremde, und in seine Scheu mischte sich nicht nur bange Neugier, sondern auch die Angst, ein strenges Elternverbot in den Wind zu schlagen.

Früher als sonst verließen Erna und Hugo das Haus. So heftig waren die Erlebnisse, die auf den Knaben eindrangen, daß sie (wenn auch Ungeduldige es für unwichtig halten sollten) doch ausführlich berichtet werden müssen. Man erwäge, dieser Elfjährige, der schwertönende Versreden aus dem Stegreif erfinden konnte, war doch nur ein zurückgebliebener Junge, den jeder Sechsjährige aus weniger behüteten und lebensfrischeren Kreisen hätte in allen Dingen belehren können.

Der Andrang des Fremden, der Andrang des Neuen begann schon im Hausflur. Es gab in Ernas Mutterhaus – der Vater war schon ein Jahrzehnt lang tot – nicht nur einen, sondern drei

Hausflure, denn dieses ihr lärmendes Zuhause umschloß mehrere Höfe voll regen Lebens, Kindergeschreis und Weibergeschwätzes. Es war übrigens durchaus keine Mietkaserne eines Proletarierviertels, sondern ein stattlich altes, jetzt nicht wenig heruntergekommenes Gebäude, von dessen antiker Würde etliche Schwibbögen, Loggienwölbungen, die dicken Mauern und das gesenkte grasüberwucherte Pflaster Kunde gaben. Früher dürfte es von ein paar wohlhabenden Bürgerfamilien bewohnt gewesen sein, jetzt hatten sich zahlreiche und weit weniger wohlhabende Familien hier eingenistet. Diese Familien und auch der Hausherr bewiesen wenig Sinn für die altertümlichen Schönheiten des Gebäudes, denn die Hofseite jedes Stockwerks war durch umlaufende Eisengalerien verschandelt, die man hierzulande »Pawlatschen« nennt. Von diesen Pawlatschen hing Wäsche zum Trocknen herab und einige besser eingerichtete Parteien bearbeiteten hier ihre Teppiche, Läufer, Steppdecken und Plumeaus mit dem sausenden Klopfer.

In der Finsternis des ersten Flurs, knapp neben dem Aufgang, hing ein sehr großes Kruzifix, zu dessen Füßen eine ewige Lampe brannte und ein nicht minder ewiges Kränzchen aus rosa Papierblumen schwebte. Ein ähnliches, wenn auch kleineres Kruzifix sollte Hugo später in der Wohnung von Ernas Mutter vorfinden sowie einen Öldruck der Madonna und des heiligen Antonius dazu. So war der erste Eindruck, den der Knabe hier empfing, ein religiöser. Seine Eltern waren keine gläubigen Menschen, sehr selten wurde Hugo von ihnen zu einem Gottesdienst geführt. Die letzten Ostern war er nach Rom mitgenommen worden. Im Petersdom hatte er eine Papstmesse erleben dürfen. Aber all dies Klargewölbte, Feierliche oder Glasfenstermystische der verschiedenen Kirchen war ihm nicht fremd, es verbreitete kein heilig-dumpfes Grauen, sondern eine wohltätige Entrückung, es hing undeutlich, aber ohne Zweifel mit der komfortablen Welt seines Vaterhauses zusammen. Er war in Rom neben seinen Eltern vor hundert Heiligtümern, Altären, Madonnen und Märtyrern gestanden. Aber Papa sprach knapp und trocken über diese gottgeweihten Bilder und Geräte. Ungewöhnliche Worte fielen wie: »Manier«, »Farbauftrag«, »Skurzo«, »Quattrocento«. Es schien ein geheimes Abkommen zwischen Papa und seinesgleichen zu herrschen, wonach die heiligen Gegenstände zumeist respektiert werden mußten, nicht weil sie heilig waren, sondern weil sie einen beglückenden und erhebenden Kennerwert darstellten. Die Eingeweihten sprachen mit selbstbewußten Fachausdrücken von ihnen, deren Gebrauch das Göttlich-Furchtbare hinter all diesen Dingen heiter und nobel entwirklichte. Wer weiß, vielleicht war der Papst auf seiner Sedia, von Wolken und Pfauenfedern umfächelt, von silbernen Trompeten verkündigt, das herrliche Haupt dieser Eingeweihten. Wo aber war Gott? Gewiß, er lebte in allen Kirchen und auch draußen auf dem Lande, in den Bildstöcken der Kreuzwege, und dort ganz besonders. Aber nirgends hing er schwerer und wirklicher als in der Finsternis dieses Flurs, vom Schein einer Ölfunzel zauberisch-schreckhaft gefleckt. Schamlos intim, allen Bewohnern, allen Vorbeigehenden lächerlich nahe hing er in diesem Raum und dennoch hielt er, lang seinen Schatten werfend, furchtbaren Abstand. Er hing lebendiger da, atmender als in jeder Kirche, dieser gelbbemalte, süßlichduldende Leidensmann, von dessen Kunstwert gewiß niemand sprach. Wie oft hatte Hugo den Christus in Papas Galerie, die wundervolle ausgemergelte Holzplastik aus dem vierzehnten Jahrhundert, angetastet, obgleich es verboten war! Vor dem teuren Gott, den sein Vater gekauft hatte, fühlte er keine Scheu. Diesen hier, Ernas Gott, hätte er nicht zu berühren gewagt. Nicht er gehörte Erna, sondern Erna gehörte ihm an. Jetzt warf er das zuckende Netz seines Schattens über sie. Hugo spürte, wie sie sich verwandelte, wie sie ihm entglitt, ins Fremde einging, in ihr Zuhause.

Ernas Mutter öffnete die Tür des engen schwarzen Vorraums. Hugo stieß an ein Bügelbrett, das an der Wand lehnte. Aus der Küche daneben wolkte ein Geruch der Fremdheit, es roch nach Wasserdampf, Kunstfett und angebrannter Milch. Man betrat die Küche. Auch Ernas Mutter war stark geniert und deckte schnell die Töpfe auf dem kleinen Herde zu, ehe sie den Besuch in die Stube führte. Erna sagte: »Das ist Hugo!«

Die Mutter wiederholte nur: »Also das ist Herr Hugo!« Und sie warf einen unzufriedenen Blick auf ihre rote Küchenhand, ehe sie die Hand des Knaben ergriff. Die Frau stand keinen Augenblick still. Es schien, als wäre sie in ihrem Käfig immerfort auf der Flucht vor etwas. Der Verfolger steckte in ihr selbst. Sie war ein mageres Wesen mit einem dünnen Hals und einem sehr starken Leib, den die vorgebundene Schürze noch gewölbter erscheinen ließ. Wenn sie einen Augenblick stehen blieb, so pflegte sie die unmutigen Hände über diese Wölbung zu falten. Beim Eintritt der Beiden hatte sie beschämt und schnell ein Kopftuch abgenommen. Sie besaß nur wenig Haare, unter dem Grau leuchtete die Haut rosa hindurch. Ihr längliches Gesicht, das eine erstarrte, fast schon gleichgültige Bekümmertheit zur Schau trug, drückte den Wunsch aus: »Bitte haltet mich nur nicht fest! Es ist ja ganz hübsch, wenn ihr da seid und nichts tut. Aber ich werde nicht fertig, ich habe noch alle Hände voll Arbeit. Und erzählet mir um Christi willen nur nichts Neues! Alles Neue ist unangenehm und hält auf. Wie soll ich denn nur fertig werden!«

Erna aber hatte etwas Neues zu erzählen. Mit einer Kopfbewegung deutete sie zur Küche hin. Die bekümmerte Maske der Mutter wurde noch um einen Schatten düsterer. Heimlichkeiten brachten nichts Gutes. Sie lief ruhelos hin und her, sie rückte unzufrieden mit den Dingen auf der Kommode, endlich begann sie eifrig einen Stuhl abzuwischen, den sie dann Hugo anbot. Die Gegenwart dieses apart gekleideten Knaben, von dem ein glänzendes Leben ausstrahlte, machte sie unsicher. Sie empfand angesichts Hugos und ihrer Behausung ein Mißgefühl, das man am besten soziale Scham nennen könnte. Und Hugo selbst empfand etwas ähnliches, und zwar doppelt, von sich aus und von der Frau aus.

Erna und ihre Mutter standen in der Tür zwischen Stube und Küche. Hugo hatte nun Zeit, sich hier umzusehen. Nicht nur das Kruzifix hing an der Wand und ein farbiger Öldruck der Muttergottes mit schwertdurchbohrtem Herzen über dem aufgetürmten Bett, sondern auch etliche vergrößerte Photographien blickten traurig-festlich aus Glas und Rahmen. Dies waren gewiß die Bilder der Familien-Toten. Man nahm Gott und die Toten hier furchtbar ernst. Der höchste, rangälteste Tote unter ihnen, Ernas Vater, beherrschte streng den ärmlichen Raum. Ein gerade aufgerichteter Mann im ernsten Salonrock, dessen glattes Dunkel mit dem Verdienstkreuz am roten Bande geziert war. Er ertrug es nur ungern, daß ein leichtfertiger Künstler seine Photographie koloriert hatte, einen ewigen Frühlingshimmel hinter sein schlichtes Haupt bannend. Hugo spürte, wie das Bild ihn forschend und voll lebendiger Ablehnung anblickte.

Gott und die Toten! Wie anders doch war es zu Hause. Dort sprach man nicht von Gott, und von den spärlichen Toten, die als kleine Photographien auf Papas Schreibtisch standen, auch nicht. So erschien es wenigstens Hugo in dieser tiefsinnigen Minute. Überhaupt es schien, als ob das Leben zu Hause sich selber nicht ganz ernst nähme. Ein heiterer wohlbehüteter Rest von Unernst färbte alles schön und angenehm. Da war zum Beispiel das, was die Menschen Tod nannten. Hugo wußte zwar, aber glaubte es nicht, daß er einmal werde sterben müssen. Ebensowenig glaubte er an den künftigen Tod seiner Eltern. Tod war etwas, das zu seinem weißen Zimmer, zu Papas Galerie, zu Mamas Atelier und ihren Toiletten nicht passen wollte. Auf der Straße sah man oft Begräbnisse. Riesige Leichenwagen, ungeschlacht schwankend, schwarzglänzend von widerlichem Lack, mit Türmchen, Schnörkeln, Kronen geschmückt, von Quasten und Draperien umschlottert, ein Anblick des Grauens und Ekels! Wie Stanniolsilber schimmerte die häßliche Farbe des Sarges zwischen den lastenden Kranzspenden hindurch. Und diese Kränze selbst, widernatürlich auf Draht geflochtenes Grün, sie waren eine Herabwürdigung der Astern und Chrysanthemen, die in dem engen Zopf aus Rost und Moos erstickten. Der Tod war etwas ganz und gar Unelegantes. Der Tod war dasselbe wie die altdeutsche Kredenz in Frau Tapperts Stube. Er kam für Hugo und Seinesgleichen kaum in Betracht. Bevor man starb, mußte man doch krank werden. Vor den Krankheiten aber standen die Ärzte und alle möglichen weißgekachelten und vernikkelten Einrichtungen der Hygiene. Wenn es Hugo recht bedachte, so hatte auch die Krankheit, wie er sie kennen gelernt, nichts mit dem Tode zu tun. Er liebte ja den Fieberzustand, währenddessen es sich so berauschend träumen ließ. Ihm fielen jetzt die illustrierten Klassikerausgaben ein, die er besaß. Ja, darin waren Krieg, Zweikampf, Mord, Tod aufgezeichnet. Aber diese Art hinreißenden Todes, sie gehörte in dasselbe Kapitel wie »Liebe und Liebesleid«. Dies gab es und gab es nicht. Man vergoß Tränen der Schönheits-Rührung, während man sich, lesend und genesend, im Bette wohlig rekelte. Hier aber, in dieser Stube und in diesem Leben, gab es alles, was es gab.

Und Erna? Sie gehörte hierher! Sie war in dieser Stube groß geworden unter der Herrschaft Gottes und der Familien-Toten. Sie war die Tochter dieser Frau, die ihre Hände über den gewölbten Leib faltete.

Wieso aber kam es, daß die Tochter dieser alten Frau immer hübsche kleidsame Gewänder trug, daß sie ihm sogar besser gefiel als Mama, deren Schönheit doch von allen Leuten gepriesen wurde? Die Alte hier schlurfte in Filzpantoffeln. Aber Erna verwandte – das hatte Hugo gleich in den ersten Tagen der Bekanntschaft mit Wohlgefallen bemerkt – die höchste Sorgfalt auf ihr schönes Schuhwerk. Für Hugo bedeuteten schöne Frauenschuhe den Inbegriff alles dessen, was entzückend war und ihn anheimelte. Erna pflegte die ihrigen – es waren fünf Paare – straff auf Leisten gespannt, offen auf eine niedrige Etagere zu stellen. Hugo ging niemals vorbei, ohne mit der Hand über das Leder zu streichen. Und doch, trotz dieser eleganten Schuhe, gehörte sie nicht zu ihm, nicht in sein helles Zimmer, sondern hierher. Sichtbar war sie dem lastenden Ernst dieses Hauses verfallen, das nicht mit sich spaßen ließ. Hugo sah plötzlich den augenlos funkelnden Tittel vor sich und dachte an den schmutzigen Fluß, in dessen Fluten Erna nun bald sterben würde.

Ehe Frau Tappert mit ihrer Tochter in der Küche verschwand, trat sie nochmals ins Zimmer und fragte mit verlegenem Blick und mit geziertem Ton den Knaben:

»Herr Hugo, werden Sie nicht Hunger bekommen? Darf ich vielleicht mit irgend etwas aufwarten?«

Hugo sprang höflich auf:

»Ich danke vielmals, gnädige Frau, ich habe keinen Hunger...«

Dabei verbeugte er sich, die Hand auf dem Herzen, und wurde wegen des Ausdruckes »gnädige Frau« rot, der ihm unpassend schien und beleidigend wirken konnte. Erna aber fuhr gleich dazwischen, zornig, als hätte sich ihre Mutter etwas vergeben:

»Wo denkst du hin, Mama? Hugo darf niemals etwas außer Haus und zwischen den Mahlzeiten zu sich nehmen.« Daraufhin folgte die alte Frau der Tochter schnell in die Küche nach, vergaß aber die Tür ins Schloß fallen zu lassen. Durch den Spalt konnte Hugo hie und da ein Wort erlauschen. Aber das Erhorchte, die plötzlich abreißenden Gesprächsfetzen waren nur angetan, seine wirren Gedanken über Ernas Unglück noch mehr zu verwirren. Er hätte ja in der Stube umhergehen und sich immer wieder dem Türspalt unauffällig nähern können, um besser zu hören. Aber er blieb aufrecht und steif sitzen. Seine Hände lagen regungslos auf den nackten Knien. (Zu seinem Mißvergnügen bestand Mama darauf, daß er noch immer kurze Strümpfe trug, obgleich er schon ins Zwölfte ging.) Er wandte seinen Blick nicht von Ernas leichtfertig koloriertem Vater, der die rosarote und blaugeäderte Faust auf eine verschnörkelte Tischkante stützte und des Knaben Blick feindselig und unabwendlich erwiderte.

Erna schien zu weinen. Hugo hatte sie noch niemals weinen gehört. Er kannte nur die jähen, gehetzten Ausbrüche der Schweigsamen und Schweren. Jetzt aber drang ein kindisch plätscherndes Klagen aus der Küche, eine ganze Weile lang, und immer im gleichen Ton. Die Mutter schwieg. Nur ihre unruhigen Hände hörte man laut mit dem Geschirr hantieren. Erna war zu Ende. Da vernahm Hugo Frau Tapperts Stimme:

»Gib mir den Mörser herunter!«

Dann wieder Schweigen, Zuckerstoßen, Küchengeräusch und nach einer Weile:

»Der wievielte Monat sagst du?«

Und Erna, aufschluchzend:

»Im dritten...«

Die Mutter sprach einige mißbilligende Sätze, aber Hugo verstand nur:

»Warum hast du so lange gewartet?...«

»Mein Gott«, entgegnete Erna, »ich hab's halt immer verschoben«, und sie fing wieder zu weinen an.

Hugo saß steif auf dem Stuhle, den ihm Frau Tappert angeboten hatte. Ohne daß er wußte warum, nisteten sich Mamas Worte in sein Bewußtsein ein, mit denen sie seine Frage, wie er zur Welt gekommen sei, jüngst beantwortet hatte: »Ich habe dich unterm Herzen getragen, Hugo...« Aber auf nähere Erklärungen wollte sie sich dann nicht mehr einlassen und behauptete, sie müsse einen Brief schreiben. Hugo hatte es bisher vermieden, sich dieses »Unterm-Herzen-getragen-werden« körperlich vorzustellen. Es war ein peinlicher, ja unappetitlicher Gedanke, der sich ihm aber jetzt, gerade in diesem Augenblick, quälend aufdrängte. Überhaupt, die Frauen schienen vielerlei Heimlichkeiten und auch Tücken zu besitzen. Man bemerkte gar manches. Was bedeuteten die hundert Fläschchen, Tiegel, Dosen auf Mamas Toilettetisch, wozu brauchte sie all das Kautschukzeug, auf das man stieß, wenn sich die Gelegenheit ergab, ungezogener Neugier voll, in verschwiegenen Schubladen zu stöbern. Wozu lag Mama ganze Tage lang im Bett, ohne krank zu sein? Hugo haßte diese verdachtserfüllten und unauflöslichen Betrachtungen. Er heftete mit strenger Mühe seinen Blick auf die Kommode, wo unter allerhand Porzellangerümpel zwei alte blutrote Rubingläser standen. Die peinlichen Vorstellungen wichen. Stärker erhoben sich nun die Stimmen nebenan. Frau Tappert sagte:

»Ich werde halt zur Seifert gehn...«

Erna schien in immer größere Erregung zu verfallen. Sie flüsterte zwar, aber ihr Geflüster wurde immer schärfer und bitterer. Da klagte auch die Mutter, nun selber trostlos: »Kind, Kind!«

Wie? Also auch Frau Tappert konnte ihrer Tochter nicht helfen? War Ernas Schicksal rettungslos besiegelt? Der trübe langsame Fluß mit den vielen Brücken wartete. Hugo erhob sich und durchquerte scheu den Raum. Er ging auf Zehenspitzen, als hätte er Angst, jemanden zu wecken, Ernas Vater wohl, den kolorierten Toten, der ihn nicht aus dem Auge ließ. Während dieses vorsichtigen Ganges begann ein Entschluß in ihm zu keimen, vor dem er selber erschrak. Doch es zeigte sich kein anderer Ausweg. Durch den engen Türspalt drang schärfer jetzt Ernas Stimme: »Wer soll das bezahlen?«

»Stell die Kartoffeln auf«, gab die Mutter zur Antwort.

Erna wich nicht zurück:

»Ich hab euch Monat für Monat alles gegeben, bis auf den letzten Heller...«

Statt einer Erwiderung klapperten nun vielsagend genug die Töpfe und Deckel. Erst nach einer Weile erklang Frau Tapperts ruhige, ihres Rechts bewußte Stimme:

»Für mich, das weißt du ja, brauch ich nichts. Aber denk an Albert!«

Hugo blieb stehen und schloß die Augen. Wenn er von alledem auch nichts verstand, eines wurde ihm klar, daß Mutter und Bruder von Erna lebten, von dem Gelde lebten, das sie in dem Haus seiner Eltern verdiente. Der keimende Entschluß regte sich mächtig in seinem Herzen. Zugleich aber zog es ihn zu den beiden Frauen in der Küche und lautlos schlich er näher. Aber jetzt fuhr er zurück, denn die vollkommen verwandelte Stimme der alten Frau, höhnisch haßzitternd, sie traf ihn wie ein Schlag:

»Was willst du? Die Männer!? Die machen einen nur krank, so oder so, und nachher verlangen sie selber noch Geld.«

Hugo saß nun wieder artig auf seinem Stuhl und ließ den Kopf hängen. Vor seinem inneren Auge zerflossen der schöne Zelnik und der häßliche Tittel in eine einzige verzerrte Figur. Hüftenschlank und brillenblitzend näherte sie sich Fräulein Erna, die einen Krug unter die Wasserpalme des Springbrunnens hielt. Die Vision wurde von schweren Schritten unterbrochen. Albert kam heim.

Erna hatte von ihrem Bruder einmal gesagt, er sei ein Krüppel, seitdem er mit zwölf Jahren die Kinderlähmung bekommen habe. Krüppel, das war ein furchtbares Wort, es kostete Überwindung, diese schamstachligen Silben auszusprechen. Warum hatte Albert die Kinderlähmung bekommen und Hugo nur den Scharlach ohne bleibende Folgen? Albert ging an Stöcken. Seine Beine gehorchten ihm nicht. Er mußte sie weit und mit Gewalt vom Leibe schleudern, dann erst fielen die Füße hart auf und faßten Stand. Der junge Mann war mit leidenschaftlichem Eifer in das Problem seines mühsamen Ganges vertieft. Nichts anderes kümmerte ihn als sein Schritt, der laut den Boden stampfte. Er strebte zu dem Lehnstuhl am Fenster, dort blieb er stehen, nahm die beiden Stöcke in die rechte Hand und ließ sich nieder. Seine Stirn schimmerte feucht. Ein schweres Werk war getan. Jetzt erst bekam er Augen, blaue, ein bißchen lauernde, und erblickte seine Mutter und Erna, die aus der Küche getreten waren:

»Na, Erna, das ist aber eine Auszeichnung! Ich hoffe, daß es eine Auszeichnung ist und nichts Schlimmeres.«

Das Fräulein stellte wiederum den Knaben vor:

»Dies ist Hugo!«

Albert deutete eine Bewegung an und sah spöttisch drein:

»Dein Zögling, Erna, wie?...«

Er reichte Hugo die Hand hin, der sie, zum Lehnstuhl gehend, mit einer Verbeugung erfaßte. Doch kaum war diese Begrüßung erfolgt, als sich Albert von Hugo wegwandte und das gerötete Gesicht der Schwester, den unsicheren Blick der Mutter bemerkte:

»Was habt ihr?« fragte er.

Frau Tappert begann ihren sinnlos sorgenden Rundgang durchs Zimmer, währenddessen sie mit der Schürze über die Kanten der Möbel fuhr und den Standort einiger Dinge vertauschte. »Ach was«, brummte sie, »gar nichts haben wir. Was sollen wir denn haben?« Mit eiligen schuldbewußten Fingern steckte Erna ihrem Bruder eine Schachtel Zigaretten in die Tasche. Albert tat, als merke er es nicht, wurde rot, bekam eine unwillige, ja gehässige Miene, beherrschte sich aber.

In dieser Sekunde überkam den Knaben ein sonderbares Erlebnis. Er versenkte sich in Alberts Gesicht, er verglich sein mit

Ernas Antlitz. Unendlich ähnlich war eines dem andern. Dasselbe Haar, derselbe schwerfällige Mund, bei Erna stumm, bei Albert trotzig. Da gewann Hugo diesen abweisenden, gar nicht freundlichen Menschen auf einmal stürmisch lieb. Dies war aber noch nicht das Wesentliche. Etwas ganz und gar Verrücktes trat hinzu. Hugo liebte und bewunderte Albert plötzlich, weil er ein Krüppel war. Eine blitzschnelle abgründige Empfindung: Der Leidende ist mehr wert als der Glückliche. Erna und Frau Tappert behandeln den Albert wie einen bedeutenden oder vornehmen Mann. Gebrechen, das ist etwas Hervorragendes, fast Heiliges. Blitzschnelle, abgründige Empfindung, wohlgemerkt, und kein Gedanke! Aber diese Empfindung sollte Hugo durchs Leben begleiten, ohne daß er später ahnte, aus welcher Stunde sie stammte.

So tief hatte sich Hugo in Alberts Gesicht verloren, daß er es gar nicht bemerkt hatte, daß Erna dem Bruder seine Vortragskunst und sein Gedächtnis rühmte. Er war immer wieder erstaunt darüber, wie demütig die schöne Schwester, die doch dieser Familie all ihren Verdienst hingab, um die Gunst des Krüppels buhlte. Albert wandte sich an Hugo:

»Als ich so alt war wie Sie, habe ich Ingenieur werden wollen.«

Seine Mutter fügte stolz hinzu:

»Ehe er das Unglück hatte, war er in der Realschule immer der Beste. Sein Vater war aber auch ein sehr gebildeter Mensch... Bei der Eisenbahn.« Albert unterbrach sie wütend: »Schweig, Mutter!« Hugo blinzelte zu dem rangältesten Toten hinauf, der seine rosagemalte Faust auf dem verschnörkelten Tisch ohnmächtig zu ballen schien. Erna aber bemühte sich immer schmeichlerischer um ihren Bruder:

»Was macht deine neue Erfindung?«

Albert hielt eine Antwort für überflüssig. Ernas Gesicht zeigte – als wäre alles Unglück vergessen – einen kleinen Zug von Prahlerei, als sie jetzt nachdrücklich Hugo belehrte:

»Du mußt wissen, er ist ein großer Erfinder und besitzt schon zwei Patente!...«

Mit geringschätziger Ungeduld überhörte Albert das weibliche Lob und wandte sich, Mann zu Mann, an Hugo:

»Befassen Sie sich mit technischen Dingen?«

Der Knabe spürte den bedrückenden Raum um sich, den Raum der Fremdheit, der jetzt überfüllt zu sein schien von Menschen, von ihren Sorgen, Lügen, Hinterhältigkeiten. Zugleich aber war es eine merkwürdig süße Befriedigung, daß ihn Albert, der leidende Mensch, durch sein Vertrauen auszeichnete. Ob er sich mit technischen Dingen befasse? Schuldbewußt gedachte Hugo der Elektrisiermaschine und des anderen physikalischen Spielzeugs, das ungenützt in einem seiner Wandkästen lag. Doch hätte er um alles in der Welt dies dem Techniker Albert nicht eingestehen mögen, daß er die einzig wichtigen und manneswürdigen Realien zugunsten seiner Lesewut vernachlässige. So hauchte er denn ein lügnerisches: »Ja.«

Daraufhin kommandierte Albert: »Bring das Modell, Mutter.« Frau Tappert erschrak und zögerte, denn sie war gerade dabei, die Teller des Mittagessens auf den Tisch zu stellen. Alberts Gesicht verzerrte sich, er schloß die Augen. Da stellte die Mutter eilig alles hin, kniete nieder und zog aus einer Lade ein großes Gewirre von Drähten, Spulen, Rädern, Batterien hervor, das sie sorgfältig auf den Tisch hinbreitete. Nun befand sich ein neues unverständliches Wesen in dem überfüllten Raum. Albert dachte nicht daran, Sinn und Zweck seiner Erfindung klarzulegen. Mühsam erhob er sich und trat mit dem belästigten Gesicht eines Virtuosen, dem man eine unerwünschte Zugabe abzwingt, an den Tisch. Mit müden Händen begann er das Ding in Ordnung zu bringen. Kaum aber hatte er die ersten Griffe getan, als er schon die Arbeit unterbrach und an Hugo die Frage stellte:

»Sie wissen natürlich, was Wechselströme sind?« Hugo schlug die Auge nieder und schwieg. Wechselströme? Jeder dieser erwachsenen Herren besaß einen Sack voll ungewöhnlicher Worte: Papa, Zelnik, Tittel und nun auch Albert. Unter all diesen Worten stellte sich Hugo mancherlei vor, aber man konnte es nicht aussprechen. Was seit einer Stunde ihm kalt und heiß über den Rücken lief, vielleicht war dies ein Wechselstrom. Oh, dieses Zimmer hier war voll von Wechselströmen. Albert aber kümmerte sich nicht um diese heimlichen Überlegungen, sondern wiederholte, sehr spöttisch, seine Frage:

»Sie wissen also nicht, was Wechselströme sind?«

Der Geprüfte senkte den Kopf immer tiefer, fühlte aber den Strom von Lebensvorwurf, ja Haß, der aus des Krüppels Blick ihn traf:

»Wenn Sie diesen einfachen Begriff nicht kennen, ist natürlich alles umsonst. Aber ein junger Mann in Ihrem Alter und in Ihren Verhältnissen müßte eigentlich schon wissen, was Wechselströme sind. Sie gehen ins Gymnasium, nicht wahr? Die Anfangsgründe der Elektrizität gehören zum Lehrstoff der Unterklassen. Aber natürlich! Die jungen Herren aus den besten Kreisen haben keine Ahnung von der Induktion.«

Er schien die ganze Erfinderei satt zu haben und schob mit einer Handbewegung alles zusammen. Und ohne sich umzusehen, herrschte er die Frauen an:

»Was habt ihr beide vorhin gehabt?«

Erna lachte: »Ich bitte dich, Albert...«

Aber der Bruder schrie jetzt:

»Gut! Ich weiß ja, daß ich hier der Niemand bin! Ich weiß ja, daß ich von euch nur geduldet und ausgehalten werde! Ihr seid zu gar nichts verpflichtet. Jeder Bissen, den ich esse, würgt mich. Aber alles wird anders werden. Ihr sollt noch staunen. Bis dahin werde ich mich halt umsehn müssen...«

Die letzten Worte hatte Albert jammernd gesprochen.

Erna führte ihn zärtlich zu seinem Lehnstuhl zurück. Ihre Augen schimmerten, aber ihr Gesicht war fröhlich:

»Es ist wirklich gar nichts, Albert... Wir haben doch nur ein bißchen getratscht, Mama und ich... Warum machst du dir so schlechte Gedanken, Albert?... Er sekkiert uns immer, Mama, was?... Aber jetzt los, Hugo!... Adieu, ich komm bald wieder... Und laß es dir gut gehn, Albert.«

Frau Tappert, immer hin und her wandernd, als ginge sie die Szene nichts an, hatte den Suppentopf gebracht. Beim Abschied spürte Hugo, wie Alberts Hand vor Kränkung zitterte.

An der Wohnungstür wartete schon die Mutter ängstlich. Das Mißtrauen des armen Sohnes war ihre Hölle. Sie flüsterte zwar, aber Hugo konnte deutlich ihre Worte verstehen:

»Komm heut nachmittag wieder... Er wird nicht zu Haus sein... Und in der nächsten Woche... nun, wir wollen sehn... Ich spring am Abend zur Seifert hinüber... Hoffentlich kannst du dir ein paar Tage Urlaub nehmen.«

Wieder finstere, krachende Holztreppen! Wieder ein schreiender Hof! Wieder der mächtige schattenwerfende Christus im Flur, unter dessen göttlicher Herrschaft sich die Schicksale der Mieter so unnachlässig ernst und wirklich gestalteten. Hugo trat, tief erschöpft, an Ernas Seite in den wilden Mittagssonnenschein.

Was nur hatte ihn so heftig angegriffen, daß er kleine stolpernde Schritte machte? Was denn war ihm in dem fremden Hause Bedeutsames begegnet, daß ihm jetzt eine Traumes- oder Zauberlast von den Schultern glitt? O nein, gar nichts Bedeutsames oder Besonderes war ihm begegnet. Er hatte eine beschränkte Stube erlebt, in der sich Bett, Tisch, Kommode, Kasten, Sofa, Tote und Heilige aneinander drängten. Die Luft dieser Stube verdarb ein unangenehmer Speisendunst, der vom Küchenherd nebenan herschwelte. All die vielen Wohnungen dieses Hauses, an denen man vorbeikam, rochen gleichsam aus dem Mund. Er hatte eine alte Frau kennen gelernt, die Erna Mama nannte, die aber Filzpantoffeln und Schürze trug wie ein schlechter Dienstbote und kaum mehr Zeit fand, vor dem Besuch ihr Kopftuch zu verbergen. Diese Mama war doch gar keine Mama, sondern eine Mutter. Er hatte ferner Ernas Weinen gehört und einige dunkle Fetzen eines erregten Gespräches vernommen. Ob Frau Tappert ihrer Tochter würde helfen können, das blieb freilich höchst fraglich. Sie hatte sich nach Ernas Geständnis nicht unglücklicher und verzweifelter gezeigt, als sie schon vorher Hugo erschienen war. Was bedeutete diese kummervolle Unruhe, welche die alte Frau immer umhertrieb und sie zwang, unaufhörlich sinnlose Handgriffe zu machen? Kaum einen Augenblick lang stand sie still, aber auch dann zuckte es in den roten Küchenhänden, die sie über dem vorgewölbten Leib halten mußte, damit sie endlich einmal Ruhe gaben, diese alten Arbeiter! Ja, zu Tode abgearbeitet schien die Frau Tappert zu sein, so tödlich abgearbeitet, daß sie Leerlauf und Ruhe nicht mehr ertrug. Hilfe von ihr? Niemals! Hugo hatte auch Albert kennen gelernt, den Krüppel. Den Vorwurf in Alberts Augen hatte er sogleich verstanden und auf sich bezogen. Er schämte sich, daß der Kranke ihm etwas vorzuwerfen habe, und gab diesem Vorwurf recht. Wie schrecklich, daß er sich blamiert hatte, daß er nicht wußte, was Wechselströme sind. Aber hinter diesen Wechselströmen spürte Hugo noch einen anderen, weit schwereren Vorwurf, der ihn mit einem unbestimmten Schuldgefühl erfüllte. Ihm war zu Mute, als hätte er Albert irgend ein Unrecht zugefügt. Auch die Mutter und Schwester des Unglücklichen schienen etwas ähnliches zu empfinden, denn sie behandelten ihn mit verehrender Scheu und ließen sich alles bieten. Konnte es aber auch, trotz seines herrisch-gekränkten Wesens, einen verehrungwürdigeren Menschen geben als Albert, den Erfinder?!

Und über Albert und Frau Tappert, über die Toten und Heiligen, ja selbst über Erna stülpte sich diese Stube, diese rauchdurchwirkte gedrückte Luft, die so anders war als die Luft zu Hause...

Nichts Bedeutsames, nichts Besonderes hatte Hugo erlebt. Und doch, er fühlte sich krank und zerschlagen. War im gewöhnlichsten Alltag dennoch etwas Entscheidendes mit ihm geschehn? Bisher hatte er gemeint, die ganze Welt sei eine Abwandlung des ihm Eignenden, seines Lebens, seines Zuhause. Die Welt? Phantasiegewölk der vielen Bücher, und im Mittelpunkte er selbst, in seinem Bette sich rekelnd, lesend. Heute zum erstenmal war ihm das Beklemmend-Andere, das Fremde entgegengetreten.

Eine kleine, stickige Wohnung, weiter nichts!

(Aber war es soviel mehr, was der junge Königssohn Gautama vor der Parkmauer des väterlichen Palastes erblicken mußte, um von seiner Welt abzufallen? Ein Bettler, ein Leichenzug. Weiter nichts!)

Immer schwerer, immer betäubter ging Hugo dahin. Erna

war ihm um mehrere Schritte voraus. Wie schöngekleidet erschien sie doch! Die Männer blickten sich alle nach ihr um. Kleine Lackschuhe blitzten an ihren Füßen. Kein Schatten ihrer Gestalt erinnerte an die Mutter, an das dumpfige Zimmer, an das übervölkerte Haus. Und dabei schenkte sie alles, was sie erwarb, ihrer Familie. Wußten diese niederträchtig-egoistischen Herren wie Zelnik und Tittel, welch einen Engel sie mißhandelt hatten? Ahnten diese Herren, daß die Gedanken, die Erna so rasch vorwärts rissen, vielleicht dem Selbstmord galten?

Hugo versuchte es nicht, die Dahinschreitende einzuholen. Gerne blieb er ein Stück zurück, um Erna, die ein unwiderrufliches Fatum vereinsamte, mit wehmütig-entzücktem Auge zu umfassen. Da niemand auf der Welt dem Fräulein beistehen konnte, so mußte er, Hugo, etwas unternehmen, um sie zu retten.

Schmerzlich war nun alles verändert, auch die Straße. Vor kaum zwei Stunden hatte Hugo eine wohlig-nichtssagende Welle von Farben, Geräuschen und Menschenbildern durchquert, jetzt begab sich das ganze eilende Mittagsleben wie auf einem Meeresgrund, niedergezogen von schweren Gewichten. Feindselig alle Gesichter, abweisend jede Gestalt. Fräulein Erna blieb bei einer Menschengruppe stehn. Auf der Fahrbahn war ein Pferd zusammengestürzt und lag schweratmend auf dem Pflaster. Der Kutscher hatte es von dem gewaltigen Lastwagen abgeschirrt, auf dem lang überhängende Eisentraversen leise schwankten. Nun stand der Mann, auf seine Peitsche sich stützend, ruhig da, redete mit anderen müßigen Männern, rauchte seine Pfeife und schien das weitere Schicksal des Tieres für ein Schauspiel zu halten, das einer sachgemäßen und unbeteiligten Betrachtung wert war. Der Ausdruck des todesgierig an die Erde geschmiegten Pferdekopfes zeigte die tief-dankbare Gleichgültigkeit des Endes. Das große gute Auge blickte erlöst und mit Gott einverstanden in den dunstigen Sommerhimmel. Dieser ruhevolle Leidensblick brachte Hugo eine Botschaft, genau so wie gestern der schleppende Sterbensgang der fliegenumschwirrten Kröte. Es war eine Verkündigung aus den Tiefen des Lebens, die einzig und allein ihm galt. Er verstand sie nicht, aber seine Seele verstand, daß sie angerufen war. Und für einen Augenblick wurde Hugo weit entrückt von Erna, von Ernas Geschick, von Frau Tappert, von Albert, von dieser Straße und dem gestürzten Pferd. Er stand am Strande von Sorrent (die Osterreise mit den Eltern) und sah die wilden Tierrudel der Brandung, die an den Klippen emporsprangen und sich mit ihren weißen Tatzen immer wieder festpranken wollten, unermüdlich und vergeblich.

Fräulein Erna hatte sich indes aus dem Haufen der Zuschauer gelöst und ging weiter, ohne sich um Hugo zu kümmern. Ehe er ihr nachlief, blickte er noch einmal zur Fahrbahn, um von dem armen Gaul Abschied zu nehmen. Der Kutscher, der vorhin so hartherzig erschienen war, kniete jetzt bei seinem Tier und schob liebevoll einen Sack unter den absonderlich langen Pferdekopf.

Auch auf dem Rest des Weges sprach die Bonne mit ihrem Knaben kein Wort. Als sie aber um die letzte Straßenecke bogen und Hugos reizendes Vaterhaus in Sicht kam, beschloß er mit einem nagenden Bangen im Herzen, aber unabänderlich, jene Idee, die ihm heute eingefallen war, zu verwirklichen. Es war eine sehr naheliegende und sehr verhängnisvolle Idee.

Da Fräulein Tappert sich für den Nachmittag beurlaubt hatte, entfiel der übliche Spaziergang und Hugo – er hatte es selbst so gewünscht – saß in ihrem kleinen Salon ganz allein bei Mama. Der Junge blinzelte die vielen hellen Kleinigkeiten dieses Raumes mit halbgeschlossenen Augen an. Mamas Antiquitäten, Dosen, Tassen, Gläser, Miniaturen, waren idyllisch freundliche Wesenheiten im Gegensatz zu Papas hochmütigen Altertümern. Auf dem weißen Tischchen lag ein eben aufgeschnittener Tauchnitzband. Hugo las den Titel: ›The sorrow of Satan by Mary Corelli.‹ Zwischen Mamas Gesicht und dem seinigen breitete sich ein Rosenstrauß in einer Vase aus. Hugo empfand das Bedürfnis, sich und zugleich auch Mama hinter diesen Rosen zu verstecken. Alles, dieser Salon, die Blumen, Mama, er selbst erschienen ihm heute so anstrengend neu, so ungemütlich anders als sonst. Er setzte sich hinter dem Strauß zurecht, damit die

Rosen sein Gesichtsfeld ausfüllten, und runzelte die Stirn. Nichts sollte ihn ablenken. Um für Erna zu kämpfen, mußte er sie ja, zum Teil wenigstens, verraten. Wie bitter schwer war das. Er konnte keinen Anfang finden. Mama erkannte bald, daß ein Kampf in ihrem Kinde vorgehe, sie sah die Denkrunzeln auf seiner Stirn, das wechselnde Erröten und Erblassen. Erschrokken stand sie auf, fuhr mit der Hand unter Hugos Hemdkragen, ob er kein Fieber habe, und fühlte seinen Puls. Zugleich aber wußte sie, daß diese körperliche Besorgnis nur eine Geste ihres eigenen Schuldgefühls sei, und daß dem Knaben nichts fehle. Selbstvorwürfe, ja sogar eine Art von Reue brachen in ihrer Seele auf, Wallungen, die ihr nicht neu waren, die sie aber bisher immer mit glaubwürdigen Ausreden vor sich selber vertuscht hatte. Das Kind war ihr fremd geworden. Dieses strenge Jungengesicht, das angespannten Willens einer unhörbaren Simme zu lauschen schien, kannte sie nicht mehr. Gestern zwar hatte sie noch Auftrag gegeben, Hugo auf eine bestimmte Art das Haar scheren zu lassen. Der schöne Kopf des Jungen sollte mit dem neuen College-Gewand in Übereinstimmung gebracht werden. Wie häßlich und äußerlich erschien ihr jetzt diese eitle Fürsorge. Um solche Dinge kümmerte sie sich, während sie die Seele ihres Sohnes andern Menschen überließ. Nun, die Folgen hatte sie sich selber zuzuschreiben. Hugo gehörte nicht mehr ihr.

Der Teetisch wurde hereingeschoben.

Sie fragte sich nun, was für ein peinliches Gefühl es sei, das sie unsicher mache. So lächerlich es klingt, sie konnte sich's nicht verhehlen, daß es Verlegenheit war, Verlegenheit ihrem Kinde gegenüber, das so streng, so verschlossen dasaß! Und nicht wie eine Mutter, sondern wie eine schuldbewußte Geliebte, die den Mann versöhnen will, begann sie für den Knaben zu sorgen, ihm Tee einzugießen und Kuchen vorzuteilen.

Hugo aber, der die Tasse schon in die Hand genommen hatte, stellte sie wieder hin und sagte unvermittelt:

»Mama, ich muß dich etwas fragen...«

Und nach einer herzklopfenden Pause der letzten Entscheidung: »Sind die Tapperts – ich meine Erna – sind das arme Leute?«

Mama war ein wenig erstaunt. Dann dachte sie: Es ist eine Kinderfrage, und erwiderte:

»Arme Leute? Nein, arme Leute sind es gewiß nicht. Sie leben wohl nur in kleinen Verhältnissen.«

»Wer aber sind dann die armen Leute?«

Mama ertappte sich dabei, daß sie dies selber nicht recht definieren könne. Für alle Fälle zählte sie auf: »Arme Leute sind zum Beispiel Arbeiter, die keinen Verdienst haben, Obdachlose oder Waisenkinder ... Aber Fräulein Erna hat doch etwas gelernt, sie hat Prüfungen abgelegt, sie hat ein Seminar absolviert, sie ist Erzieherin geworden, sie muß sich ihr Brot selbst verdienen ... Von solchen Menschen sagt man, daß sie in kleinen Verhältnissen leben.«

»Und wir, wir sind reiche Leute, Mama, nicht wahr?«

»Aber Hugo, ich finde, daß du sehr unhübsche Fragen stellst! Kommt es denn darauf an? Es kommt auf andere, viel wichtigere Dinge an, auf Geist, Bildung und Seele.«

Die eigene Antwort erzeugte in Mama ein deutliches Mißgefühl. Sie wußte, daß sie der einfachen Frage Hugos ausgewichen war und statt einer ruhigen Erörterung dieser Dinge auf törichte und verlogene Weise moralisiert hatte. Insbesondere die Zusammenstellung von Geist, Bildung und Seele in Erwiderung von Hugos sozialer Neugier störte sie als feige Banalität und erzieherischer Fehler. Hugo aber, der gar nicht recht hingehört, wiederholte: »Kleine Verhältnisse ...«

Er lehnte sich zurück und richtete seinen Sinn auf dieses Wort. Mit Frau Tapperts Wohnung also war die Welt nicht zu Ende. Hugo sah deutlich eine sonderbare, schier unendliche Zimmerflucht vor sich. Und Erna entfernte sich, indem sie langsam von Kammer zu Kammer schritt. Die Türen, durch welche sie hindurch gehn mußte, wurden immer ärmlicher und niedriger. Sie konnte nicht hindurch, ohne sich zu bücken. Vielleicht war der letzte Raum die Totenkammer. Da sagte Hugo: »Ich glaube doch, daß es arme Leute sind.«

Mama seufzte: »Wie kommst du darauf, Hugo?«

Hugo versuchte die Antwort zu überlegen. Aber er hatte keine Macht über sein Denken:

»Erna gibt ihnen doch ihr ganzes Geld, alles, was sie bei uns verdient... Weißt du, es muß wegen Albert geschehen.«

Und dann gestand er: »Wir waren ja heute dort...«

»So«, sagte Mama, sehr unangenehm berührt. Sie litt an Zwangsvorstellungen der Reinlichkeit. Alles Fremde, zumal wenn es einer geringeren Lebensklasse angehörte, erschien ihr als »unhygienisch«. Fremdheit und Ansteckungsgefahr waren ein und dasselbe. Hustete irgendwo ein ärmlich gekleidetes Kind, so hatte es gewiß Krampfhusten. Kam eine Schar von Schuljungen des Weges, so führten sie eine Wolke von Krankheiten mit sich. Roch es auf der Straße brenzlig, so wurde ganz bestimmt ein Haus in der Nähe desinfiziert. Ging ein Mensch mit einem Feuermal auf der Wange vorüber, so mußte man den Atem anhalten, denn wer weiß, ob jenes Mal nicht ein verrufener Ausschlag war. Türschnallen, Stiegengeländer, Münzen, alles Berührbare und Vielberührte, gefährdete mit wimmelnden Bazillenschichten die Hand, die unvorsichtigerweise keine Handschuhe trug. Die Bazillen selbst waren rachsüchtige Ausdünstungen, aus den Tiefen der feindseligen Fremdheit und des unkomfortablen Elends zu Mamas Lichtwelt emporgesandt. Als Hugo trotz aller Vorsicht Scharlach und Diphtherie bekam, fühlte sich Mama in ihren Angstvorstellungen nur bestätigt. Jetzt aber fragte sie spitz:

»Was hast du bei fremden Menschen zu suchen?«

Hugo, durch Mamas nervösen Ton verwirrt, vergaß die ganze Ordnung, die er sich vorgenommen hatte, und brachte alles durcheinander:

»Erna hat ja ein schreckliches Unglück gehabt... Wer soll ihr helfen?... Sie selbst hat kein Geld mehr... Und ihre Mutter hat auch keines... Albert ist nämlich ein Erfinder und das kostet schon etwas, besonders wenn einer die Kinderlähmung in der Realschule bekommen hat und sich nicht rühren kann... Erna muß aber Geld haben, sonst geht es fürchterlich aus... und die

Frau Seifert, mit der ihre Mutter sprechen will, tut gar nichts ohne Geld... Und da habe ich mir gedacht, ob du und Papa nicht helfen könnten... du... und Papa...«

Verzweifelt stieß er diese letzten Worte hervor und erkannte, daß er seine Sache schlecht mache. Er erkannte dies auch an Mamas Augen und ihrer trockenen Art zu fragen:

»Was für ein schreckliches Unglück hat denn Fräulein Erna gehabt?«

»Ich weiß es nicht, Mama... Wie kann ich's denn wissen?... Aber ich denke mir...«

Immer unerbittlicher munterte ihn Mama zu neuen Bekenntnissen auf: »Nun, was denkst du dir?«

Hugo wußte jetzt genau, daß er jetzt unaufhaltsam abrutsche. Aber er konnte es nicht mehr hemmen:

»Ich denke mir, daß der Herr Oberleutnant Zelnik... oder der Herr Tittel... daran schuld sind... Ich weiß es ja nicht...«

Ein Fehler, ein Verrat! Blut schoß dem Knaben zu Kopf und trübte sein Bewußtsein. Mit einem Mal befanden sich, durch Hugos Ungeschick hervorgezaubert, der Artillerieoffizier und der Konzeptsbeamte in diesem nichtsahnenden Salon. Der kakaobraune Waffenrock und die kanariengelben Schnürstiefel, in den Silben der Namen Zelnik und Tittel enthalten, verdarben alles. Mama schien jetzt ruhiger und gleichgültiger sich zu erkundigen:

»Der Herr Oberleutnant... Der Herr Tittel... Was sind denn das für prächtige Erscheinungen?«

Hugo, der sich nicht mehr zu retten wußte, stammelte:

»Das sind die Herren..., mit denen wir immer spazieren gegangen sind...«

»Mit denen ihr immer spazieren gegangen seid...«

Mama genoß den erstaunlichen Klang dieser Tatsache, ehe sie sich in ein langes und ironisches Schweigen zurückzog. Hugo aber biß die Zähne zusammen und stand auf:

»Mama! Versprich mir, daß du der Erna helfen wirst!«

Die Entgegnung ließ etwas auf sich warten, denn Mama entnahm der kleinen Golddose mit viel Umsicht eine Zigarette, ehe sie erklärte:

»Ich verspreche es dir, Hugo!«

Dann nach einem kaum fühlbaren Zögern: »Übrigens werde ich mich auch mit Papa beraten.«

Hugo holte inbrünstig Atem:

»Und versprich mir noch, ihr nie nie nie ein Wort davon zu sagen, daß wir beide miteinander geredet haben.«

Nach langwierigen Zündungsversuchen brannte endlich die Zigarette:

»Auch das verspreche ich dir, Hugo!«

Mama liebte es, daheim weite und ein wenig individuelle Gewänder zu tragen. Heute war's ein weißer Atlasburnus. Sie wandte ihrem Sohn, der vor ihr stand, aufmerksam das von der weißen Seide verdunkelte Gesicht zu. In Hugo aber ging etwas Seltsames vor. Er hatte früher oft in liebevoller Stunde, oder wenn er etwas zu erschmeicheln hoffte, für Mama ein Kosewort gefunden. Ein albernes Wort, das »Flaus« hieß, »Flausi«, oder so ähnlich. Jetzt, in diesem Augenblick, wollte er seine Mutter wieder so nennen, bittflehend und danksagend zugleich. Aber, siehe, es war unmöglich, keine Stimme kam aus seinem Mund, er blieb stumm. Und in ein und derselben Sekunde fragte sich Mama: Er zittert für diese liederliche Person. Täte er's auch für mich? Und eine wahre und wirkliche Eifersucht nahm bitter von ihr Besitz.

Kleinlaut entschuldigte sich Hugo:

»Es ist tatsächlich ein großes Unglück, Mama! ... Erna hat gesagt, daß sie ins Wasser gehn muß ... Sie hat es wirklich gesagt ...«

Aber Mama lachte leicht auf und meinte in einem herben und durchaus unpädagogischen Ton:

»Das werden dir in deinem Leben noch Viele erzählen, mein Sohn!«

Am Abend – seine Eltern hatten eine lange Unterredung miteinander gehabt – wurde Hugo zu Papa in die Galerie gerufen. Der Vater stand vor dem Tischchen mit der Münzensammlung und hielt dem Knaben ein uraltes Silberstück hin:

»Sieh dir diese ganz seltene Münze an, Hugo! Ich habe sie heute entdeckt. Dionysos von Syracus! Eine wunderbare Zeit, in der die größten Männer gelebt haben.«

Hugo betrachtete das Silberstück und sagte nichts. Papa wartete eine Weile, ehe er nochmals betonte:

»Die größten Männer! Hast du jemals den Namen Platon gehört?« Hugo war diesem Weisen in Gustav Schwabs ›Sagen des klassischen Altertums‹ wohl schon begegnet, aber sei es, daß er sich für die dort abgebildeten Helden und Heldinnen des trojanischen Krieges mehr interessiert hatte, sei es, daß ihn eine leichte Feindseligkeit gegen Papa beherrschte, er verneinte die Frage. Der Vater legte die Münze auf den Samt zurück:

»Lieber Junge! Du liest viel zu viel dummes Zeug zusammen. Wir werden jetzt systematisch beginnen müssen. Nicht wahr?« Und Hugo, der sich unter diesem »Systematisch« nichts rechtes denken konnte, hauchte aus enger Kehle: »Ja...«

Papa lächelte zufrieden und war ganz Kameradschaftlichkeit: »Du bist jetzt gesund, Hugo, und ein großer Bursche. Deine Altersgenossen sitzen womöglich schon in der Tertia. Die Verspieltheit und Träumerei muß endlich aufhören. In einigen Tagen wird Herr Dr. Blumentritt zu uns kommen. Ich bin überzeugt, daß er dir glänzend gefallen wird, und daß du in ein paar Monaten alles Versäumte mit ihm spielend nachholen kannst...«

Bei dieser Eröffnung nahm Papa seinen Sohn unterm Arm und ging mit ihm vergnügt auf und ab:

»Ich hoffe, daß wir beide gegen Mama eine feine Sache durchsetzen werden... Möchtest du nicht, vom nächsten Semester ab, auf dasselbe Gymnasium gehn, wo ich acht Jahre lang gesessen bin? Ich habe dir ja das Haus schon oft gezeigt...«

Hugo erklärte mit leiser Stimme, daß er dies gerne möchte. Der Vater stellte einen Kampf in Aussicht, den er mit Mama und ihrer fanatischen Krankheitsfurcht werde ausfechten müssen, wobei er aber auf Hugos wertvolle Unterstützung rechne.

Die dunklen Figuren einer heiligen Familie, die fern an der Wand hing, begannen sich wahrnehmbar zu rühren, als hätten sie den Käfig des Rahmens satt und wollten nun in ein besseres Land aufbrechen. Auch andere Gestalten, die kostbaren Penaten dieses Hauses, regten sich. Hugo, der all die heimliche Bewegung merkte, sah zu Boden, als er fragte: »... Aber Fräulein Tappert bleibt doch bei uns, Papa?«

Der Vater deutete durch plötzliche Lebhaftigkeit an, daß auch er sich mit Ernas Angelegenheit eingehend beschäftigt habe:

»Ja richtig! Du hast mit Mama ein interessantes Gespräch gehabt. Sie hat mir darüber genau berichtet. Nun, ich gebe dir hiermit mein Wort, Hugo, daß für Fräulein Erna alles geschehn wird, was zu ihrem Vorteil gereicht. Mama wird noch heute mit ihr sprechen. Von dir und deiner Intervention wird natürlich nicht die Rede sein... Es ist übrigens sehr hübsch, daß du für deine Umgebung ein Herz hast!«

Papa wiederholte, während er seine Fingernägel mit kurzsichtigen Augen betrachtete (eine Elite-Gebärde eleganter Nervosität für Hugo), sein geringfügiges Lob: »Ein gutes Herz ist ja sehr hübsch...« Als hätte damit die gebotene Zustimmung ihr Ende erreicht, begann er nun zwischen den altersheiligen Schätzen der langen Galerie auf und ab zu wandeln, wobei er den vorigen Worten einen kritischen Nachsatz anhängte: »Aber weichliche Empfindsamkeit und Romantik sind nicht die Tugenden, mit denen man in unserer Zeit vorwärts kommt... Was wird aus dir werden, mein Sohn? Du mußt dir härtere Ellbogen anschaffen. Es steht nirgends geschrieben, daß man für alle Ewigkeit gesichert ist.«

Gemaßregelt stand Hugo da, sehr klein in dem hohen Raum. Nach Albert nun auch Papa! Aber dieser milde Tadel bedrückte ihn nicht. Er hörte ihn kaum, da oberhalb seines Magens sich eine furchtbare Bangigkeit wie eine raschwachsende Pflanze entfaltete und alles verzerrte. Papa hielt in seinem Gang inne und streckte mit einer großen Bewegung den Arm aus, als weise er auf ein unsichtbares Porträt hin: »Dein Großvater, mein Vater, das war ein gewaltiger Mann. Er hat unser Haus gegründet, er hat alles geschaffen. Und wodurch, glaubst du, ist er so groß geworden? Durch Kraft, mein Lieber, durch zielbewußte Härte, durch rücksichtslose Energie.«

Hugo war ganz und gar nicht gesonnen, die blasse Erinnerung

an diesen Großvater heraufzubeschwören und dessen sagenhafte Willenskraft mit dem Bilde eines hilflosen alten Herrn im Rollstuhl zu konfrontieren. Die schmerzvolle Pflanze in der Zwerchfellgegend wuchs und wuchs. Papa hingegen versenkte sich mit großem Behagen in das Angedenken jenes energischen Gründers und Despoten:

»Er hat nicht lange gefackelt, der Großpapa. Wehe uns Söhnen, wenn wir uns einer Aufgabe nicht gewachsen zeigten. Weißt du, Hugo, wann ich die letzte Ohrfeige von ihm bekommen habe? Mit zwanzig Jahren.«

Papa lächelte dieser verschollenen Mißhandlung anerkennend nach. Dann warf er einen befriedigten Blick auf seine überaus schmalen Lackschuhe und schloß die Betrachtung:

»Vielleicht war diese alte Art von Erziehung richtiger.«

Hugos Mund öffnete sich schmachtend. Seine Augen suchten ringsum um Hilfe.

Die heiligen Gestalten wurden immer unzufriedener. Manche hatten sich schon halb erhoben. Der Kruzifixus vor allem, jener ausgemergelte Torso aus dem vierzehnten Jahrhundert, trat immer herrischer hervor und begann mit seinen Armstümpfen zu rudern. Er hatte es satt, ein gekaufter Sklave zu sein. Hugo spürte seinen Haß und kehrte sich ab, um ungestört die Wahrheit erfahren zu können, die seine verzweifelte Frage forderte:

»... Aber Erna bleibt doch bei uns?...«

Weit weg und zugleich wie durch einen Schalltrichter vergrößert, erklang Papas gutmütiges Lachen:

»Hör einmal, Hugo! Eigentlich versteh ich dich nicht. *Mir* hätte man es in deinem Alter zumuten sollen, einen Tag nur in weiblicher Gesellschaft zu verbringen! Also einfach odios und herabwürdigend wär mir das gewesen; Herrgott, ich wär durchgegangen, auf mein Wort! Aber ich war damals halt schon ein Mann, Hugo, ein Mann...«

Bei dem Wort »Mann« wurde der Torso plötzlich ganz schmal, schoß zur Decke empor, und begann sich mit wilder Drohung um sich selber zu drehn. Auch Hugo drehte sich um sich selbst und sank zu Boden.

Ein Schwindelanfall, eine kurze Bewußtlosigkeit, eine leichte Ohnmacht. Übrigens war es nicht das erstemal, daß der Knabe von einer plötzlichen Blutleere im Hirn befallen wurde. Diese Ohnmacht aber konnte kaum mit einer früheren verglichen werden. Als Hugo nach wenigen Augenblicken erwachte, sich auf einem Diwan fand, und die erschrockenen Gesichter seiner Eltern über sich gebeugt sah, da erfüllte ihn der Rausch eines kampferschöpften Siegers. Jetzt war Erna gerettet, er zweifelte nicht mehr daran, jetzt wird sie bis ans Ende der Tage bei ihm bleiben. Und mehr noch, er hatte gelitten, unerklärbar für Unerklärbares gelitten durch diese Ohnmacht. Alberts Augen würden ihn nicht mehr vorwurfsvoll anstarren, denn jetzt, jetzt war er ihm verwandt geworden.

Seit diesem Anfall legten die Eltern eine große Vorsicht gegen Hugo an den Tag.

Nach ihrer Heimkehr hatte Fräulein Tappert eine sehr ruhige und sehr gründliche Auseinandersetzung mit Mama. Sie kam von dieser Unterredung mit einem stillen, fast heiteren Gesicht ins Kinderzimmer und sah ihren Zögling so beruhigt, so schweigsam an, als wäre sie jeden Augenblick bereit, den Tiraden eines neugeborenen Schillerdramas hingebungsvoll zu lauschen. Da erkannte Hugo beseligt: Papa wird ihr helfen!

Zwei Umstände allerdings hätten sein Mißtrauen erwecken können, wenn der langnachwirkende Rausch der Ohnmacht seinen Klarsinn nicht tagelang umwölkt hätte. Erstens: Ernas Schuhe waren mit einemmal von dem Brett verschwunden, wo sie sonst immer als der gerechte Stolz ihrer Besitzerin in Reih und Glied gestanden hatten. Zweitens geschah es im schärfsten Gegensatz zu den letzten Monaten, daß Erna und Hugo kaum eine Minute lang des Tages allein blieben. Die Spaziergänge in den sommerlichen Anlagen entfielen. An ihre Stelle traten Autoausfahrten und Teestunden mit Mama.

Drei Tage später ergab es sich aber, daß die Eltern den Abend außer Haus verbrachten. Es war zehn Uhr etwa. Hugo saß im Bad. Er liebte es ungemein, zu später Stunde zu baden. Man konnte damit das leidige Schlafengehen etwas hinausschieben.

Auch ließ es sich nirgends so leicht, so milde träumen wie im lauen Wasser.

Wenn Hugo sich gänzlich gehen ließ, wenn er gar nichts mehr dachte, nicht den geringsten Willensdruck auf seinen Geist übte, dann kamen die Worte, die allmächtigen Worte über ihn. Sie kamen über ihn und nicht aus ihm, sie waren ihre eigenen Herren und er regierte sie nicht. Die Worte waren Wesen von einer eigenartigen und selbständigen Stofflichkeit, die gerne ein Hirn durcheilten, das zu verstummen wußte. So ziehen die eigenwilligen Farbflecke, Feuerkreise und Kringel an einem geschlossenen Auge vorbei, das in die Sonne geblickt hat. Hugo ahnte gar nicht, daß er dichte, wenn er im Bade saß und es in ihm zu sagen begann:

»Ich bin Neptun, der Gott des Wassers.
Ich schwimme, wohin ich will.
Die Wellen kitzeln mich, denn das haben sie gerne.
Fische kommen, große und kleine,
Sie begrüßen mich steuerbords und backbords.
Doch auch Fischinnen kommen, ich spüre sie.
Und dann schwimmen wir Alle,
Fischinnen und Fische,
Wir schwimmen, wohin wir wollen.
Durch das Meer schwimmen wir,
Das Meer ist groß und langweilig.
Dann schwimmen wir in die Flüsse.
Die Flüsse sind die kleinen Verhältnisse des Meeres.
Manchmal verirren wir uns auch in die Brunnen.
Brunnen gibt es in alten Haushöfen.
Sie sind die armen Leute des Wassers.«

Ernas Stimme unterbrach diese neptunische Ballade, die so oder ähnlich lautete:

»Bist du noch immer nicht fertig, Hugo, es ist schon sehr spät.«

»Komm doch herein, Erna!«

»Nein! Steig erst aus dem Wasser!«

Das war neu. Erna hatte doch bisher immer bei Bad und Waschung tätige Aufsicht geübt. Warum denn blieb sie jetzt vor der Tür stehn? Nach einer Weile entriß sich Hugo der Umarmung des Wassers und stieg aus der Wanne. Erna trat noch immer nicht ein:

»Bist du schon draußen? Hast du das Badetuch um?«

Jetzt erst, nachdem Hugo dies bejaht hatte, kam sie herein. Auch sie schien eine gründliche Reinigung vorgenommen zu haben. Der blaue Schlafrock wallte um ihren Leib, das frischgewaschene Haar war von Tüchern eingehüllt und die nackten Füße steckten in Sandalen. In diesem Aufzug erinnerte die hohe, pathetisch geformte Erna an die Darstellung griechischer Göttinnen und Heldenfrauen, wie sie Hugo aus Gustav Schwabs illustriertem Sagenbuch kannte und liebte. Jetzt krempelte sie wie immer die Ärmel ihres Negligées hoch über die Arme und begann mit treulicher Kraft, die ihr aus innerster Seele zu dringen schien, Hugos Körper zu frottieren. Er überließ sich gerne ihrem starken Walten, das ihn von allen Seiten warm umhüllte. Nun kniete sie vor ihm nieder, stemmte seine Füße gegen ihre Brüste und begann gewissenhaft, ihm die Schenkel abzureiben. Hierbei löste sich der aus Handtüchern gewundene Turban, den sie um den Kopf trug, und ihre Haare fielen frei herab. Eine Wolke von Kamillenduft schlug Hugo entgegen: Ernas, des Weibes Duft, von nun an fürs Leben.

Er lag schon zu Bett. Sie zögerte ein wenig, aus dem Zimmer zu gehen, und sagte langsam:

»Gute Nacht, Hugo!«

Er dehnte sich von wohligem Frieden erfüllt und blinzelte sie an:

»Nicht wahr, Erna, jetzt ist alles in Ordnung.«

Als wäre sie glücklich, noch eine Minute verweilen zu können, setzte sie sich an den Bettrand:

»Ja, hab keine Sorge, es wird schon alles in Ordnung kommen, Hugo...« Und mit einem Seufzer: »Ich danke dir auch recht schön für alles!«

Hugo setzte sich im Bett auf:

»Hör einmal, Erna! Wir müssen nächstens wieder zu deiner

Mutter und zu Albert gehn!... Nicht?... Sobald wie möglich. Glaubst du, daß mir Albert seine Erfindung erklären wird?«

»Ja, natürlich! Wir werden nächstens hingehn, Hugo... Aber jetzt... Schlaf wohl!«

Sie erhob sich und schaltete das Deckenlicht aus, so daß nur mehr die Bettlampe brannte. Hugo aber rief:

»Nein! Komm noch einmal her!«

Langsam gehorchte Erna dieser Lockung. Der Knabe ergriff ihre Hand und sah sie fest an: »Du gehst nicht fort! Was!?«

Sie lachte hilflos. Ihr Mund verschob sich leicht. Dann beugte sie sich über Hugo, ohne ein Wort zu sagen. Seine Stimme war auf einmal rauh und tief geworden:

»Nein! Du gehst nicht fort! Aber weißt du, was ich getan hätte, wenn du fortgegangen wärst?...«

Erna beugte sich tiefer über das Bett. Ihre Lippen gingen fragend auf. Hugos Nägel verkrallten sich leidenschaftlich in ihre Hand:

»Ich wär mit dir gegangen, Erna... ganz weit weg... ganz fort von hier... in die kleinen Verhältnisse... Erna, das mußt du mir glauben!«

Und er ließ einen wilden Blick durch das mild-erleuchtete Dunkel des großen Zimmers schweifen, als hasse er es mitsamt seinen weißlackierten Möbeln und Turngeräten. Erna, noch immer über ihn gebeugt, rührte sich nicht. Da packte er auch ihre andere Hand mit solch heftigem Ruck, daß sich der Schlafrock verschob und ein Stück ihrer Schulter entblößte. Er aber keuchte fast weinend:

»Ich wär mit dir gegangen, Erna... Fort von hier, von Mama... Ich muß ja gar nicht ins Gymnasium gehn... Ich könnte bei Albert lernen... Sein Gehilfe werden... Wir würden miteinander Geld verdienen... Aber jetzt bleibst du ja bei uns, Erna... Du bleibst bei mir.«

Ernas Lippen schlossen sich noch immer nicht, als wären sie willig zu reden. Hugo fühlte mit ruhevoller Seligkeit, wie ihr schönes großes Gesicht, ihr glorreiches, vom Waschen wolkiges Haar ihm näher kam, sich immer tiefer zu ihm herabbeugte.

Erna aber sagte nur »Gute Nacht, Hugo« und küßte ihn sanft auf den Mund.

Dieser Kuß war nichts als ein stärkerer Anhauch des Kamillenduftes. Sie ging. Das Blau des langen Gewandes spielte um ihren wirklich schreitenden Sandalen-Schritt. In der dunkleren Ferne des Raumes schien sie von übergroßer Gestalt zu sein. Nun verschwand sie und schloß die Tür hinter sich. Das erstemal, seitdem sie im Hause lebte, schloß sie am Abend die Tür hinter sich.

Längst war es schon finstere Nacht. Hugo schlug sich mit einem widerspenstigen Gedanken herum. Dieser Gedanke hatte nicht nur mit kleinen Verhältnissen und Alberts Erfindungen zu tun, sondern auch mit Papas Sammlung und dem Gymnasium. In diese ziemlich wachen Gedanken mischten sich peinigende Bilder. Papa bewältigte mit seiner grandiosen Vornehmheit spielend alle Aufgaben des Lebens, während Hugo talentlos und ungeschickt an ihnen scheiterte. Beide, Hugo und Papa, schwammen im Meer, Papa mit leichten sicheren Stößen, Hugo hingegen kam nicht vom Fleck. Nicht anders erging es ihm mit dem Geräteturnen und dem Kopfrechnen. Der Knabe warf sich im Bette hin und her. Wie widerwärtig war dieser Zustand unfertiger, tückisch fliehender Vorstellungen!

Da spürte er – und sein Herz erstarrte –, daß er nicht allein in seinem Bette liege. Ganz klein machte er sich. Aber das nützte nichts, denn das andere war unabwendlich da, neben ihm, weich, riesig, warm. Es atmete. Sein glühender Hauch traf mit gleichmäßiger Woge seinen Nacken. Kein Zweifel, es lag in seinem Rücken. Wehe, und jetzt berührte es ihn, jetzt preßte es sich an ihn, dieses Übermächtige, Glutheiße, Nackte: Das Weib Erna! Hugo wollte aufschreien: »Was willst du? Ich bin ja wach!!« Aber die gräßliche Wonne verbiß sich in seinen Leib und würgte ihn. Er schlug um sich. Es gelang ihm, für einen Augenblick die kamillenduftende Umstrickung abzuschütteln. Er floh durch Straßen und Gassen der Heimatstadt. Aber sogleich hielt ihn das Übermächtige, Glutheiße, Atmende wieder umschlungen. Wie er auch lief, es preßte ihn herrlich und schrecklich an sich, immer gleich nahe, immer gleich brennend. Und jetzt stieß ihn Erna mit ihren nackten Armen und Brüsten vor sich her in einen dunklen Hausflur. Im Schatten des großen Kreuzes sank er zusammen. Nun mußte er sterben, denn sein Blut floß.

Mit dem Schrei: »Ich schlafe ja nicht!« war Hugo aus dem Bett gesprungen. Er stand im gänzlich entfremdeten Zimmer. Lange konnte er sich nicht orientieren. Wo lagen nur die Fenster? Ach ja, dort, das mußte die Tür sein. Kein Lichtspalt! Sie war geschlossen. Zitternd kroch er in sein Bett zurück, das nicht mehr sein altes Bett war, sondern eine lockende und gefährliche Höhle.

Als Hugo am nächsten Morgen erwachte, sah er Mama in seinem Zimmer. Sie hatte eben die Läden geöffnet und lachte ihn an:

»Aufstehn, mein Herr! Genehmigen Sie bitte gnädigst meine Anwesenheit! Fräulein Erna hat für einige Zeit Urlaub genommen. Wir werden also jetzt aufeinander angewiesen sein. Ich bitte um eine möglichst schonende Behandlung.«

Hugo sagte nichts, sondern machte Miene, sich umzudrehn und von neuem einzuschlafen. Aber Mama drängte ihm schon seine Strümpfe auf:

»Ernsthaft, Hugo, beeil dich! Unten wartet schon Herr Dr. Blumentritt auf dich. Ein prachtvoller Kerl, und ein junger Mensch noch! Ich hab mich bereits mit ihm eine ganze Weile glänzend unterhalten, sag ich dir!«

Hugo sah unbeweglich zu Boden. Er ist noch schlaftrunken, dachte Mama. Sie eiferte ihn an. Er verzog nicht den Mund, er fragte nicht, wann Erna zurückkehren werde. Langsam begann er sich anzukleiden.

Bibliographischer Nachweis

Erfolg. [Fragment.] Ursprüngliche, aber verworfene Titel waren ›Die Oper‹ und ›Die neue Oper‹. Handschrift in einem Heft mit der Bezeichnung ›Skizzen Totenaufruhr – Dramatische Ballade in neun Strophen‹; undatiert; aufgrund von Schriftduktus und Tinte von Adolf D. Klarmann auf »um 1920 oder 1921« datiert (University of California at Los Angeles). Typographische Abschrift (University of California at Los Angeles); Textvorlage. – Erstmals in F. W., ›Erzählungen aus zwei Welten. Zweiter Band.‹ Herausgegeben von Adolf D. Klarmann, [Berlin und Frankfurt am Main:] S. Fischer Verlag 1952, S. 314–318.

Anmerkungen

10 *ruvidezza*: (italienisch), Rauheit;
Antonio *Scotti*: (1866–1936), italienischer Bariton mit starken schauspielerischen Fähigkeiten;
Spiel der Wellen: weitverbreitetes Bildmotiv bei Reproduktionen;

12 *meno mosso*: (Tempobezeichnung), weniger bewegt;
ma non troppo: (ebenfalls Tempobezeichnung), aber nicht zu sehr;
Idea: vermutlich die Zeitschrift ›L'idea nazionale‹, Rom;

13 *in irgend einer Komödie*: nicht ermittelt.

Der Schauspieler. [Fragment.] Handschrift in einem Heft (University of California at Los Angeles). »Das Manuskriptheft zeigt auch die folgenden Titel: ›Die Entdeckung der Seele‹ und ›Fegefeuer‹. Der Untertitel lautet: ›Eine mehr als spiritistische Geschichte‹. Als Datum ist der 19. Mai 1921 angegeben. In einem anderen Notizbuch ohne Datum befinden sich einige Seiten von

Bemerkungen und Skizzen zum selben Stoff, wie auch ein Aufbauschema von neun Kapiteln und ein anderes von sechs Kapiteln. Es handelt sich hier um einen geplanten spiritistischen Roman mit dem Titel ›Fegefeuer‹. Ein anderer Titel, ›Auflösung‹, ist durchgestrichen.« (Adolf D. Klarmann) Dort finden sich auch, im Anschluß an die genannten Notizen, mit der Überschrift »Schluß« der hier wiedergegebene Text des zweiten Kapitels – der Zusatz »II. Kapitel« ist dem Begriff »Schluß« offensichtlich erst nachträglich hinzugefügt worden – sowie mit der Überschrift »III. Kapitel« einige wenige Notizen zu einer Fortsetzung. – Erstmals in F. W., ›Erzählungen aus zwei Welten. Zweiter Band.‹ Herausgegeben von Adolf D. Klarmann. [Berlin und Frankfurt am Main:] S. Fischer Verlag 1952, S. 299–313; Textvorlage. ›(Schluß [des II. Kapitels])‹ und Notizen zum ›III. Kapitel‹ erstmals ebenda, S. 395–396 (Anmerkungen; vgl. dort auch Datierung) – Textvorlage hierfür: Handschrift aus dem oben erwähnten Heft (University of California at Los Angeles).

Anmerkungen

16 *Philippika*: anprangernde, aufwiegelnde Rede;
Antinous: (Antinoos), schöner Jüngling aus Bithynien; Liebling des Kaisers Hadrian (76–138); nach seinem angeblichen Opfertod im Nil vom Kaiser zum Gott erhoben; sein Kult war sehr verbreitet;
farnesischer Herkules: die römische Statue des Herakles (Herkules) befand sich früher in der Sammlung der italienischen Adelsfamilie Farnese; heute ist sie im Besitz des Nationalmuseums in Neapel;
vor dem Elefanten: berühmtes Hotel;
Heiducken: ursprünglich um 1605 um Debreczin angesiedelte ungarische Söldnertruppe, dann Gerichtsdiener und Dienstpersonal der Magnaten;
Chiton: altgriechisches Kleidungsstück der Männer;
das Nationale: (österreichische Amtssprache), Personalangaben;

17 *Upanishads*: (Upanişads), Sammlung von altindischen Versepen;
24 *idée fixe*: der über einem ganzen Werk stehende Grundgedanke;
26 *Kastell d'Elmo für Neapel*: Castello Sant'Elmo, die Stadt überragend mit schöner Aussicht, erbaut 1535;
Kean: ›Kean ou désordre et génie‹ (Kean oder Unordnung und Genie), Drama in fünf Akten von Alexandre Dumas Père (1802–1870);
27 *Matrizen*: eigentlich Hüllen der Zellkerne;
28 *des »Reiches«, wie's die Kabbalah nennt*: Die Kabbala (oder nach jüdischer Meinung die mündliche Überlieferung von Moses' Lehre) stellt das Gesetz von der Dreiheit der Elemente auf, dem Urprinzip der gesamten Schöpfung; jedes der drei Elemente zeigt einen besonderen Charakter, der »entsprechend den weiteren Ebenen der Betätigung Affinität oder Geschlecht genannt wird«; es gibt drei sich gegenseitig durchdringende Ebenen der Betätigung, die in der Kabbala Welten oder Reiche genannt werden und in allen Kreaturen vorhanden sind: die obere, die mittlere und die untere Welt – beim Menschen entsprechen sie Kopf, Brust und Bauch;
29 *das Od*: nach der naturphilosophischen Lehre des chemischen Technikers Carl von Reichenbach (1788–1869) eine dem Magnetismus ähnelnde Körperkraft, die das Leben lenke und von besonders veranlagten Menschen empfunden werden könne;
31 *Piston*: Cornett, ein aus dem Posthorn entstandenes Instrument.

Die Bestattung des Beins. [Fragment.] Handschrift in einem Heft (University of California at Los Angeles). »Dieses Fragment einer Novelle befindet sich im Manuskriptheft des Dramas ›Juarez und Maximilian‹ mit dem Datum 16. Juli 1924. Die geplante Novelle sollte wohl eine Nebenarbeit aus dem Mexikostoff des

Dramas werden.« (Adolf D. Klarmann) – Erstmals in F. W., ›Erzählungen aus zwei Welten. Zweiter Band.‹ Herausgegeben von Adolf D. Klarmann. [Berlin und Frankfurt am Main:] S. Fischer Verlag 1952, S. 319–321 (zur Datierung vgl. dort ›Anmerkungen‹, S. 397); Textvorlage.

Anmerkungen

33 Don Augustin de *Iturbide*: (1783–1824), als Augustin I. von Mai 1822 bis März 1823 Kaiser von Mexiko; nach seiner Abdankung wurde Mexiko zum erstenmal eine bundesstaatliche Republik;

Krieg gegen das spanische Invasionskorps: 1829 schickte Spanien ein Invasionskorps nach Mexiko, weil ein Dekret der Republik alle Spanier ausweisen ließ; es kam nur zu einem Kampf;

Krieg gegen Nordamerika um den Besitz von Texas: 1846–1847;

General Antonio Lopez de Santa Anna: (1797–1876), zeitweise Präsident, zeitweise Diktator von Mexiko; schloß sich 1821 als Oberst eines Regiments Iturbide an, trat aber nach dessen Thronbesteigung gegen ihn auf und trug viel zu seinem Sturz bei; auf einem Feldzug gegen die abgefallene Provinz Texas geriet er 1836 in Gefangenschaft, kam 1837 frei, 1838 verlor er bei der Verteidigung von Vera Cruz gegen die Franzosen ein Bein;

34 *ultramontaner Katholizismus*: streng päpstlich gesinnter Katholizismus;

35 *die regierenden Häuser Modena...*: sämtlich Herzogtümer;

Komturkreuz: das Halskreuz eines Verdienstordens.

Die tanzenden Derwische. Handschrift in ›Ägyptisches Tagebuch/*Jänner, Feber 1925*/(in flüchtigsten Notizen)/Reise nach Ägypten und Palästina‹, datiert: »Kairo 23. 1.« (University of California at Los Angeles). – Erstmals in ›Ewige Gegenwart. Zwölf Erzählungen von Thomas Mann, Hermann Hesse, Arnold Ulitz, Heinrich Mann, Stefan Zweig, Otto Flake, Bruno

Frank, Otto Stoessl, Wilhelm Schäfer, Norbert Jacques, Alfons Paquet, Franz Werfel.‹ Berlin: Die Buchgemeinde 1928, S. 235–247; Textvorlage. Aufgenommen in F. W., ›Erzählungen aus zwei Welten. Erster Band: Krieg und Nachkrieg.‹ Herausgegeben von Adolf D. Klarmann. Stockholm: Bermann-Fischer Verlag 1948, S. 285–293; zur Datierung vgl. dort ›Anmerkungen‹, S. 297.

Anmerkungen

37 *Sultan Mohammed Achmed*: nicht ermittelt;

Mahdi Mohammed Achmed: (um 1840–1885), wurde Derwisch und ließ sich als Wundermann verehren; er beanspruchte neben der geistlichen Führung auch die politische. – Mahdi: Glaubenserneuerer;

Muski: el-Muski, Stadtviertel von Kairo, Vorsaal des Chân-el-chalîli-Basars;

40 *Fiorituren*: Verzierungen;

Pralltriller: kurzer Triller, d. h. Verzug eines Haupttones in der Melodie durch schnellen einmaligen und gleichmäßigen Wechsel mit dem nächsthohen Nebenton;

Doppelschläge: Umspielen des Melodietones durch Ober- und Untersekunde;

Sequenzen: Folgen von Wiederholungen eines rhythmischen Motivs;

Triolenketten: rhythmische Figur von drei gleichwertigen Noten;

44 *Adept*: ein in die Geheimnisse einer Wissenschaft oder einer Geheimlehre eingeweihter Jünger;

Levitation: vermeintliche Aufhebung der Schwerkraft, freies Schweben als spiritistische Erscheinung.

Die Ehe jenseits des Todes. Erzählung. [Fragment.] Handschrift (University of California at Los Angeles). »Als nicht angewendeter Titel steht auf dem Manuskriptheft auch: ›Die Lebensalter, Vorletzte Novelle‹. Es könnte sich hier um eine fallengelassene

Arbeit zur Sammlung ›Geheimnis eines Menschen‹ handeln, in welchem Falle das Fragment aus den Jahren 1925 oder 1926 stammen sollte.« (Adolf D. Klarmann) – Erstmals in F. W., ›Erzählungen aus zwei Welten. Zweiter Band.‹ Herausgegeben von Adolf D. Klarmann. [Berlin und Frankfurt am Main:] S. Fischer Verlag 1952, S. 322–335 (zur Datierung vgl. dort ›Anmerkungen‹, S. 397); Textvorlage.

Anmerkungen

53 *Pflanzmajor*: (österreichisch), Großtuer;
g'schaftelhuberisch: wie einer, der überall mittuen will;
55 *Teschen*: ehemalige österreichische Stadt, deren Ostteil 1920 an Polen und deren Westteil an die Tschechoslowakei fiel;
56 *Wruken*: Kohlrüben;
Doppelnullermehl: nicht ermittelt;
58 *Feldzeugmeister*: oberster Befehlshaber der Artillerie in Österreich;
Général de Charge: Hauptangriff.

Pogrom. [Fragment.] Handschrift (University of California at Los Angeles). »Das Manuskript dieses Fragmentes trägt das Datum 28. Juli 1926.« (Adolf D. Klarmann) – Erstmals in F. W., ›Erzählungen aus zwei Welten. Zweiter Band.‹ Herausgegeben von Adolf D. Klarmann. [Berlin und Frankfurt am Main:] S. Fischer Verlag 1952, S. 336–375 (zur Datierung vgl. dort ›Anmerkungen‹, S. 397); Textvorlage.

Anmerkungen

60 *Kaspisee*: Kaspisches Meer, größter Binnensee der Erde, östlich des Kaukasus;
Hofmeister: seit dem 18. Jh. Hauslehrer;
63 *Limanowa*: Stadt in Galizien;
64 *detachieren*: für eine besondere Aufgabe abkommandieren;
67 *Blust*: Blütezeit, das große Blühen;

68 *Chaluppen*: (russisch, Chalupen), kleine Katen;
Reluten: nicht ermittelt;
75 *»Schâ!«*: (hebräisch), Sei still!;
76 *captatio benevolentiae*: Haschen nach Wohlwollen, Gunstbewerbung;
77 *Hetz*: Spaß;
79 Adolf Ritter von *Sonnenthal*: (1834–1909), Darsteller klassischer Heldenrollen, seit 1856 am Wiener Burgtheater;
81 *Comenius und die böhmische Idee*: Johann Amos Komenský (1592–1670), tschechischer Theologe und Pädagoge, war Bischof der Böhmischen Brüder, eine an Jan Hus' (um 1370–1415) vorreformatorische Reform anschließende Bewegung;
85 *»Ganz vergeßner Völker Müdigkeiten ...«*: Hugo von Hofmannsthal (1874–1929), ›Manche freilich ...‹ (»Ganz vergessener Völker Müdigkeiten / Kann ich nicht abtun von meinen Lidern ...«);
89 *Favoriteln*: Schläfenhaar;
90 *Josef von Sonnenfels*: Joseph Freiherr von Sonnenfels (1733 bis 1818), Staatsmann und Schriftsteller, 1779 Hofrat; in der Aufklärungsperiode spielte Sonnenfels auf juristischem Gebiet (Polizeiwesen), sozialem (Abschaffung der Folter) und literarischem eine bedeutende Rolle;
95 *Sinekure*: mühelos einträgliches Amt.

Der Tod des Kleinbürgers. Novelle. Entstanden: September bis Oktober 1926; Handschrift (University of Pennsylvania). Erste Buchausgabe: Berlin–Wien–Leipzig: Paul Zsolnay Verlag 1927; Textvorlage. – Diese Novelle erschien in englischer Übersetzung zusammen mit ›Nicht der Mörder, der Ermordete ist schuldig‹, ›Der Abituriententag‹, mit dem Novellenzyklus ›Geheimnis eines Menschen‹ und ›Kleine Verhältnisse‹ in dem Sammelband ›Twilight of a World‹, New York: Viking Press 1937. Zu den einzelnen in dieser Ausgabe enthaltenen Werken hatte F. W. Glossen geschrieben, die zu seinen Lebzeiten nicht in deutscher Sprache erschienen sind. Sie wurden erstmals in dem Band F. W., ›Erzählungen aus zwei Welten. Zweiter Band‹, herausgegeben von Adolf D. Klarmann, [Berlin und Frankfurt am Main:] S. Fischer Verlag 1952, veröffentlicht. Der folgende Text findet sich dort auf den Seiten 379–381.

Der Tod des Kleinbürgers

(The Man Who Conquered Death)

Der Leser lernt nun einen wirklichen Helden kennen und einen sinnbildhaften Mann. Der Held gehörte einst dem silberblitzenden und pelzverbrämten Geschlechte der imperialen Türhüter an, er war ein würdiger Teil des Ganzen, ein dienendes Glied des Reiches, ein Baustein der Weltordnung. Die Weltordnung ist zusammengebrochen. Ihr Türhüter hat aus der Katastrophe nicht viel andres in die neue Zeit herübergerettet als das traulich unnahbare Gesicht des Kaisers, das er gleich vielen alten Männern an Stelle seines eigenen trägt.

Der Kaiser ist tot. Die Habsburger sind Landes verwiesen. Nie wieder sieht man den schimmelbespannten Hofwagen über die Hauptstraße von Mariahilf hinabtraben. (Ein kurzer trommelnder Trab, unter dem das Pflaster zum Xylophon wird, ein Trab, der einen bis ins Zwerchfell durchbebt.) Nie wieder sieht man die müde Hand im weißen Glacé-Handschuh lässig zum Salut an den Generalshut rühren, um der Menge für ihr lautes Vivat zu danken.

Der Türhüter hat sich abgefunden. Er gehört nicht zu den hervorragenden Überlebenden der Monarchie, zu jenen hochgestellten Beamten und Offizieren, die den Groll ihres Herzens sorgfältig pflegen und verwöhnen. Ein ganz kleiner Mann darf sich den Luxus solch hochgestellten Grolls nicht leisten. Er muß Gott täglich auf den Knien danken, daß er sich ducken darf und als ein vom Schicksal Verwöhnter noch im Alter eine Arbeit gefunden hat, mit der er seine Familie ernährt. Auch dieser Türhüter besitzt ein Reich. Und er ist gewillt, dieses Reich zu verteidigen, bis zum letzten Atemzug. Er wird es auch verteidigen mit der übermenschlichen Tat seines letzten Atemzuges.

Unser Türhüter geht täglich durch die Straßen der ehemaligen Kaiserstadt Wien. Er denkt an die Verteidigung und Rettung seines Reiches. Einem unbedeutenden Nichts wie ihm geziemt es nicht, an Größeres zu denken. Er, der ehemalige kaiserlich-königliche Beamte – wenn auch nur subaltern, Beamter ist Beamter – sieht vielleicht auch die tragische Verwandlung der Stadt. Wien hat den Umsturz, den Hunger, die Inflation überdauert. Die Stadt des Weines und der Lieder hat sich eben mit proletarisch hohlen Wangen vom Krankenlager erhoben. Die Palastbauten der Ringstraße stehen noch da wie immer: die Hofburg, die Oper, die Museen, das Rathaus, das Parlament, das Burgtheater... Doch etwas Unbegreifliches ist mit diesen Prachtgebäuden geschehen. Nicht, daß sie verwahrlost wären, daß der Verputz abfiele, daß zwischen ihren Quadern ruinenliebender Pflanzenwuchs vordränge – nein, ganz im Gegenteil, die Paläste der Kaiserstadt werden mit der größten Achtung und Fürsorge instand gehalten. Aber irgendeine mystische Schäbigkeit ist über sie gekommen. Der blendende Staatsfrack ist noch derselbe. Die Gestalt jedoch, die ihn trägt, ist eingeschrumpft und unscheinbar geworden. Nun wirkt das schlotternde Prachtgewand trotz aller Orden wie von der Stange des Trödlers gekauft, wie aus dem Maskenleihhaus selbst bezogen. – Dem Gesicht des Türhüters, das sich noch immer den Rest der traulichen Unnahbarkeit seines Vorbilds bewahrt hat, sieht man nichts von solchen Einsichten an. Er ist ein schweigsamer und verschlossener Mann wie jeder echte Held. Die große Schäbigkeit ist auch über ihn gekommen, und zwar durchaus keine mystische, sondern eine äußerst wirkliche. Und mit ihr dringt die große Gefahr immer näher auf ihn ein. Deshalb muß er unablässig nachdenken und nachdenken. Vorsorgen für die Sicherung seines Reiches.

In dem Versuch dieser Sicherung gerade erwischt ihn sein Schicksal. Es tritt ihm mit grausamer Ironie in der Form einer »Versicherung auf Ableben« entgegen, wie der technische Ausdruck lautet. Manche werden sich über die Art der besagten Versicherung wundern. Aber in jener Zeit, die knapp auf die Inflation folgte, blühten in den europäischen Hauptstädten allerlei Assekuranzfirmen, deren Erfindungskraft in der Versicherung ahnungsloser Sterblicher nicht gering war. Auf die Zeit verbrecherischen Überflusses an Geld war die Zeit verbrecherischer Geldknappheit gefolgt. Wo noch ein geretteter Sparpfennig zu finden war, dort wurde er willkommen geheißen. Im übrigen hat diese Erzählung vom Tode eines kleinen Mannes den großen Vorzug, sich in der Wirklichkeit ereignet zu haben, natürlich nur, was die nackte Tatsache anbetrifft.

Der Türhüter hat sein Reich in einem denkwürdigen Kampf verteidigt, heldischer und heiligmäßiger als der Kaiser das seine. Doch Franz Josephs Schatten griff als Bundesgenosse in diesen Kampf ein.

Anmerkungen

103 *Kabinett*: Kleines Zimmer mit nur einem Fenster;
Josefstädterstraße: im VIII. Wiener Bezirk;
Gürtel: Lerchenfelder- bzw. Währinger-Gürtel, Hauptverkehrsstraße;

104 *Kralowitz*: (Královice), in Böhmen, nördlich von Pilsen;

105 *Lainz*: XIII. Wiener Bezirk;
Finanzlandesprokuratur: Bundesfinanzbehörde, die dem Bundesfinanzministerium unterstellt ist;

107 *betreten*: ertappen;

108 *Spanischer Wind*: Schaumgebäck, Baiser;
Kollatschen: kleine gefüllte Hefekuchen;
Schnitten: Waffeln;

110 *Bisgurn*: (mhd. bizgura), bissige Stute, keifendes Weib;

111 *Punctus Spundus*: (Pseudolatein); Spundus (österreichisch): Angst, Furcht;

113 *Kabinettgröße*: das Format von photographischen Platten, 10 × 14 cm;

114 *Fraisen*: Krämpfe;

115 *Assekuranzpolizze*: Versicherungspolice;

116 *Gerstl*: Graupe; scherzhaft für Geld;

121 *Vorkriegsspagat*: Vorkriegsbindfaden;

125 *Verwesungsrout*: Rout veraltet für (Abend-)Empfang;

129 *Feiertagswurzen*: Wurzen, ein Mensch der sich ausbeuten läßt;

136 *»Ich bin die Prinzessin Ilse...«*: aus ›Die Ilse‹ in ›Harzreise‹, 1824, von Heinrich Heine (1797–1856): »Ich bin die Prinzessin Ilse / Und wohne im Ilsenstein; / Komm mit nach meinem Schlosse, / Wir wollen selig sein.«

Houpaj, Cistaj, Kralowitz...: böhmische Orte nördlich von Pilsen;

139 *Sensorium*: Bewußtsein;

140 *Siemandl*: eigentlich Simandl, Pantoffelheld;

143 *Greißlerin*: Krämerin;

144 *Remuneration*: Gratifikation, Vergütung;

148 *Tschinellenkrach*: Schlaginstrumentekrach;

Krampusse: Krampus, temperamentvoller Begleiter des Nikolaus.

Kleine Verhältnisse. »Geschrieben im Jahre 1927.« Handschrift (University of Pennsylvania). Erste Buchausgabe: Berlin–Wien–Leipzig, Paul Zsolnay Verlag 1931; Textvorlage. – Diese Novelle erschien in englischer Übersetzung zusammen mit ›Nicht der Mörder, der Ermordete ist schuldig‹, ›Der Abituriententag‹, mit dem Novellenzyklus ›Geheimnis eines Menschen‹ und ›Der Tod des Kleinbürgers‹ in dem Sammelband ›Twilight of a World‹, New York: Viking Press 1937. Zu den einzelnen in dieser Ausgabe enthaltenen Werken hatte F. W. Glossen geschrieben, die zu seinen Lebzeiten nicht in deutscher Sprache erschienen sind. Sie wurden erstmals in dem Band F. W., ›Erzählungen aus zwei Welten. Zweiter Band‹, herausgegeben von Adolf D. Klarmann, [Berlin und Frankfurt am Main:] S. Fischer Verlag 1952, veröffentlicht. Der folgende Text findet sich dort auf den Seiten 387–388.

Kleine Verhältnisse

(Poor People)

Die erste im Reigen dieser Erzählungen befaßt sich mit dem Wesen und den Erlebnissen eines zwölfjährigen Jungen. Diese Erlebnisse tragen wenig äußere Abenteuerlichkeit an sich, dazu stammt der Junge aus viel zu gutem Hause. Um so bedeutsamer aber ist das innere Abenteuer des kleinen Helden, der im Verlauf der Geschehnisse zur Liebe erwacht und zwar nicht nur zur Liebe für ein schönes Mädchen, sondern zur nicht minder schmerzlichen Liebe für die Armen. Da es sich um einen nicht ganz gewöhnlichen Knaben handelt, so verflechten sich das erotische und das soziale Erwachen qualvoll in seinem Herzen und setzen es in Verwirrung. Doch keine Angst! Dieses Erwachen endet mit keiner allzu tragischen Verwicklung, die für Gesundheit und Zukunft des Jungen bangen ließe. Wir stehen ja noch ganz zu Anfang unseres Jahrhunderts. Eine recht milde Luft weht. Es wetterleuchtet zwar schon, aber es donnert noch nicht. Die Waffen liegen in den Zeughäusern. Auch die gesellschaftlichen Gegensätze haben ihre praktische Polsterung noch nicht verloren. Es hallt dumpf, aber es kracht nicht, wenn sie aufeinanderprallen. Selbst die Armut, die vom Massenfluch der Arbeitslosigkeit beinahe nichts weiß, behütet eifersüchtig das bürgerliche Cachet ihrer guten Stube.

Die Erzählung spielt in Böhmens uralter Hauptstadt Prag. Man erfährt nicht viel, aber einiges von ihren Brücken, Gärten, Palästen und Hütten. Die gefährliche Schwermut und Grübelei, die der erinnerungsschwangere Schatten ihrer vielen Türme in nervöse Gemüter senkt, wird in dem Denken und Fühlen unseres kleinen Helden beschworen.

Der deutsche Titel hat eine mehrfache Bedeutung und versinnbildlicht genau das Geschehen. ›Kleine Verhältnisse‹, das ist so viel wie enges, entbehrungsreiches Leben, Armut und Haltung, nicht die letzte Not, aber die vorletzte. Zugleich jedoch bedeutet ›Kleine Verhältnisse‹ auch flüchtige Liebschaften, petites liaisons, für welche die weibliche Hauptgestalt der Geschichte sorgt. Darüber hinaus aber schwingt noch in den beiden Titelworten irgend etwas mit, das die Liebessehnsucht eines halbwüchsigen Jungen zu einer erwachsenen Schönen dunkel verrät.

154 *Hofmeister*: siehe Anmerkung zu S. 60;
156 Friedrich Wilhelm von *Hackländer*: (1816–1877), Schriftsteller Verfasser von humoristischen Sittenromanen und von Bildern aus dem Soldatenleben;
163 *Portepee*: Säbelquaste;
reservat: unter das Amtsgeheimnis fallend;
165 *Hämatogen*: blutbildende Arznei;
172 *Kuchelbad, Beneschau*: Orte im nördlichen Böhmen;
173 *Mullatschag*: ein ausgelassenes Fest, bei dem am Ende Geschirr und Einrichtungsgegenstände zertrümmert werden;
Remuneration: Siehe Anmerkung zu S. 144;
174 *Malzzelteln*: Zuckerplätzchen aus Malz;
178 *petschieren*: siegeln;
»Skurzo«: möglicherweise ist Scudo gemeint, eine alte italienische Silbermünze;
Sedia gestatoria: Tragsessel des Papstes bei feierlichen Aufzügen;
197 *The sorrow of satan [1895] bei Mary [Marie] Corelli* (1864–1924);
202 *Dionysos von Syracus*: Dionysios I., der Ältere, Tyrann von Syracus (430-367 v. Chr.); auf ihn bezieht sich Schillers ›Bürgschaft‹;
203 *Penaten*: altrömische Hausgötter, übertragen für häuslicher Herd, Wohnung, Heim;
205 *odios*: gehässig, unausstehlich, widerwärtig.